SYMPHONIE

SYMPHONIE

roman

UNE ÉDITION SPÉCIALE DE LAFFONT CANADA LTÉE

© Éditions Robert Laffont, S.A., Paris, 1987
ISBN 2-221-05178-5
ISBN 2-89149-378-8

1

Les habitants de La Chaux-de-Fonds, ceux qui ne la connaissent que pour la voir passer assise à l'arrière de sa Jaguar conduite par son chauffeur Michel, ceux-là pensent que Constance Dussault est une femme incapable de sourire.

Ils voient une sexagénaire soignée et élégante, à l'impeccable chevelure blond platine; ils s'attendent presque à la voir saluer les promeneurs avec une condescendance distante et bienveillante, comme font encore quelques reines, et bornent à cette apparence l'idée qu'ils se font de la toute-puissante propriétaire de Dussault-Pontin.

Sous ses visons l'hiver, ses tailleurs l'été, elle porte des chemisiers de soie admirablement coupés, dont elle possède une collection et qui font partie de sa personne comme une seconde peau. Chaque matin, Michel en scrute la texture et la couleur comme on consulte un baromètre; et il prévoit, en se trompant rarement, quelles seront ce jour-là les occupations et l'humeur de sa patronne.

Ce jour-là, le chemisier était blanc et luisant, complété d'une écharpe qui dissimulait les griffures infligées au cou par le temps : les rencontres de Mme Dussault seraient de la première importance, avait pensé Michel, et il ne s'était pas mépris. Il l'avait conduite à l'usine, où étaient arrivés peu après, séparément, deux hommes d'un certain âge dont l'allure et les vêtements, ainsi que l'expression, où se mélangeaient à doses égales l'aménité et l'inflexibilité, disaient clairement qu'ils avaient affaire à longueur de journée avec les choses de l'argent.

Ils n'étaient pas demeurés très longtemps à l'intérieur de ces bâtiments où étaient fabriqués, depuis plus de cent ans, des montres et d'autres appareils à mesurer le temps qui défendaient dans le monde entier la haute renommée de l'horlogerie suisse. Au bout d'une vingtaine de minutes, ils en étaient ressortis, escortant la patronne. Plus souriante qu'à l'ordinaire, elle paraissait heureuse, triomphante, sûre d'elle. Malgré l'insistance de ses compagnons, qui voulaient la débarrasser de ce fardeau, elle portait une sorte d'attaché-case en précieux cuir grenat qu'elle garda sur ses genoux lorsqu'elle fut assise avec les deux hommes dans sa voiture cossue.

Les chauffeurs reçoivent souvent des confidences et devinent ce qu'on ne leur dit pas – il suffit d'avoir l'oreille exercée et le regard vif sous une apparence respectueusement indifférente. Aussi Michel savait-il qui étaient ces deux hommes : l'un, qu'il connaissait de longue date, était un joaillier milanais fort estimé, Carlo Galli; l'autre, le représentant d'une grosse compagnie d'assurances. Michel le voyait pour la première fois, mais il sut dans les trente secondes qu'il s'appelait Heinz Perrig; il y avait de l'opiniâtreté dans son regard. Constance Dussault leur parlait avec une amabilité condescendante. C'était assurément une femme habituée à se faire respecter, sans doute autoritaire, fière de sa position sociale et de son œuvre. Elle était entière et dominatrice, jouissait de l'être – et c'est ce que traduisaient l'éclat de son regard et sa moue plus hautaine que souriante.

A peine était-elle entrée chez elle, toujours escortée de ses deux compagnons, que cette expression victorieuse, toutefois, s'altéra : du premier étage parvenaient des cris, d'étranges cris de souffrance. Elle se mordit la lèvre et leva les yeux avec agacement.

– C'est un enfant? demanda Perrig.

– En effet, dit Constance. Un enfant. Je vais le voir, messieurs. Entrez donc dans mon bureau et servez-vous à boire. Vous savez où tout se trouve, n'est-ce pas, Galli?

Elle avait ouvert la porte et elle posa comme à regret la précieuse mallette sur sa table, cependant que Galli, en habitué des lieux, proposait un siège et un cigare à l'autre homme.

Dans le hall, à hauteur du premier étage, une jeune femme était penchée sur la rampe, la contrariété peinte sur son fin visage. Constance l'interpella :

– C'est ma fille?

– Oui, Madame. Elle est agitée et elle se lamente.

– C'est insensé! Je lui avais demandé de se tenir prête!

– Je sais, Madame. Je le lui ai rappelé. Mais elle a les nerfs à fleur de peau, et vous savez ce que le docteur a dit...

– Oh! Sophie, le docteur, vous savez ce que j'en pense...

– Oui, Madame, fit Sophie, cependant que sa patronne, beaucoup moins triomphante mais toujours déterminée, commençait à monter l'escalier.

Jacqueline, la fille aînée de Mme Dussault, était assise sur son lit défait, en peignoir et les cheveux fous, adossée à ses oreillers. Un livre et des revues éparses sur ses draps donnaient une impression de désordre triste et malsain.

Constance Dussault eut le cœur serré : dans les yeux de cette jeune femme ravissante qu'elle avait mise au monde trente-huit ans plus tôt, elle lisait une détresse et une frayeur pitoyables. Mais elle n'avait ni pour habitude ni pour principe de se laisser aller à l'apitoiement. Elle tourna un regard dur vers le téléphone que Jacqueline entourait de ses bras comme une tigresse défend ses petits. Elle haussa les épaules, secoua la tête et enjoignit à sa fille de s'habiller.

– Juste un coup de fil, maman, implora la jeune femme, du ton d'une petite fille qui demande la permission de lire encore un peu avant d'aller au lit.

– Je t'attends, Jacqueline. Je veux que tu sois en bas dans moins d'un quart d'heure, dit simplement Constance avant de quitter la chambre.

Jacqueline ferma les yeux, désespérée. Elle aurait dû savoir que *jamais* sa mère ne lui avait permis de lire encore un peu avant d'aller au lit. *Jamais* Constance Dussault n'avait permis qu'on discutât ses ordres. Et les années n'y avaient rien fait, comme si, entre-temps, Jacqueline n'était pas devenue adulte et mère de famille à son tour. Pourquoi sa mère ne voulait-elle pas la traiter en grande personne? Et pourquoi, si elle la tenait pour une enfant, ne lui accordait-elle pas la tendresse qu'on prodigue ordinairement aux enfants? Et pourquoi s'obstinait-elle, puisqu'elle refusait d'être d'un quelconque secours à sa fille déprimée, pourquoi s'obstinait-elle à vouloir la garder auprès d'elle, alors que Bruno était en Italie et qu'il s'avérait que la situation était invivable?

— Bruno, gémit Jacqueline à haute voix, il faut que tu m'aides, Bruno. Tu es mon mari, et nous nous aimons!

Elle tendit la main vers l'appareil et allait décrocher, lorsque Sophie, la belle jeune fille aux traits fins qui se tenait tout à l'heure sur le palier, fit son apparition.

— Madame Jacqueline, dit-elle, je vais vous aider à vous habiller.

— Un instant, je t'en prie, je veux téléphoner à Bruno. J'ai déjà essayé, mais *ils* m'empêchent de lui parler. *Ils* m'empêchent, tu comprends, *ils* disent qu'il ne peut pas venir, qu'il travaille avec l'orchestre.

— Mais c'est sûrement vrai, madame Jacqueline. Vous savez mieux que moi qu'un chef d'orchestre...

— Oui, dit la jeune femme avec effort.

Elle savait que les chefs d'orchestre, et d'autant plus ceux de la classe de Bruno, avaient de grandes obligations, mais elle ne parvenait plus à y croire. Depuis dix-huit ans qu'elle était mariée avec lui, elle savait qu'il avait du génie et que la musique était son impérieuse maîtresse. Elle avait adoré ça, être l'épouse d'un musicien, acceptant joyeusement de venir juste en second après son art, heureuse et confiante, après une adolescence triste et dépourvue d'affection; elle avait adoré partager l'existence d'un être chaleureux et gai, et avec qui vivre était une fête. Un jour, il y avait eu une faille. L'être chaleureux et gai avait eu une liaison avec une soprano célèbre. L'univers de Jacqueline, quand elle l'avait appris, s'était écroulé. Elle n'avait voulu ni comprendre ni pardonner; elle avait pensé que cette tromperie n'était sûrement pas la première, qu'elle vivait depuis toujours sur un mensonge, que son bonheur n'était qu'un leurre... Et elle avait enterré, oublié quinze années merveilleuses entre toutes pour redevenir une femme morose et doutant de tout, telle la jeune fille que Bruno avait sortie d'elle-même pour le meilleur d'abord, et depuis trois ans pour le pire : dépressions, cliniques, désespoir, tentatives de suicide.

Jusqu'à cet été où, d'un commun accord, les époux avaient choisi de vivre momentanément séparés. Bruno avait signé un contrat d'un an avec le théâtre de Bergame. Pendant la préparation du Festival d'été, il vivrait à Lugano, où Mme Dussault possédait une villa superbe, cependant que Jacqueline, dont les nerfs fragiles risquaient de mal supporter l'ambiance électrique qui entoure un chef en pleine ébullition préfestiva-lière, demeurerait à La Chaux-de-Fonds auprès de sa mère, à se reposer, à bien manger, à se gaver du bon air du Jura.

Mais voilà que cet arrangement, destiné à lui rendre la santé et la paix de l'âme, apparaissait depuis quelques jours à Jacqueline comme une conspiration, un traquenard où elle trébucherait et se perdrait à jamais. Ce pourquoi elle s'efforçait de téléphoner à Bruno, son persécuteur peut-être, mais le seul capable de la réconforter.

Doucement, comme si elle avait espéré passer inaperçue, elle avança de nouveau la main vers le combiné. Sophie l'arrêta avec une tendre fermeté :

– Voici votre robe, madame Jacqueline.

– Je t'en prie! supplia la jeune femme.

– Non, non, non et non. Madame attend que vous descendiez. Ces messieurs sont là. On n'attend que vous, dit Sophie, en la débarrassant de son peignoir.

En bas, Mme Dussault accueillait un nouvel invité, rond, bien briqué et respirant la fortune comme les deux hommes qu'elle avait ramenés de l'usine.

– Monsieur Perrig, voici mon banquier, M. Fussli. Il s'occupe des finances de notre maison depuis fort longtemps. Fussli, c'est M. Perrig, qui assure notre collection. J'ai tenu à la lui montrer pour qu'il prenne conscience de sa valeur.

Avisant un homme encore jeune, mais aux cheveux tout blancs, qui s'avançait vers eux, elle poursuivit à l'adresse de Perrig :

– Et voici Marcel Fontaine, notre agent de vente, plus spécialement de nos ventes au Moyen-Orient.

– Le pays de l'or noir! plaisanta Perrig.

– Oui, dit Mme Dussault. Puisse-t-il couler encore longtemps, l'or noir!

– Il coulera encore assez longtemps pour que les émirs achètent toutes vos montres, j'espère! dit Fussli avec un feint effroi.

Les trois autres échangèrent un sourire.

Jacqueline, dans sa salle de bains, scrutait son visage dans la glace qui surmontait le lavabo, l'air tragique. Pendant que Sophie lui passait sa robe et peignait ses cheveux, elle avait appelé une fois de plus le théâtre de Bergame et s'était heurtée une fois de plus à Renzo, le concierge, qui avait reçu des consignes très strictes et s'y tenait, en dépit de ses supplications.

— Le pauvre homme a peur de se faire renvoyer, dit doucement Sophie. M. Bruno peut être autoritaire quand il s'agit de son métier, non?

— Je ne sais pas... Mais ce n'est pas cela... Je crois qu'il ne veut plus d'une femme laide et sale, ma chère.

— Sale? fit Sophie en riant. Je vous ai vue vous laver les mains vingt fois depuis ce matin!

— C'est parce qu'elles sont sales! Elles sont toujours sales! Je n'arrête pas de les laver, mais on dirait que ça ne sert à rien.

Elle avait ouvert en grand le robinet et elle se mit à se savonner furieusement les paumes, sous le regard désolé de Sophie. Et soudain, elle poussa un cri :

— Oh! mon alliance! Elle a glissé! Elle a filé dans la conduite. Elle doit déjà être dans l'égout!

— Ce n'est qu'un petit malheur, madame Jacqueline. On la retrouvera dans le siphon. Sinon, M. Bruno vous en achètera une autre, plus belle, en diamants...

— Sûrement pas, Sophie. Ce n'est pas un malheur, comme tu dis. C'est un signe, un présage. Le signe que mon mariage fout le camp à l'égout.

— Voyons, Madame!

— Voyons, Jacqueline! dit une jeune femme qui entrait au même moment.

Elle était mince, élancée; avec ses cheveux châtains et lisses simplement rejetés derrière les oreilles, elle avait un certain air de ressemblance avec Jacqueline, non pas dans les traits, mais dans le comportement — même austérité de la coiffure et du maquillage, même façon distinguée de se tenir.

— Maman m'envoie te chercher. Ça ne va pas?

Jacqueline refit pour sa sœur le récit de ses malheurs. Nicole la prit dans ses bras, essaya de lui prouver que son discours était déraisonnable, mais Jacqueline ne la crut pas. Elle secouait la tête et répétait, tantôt que son mariage allait à l'égout, tantôt qu'*on* empêchait Bruno de lui répondre au téléphone et de venir à son secours. Elle le savait, elle en était certaine...

Elle se laissa néanmoins entraîner et descendit au rez-de-chaussée, où la fiesta d'affaires de Mme Dussault battait son plein.

Parmi une dizaine d'autres, il y avait un nouvel arrivant, Jean-Claude Fontaine, frère de Marcel et mari de Nicole. Encore sur le seuil du salon, il considérait, dans l'expectative, la petite assemblée. Dans le fond de la pièce était installé un buffet. Un maître d'hôtel servait le champagne. Constance Dussault, sa belle-mère, faisait bien les choses, comme d'habitude.

Elle parlait avec Fussli et un homme qu'il n'avait jamais vu, et elle fit signe à son gendre de se joindre à eux.

— Perrig, voici le mari de ma fille. Il préside le conseil d'administration. Jean-Claude, M. Perrig assure notre collection.

— *Votre* collection, belle-maman, dit Jean-Claude. C'est *votre* collection.

Le banquier Fussli fronça les sourcils : ces deux-là, Constance et Jean-Claude, n'avaient pas l'air d'accord sur tout, c'était le moins qu'on pût dire, et il pensa qu'un jour, il pourrait bien y avoir des étincelles entre eux. Il se promit de les avoir à l'œil. Pour l'instant, ils s'affrontaient du regard, sans hargne apparente, mais décidés l'un et l'autre à ne point ciller.

L'entrée des deux filles de Mme Dussault mit fin à ce combat courtois et muet. L'aînée, celle qui était mariée à ce musicien autrichien illustre, Bruno Steinberg, avait une mine effroyable, pensa le banquier. Mais il se garda bien de le dire et dédia un large sourire aux jeunes femmes.

Marcel Fontaine, pour sa part, n'estimait pas devoir mettre de gants. Il attira Jacqueline à l'écart et lui dit :

— Tu n'as pas l'air en forme, toi. Quelque chose qui cloche ?

Il pouvait se permettre ça : Jean-Claude, les filles Dussault et lui-même étaient des amis d'enfance. Ils avaient joué ensemble à mesure que les uns et les autres commençaient à marcher et s'agglutinaient au petit groupe; ils avaient eu en même temps

13

la varicelle et autres rougeoles, et Constance Dussault avait toujours eu à l'œil, elle qui n'avait que des filles, les garçons de son amie Jenny Fontaine, jaugeant celui qui ferait un gendre acceptable et digne d'entrer dans la maison Dussault-Pontin.

C'est ainsi que Jean-Claude avait épousé Nicole, pour devenir prince consort. Pas sûr qu'elle ne s'en mordît pas un peu les doigts à présent, la belle-doche, mais c'était leur affaire, et lui, Marcel, s'en balançait : il n'était pas le gendre, pas l'homme destiné à succéder à l'impératrice, mais un joyeux célibataire qui faisait le métier le plus plaisant du monde, démarcheur en produits de luxe auprès des richards de cette petite planète. Il voyageait, rencontrait, dans des hôtels très chics, des gens sympas, originaux ou franchement requins, et rapportait plein d'anecdotes qui faisaient de lui le roi des dîners en ville. Sa position ainsi définie à l'égard de l'austère maison Dussault-Pontin, il aimait bien la chère Constance, Nicole et Jacqueline, un peu moins son frère, qu'il trouvait pontifiant et dont il enviait, malgré tout, la situation, plus stable que la sienne.

Entraînant Jacqueline vers le buffet, il répéta sa question.

— Tout cloche, répondit la jeune femme. Et par-dessus le marché, il me faut encaisser ce genre de réception.

— C'est si terrible que ça? Ça fait tellement plaisir à ta mère!

— Ça, tu peux le dire! fit-elle avec rancune.

— Ce n'est pas bon, d'être triste et amère, Jacqueline. Tu es trop jeune pour ça.

— Je ne suis plus jeune, dit-elle, les dents serrées. Je ne suis plus jeune et c'est pour ça que ma vie fout le camp. Je suis vieille, je suis moche, je ne plais plus à personne!

— Oh! là là! dit Marcel en lui flattant l'épaule, mon petit chat, tu as besoin de changer d'air. Tu devrais faire quelque chose, tu sais. Achète-toi des fringues, pars en voyage, change de coiffure...!

Jacqueline releva la tête vers lui, et ce qu'il lut dans ses yeux ne lui plut pas. Il aurait été incapable de dire si elle prenait ses propos à la plaisanterie ou au tragique. Pour faire diversion, il chuchota, sur un ton de confidence :

— Tu vas donner le contrôle de tes actions à ta mère, je crois?

— De quoi parles-tu?

– De ton paquet d'actions Dussault-Pontin. C'est une bonne idée de les confier à ta mère.

– A ma mère ou à quelqu'un d'autre, si tu savais ce que je m'en fous!

– Tu ne dois pas, Jacqueline. Tu dois donner la procuration dessus à ta mère, pas à Jean-Claude.

– Tu crois? dit-elle, pas trop convaincue et vaguement méfiante.

– Tu parles que je le crois! J'en suis sûr et certain. Mieux vaut soutenir ta mère que Jean-Claude. Viens manger quelque chose, maintenant.

Ils s'approchèrent du buffet. Les bouchées tièdes étaient d'une rare délicatesse et le champagne, de premier ordre.

A l'autre bout du buffet, Fussli, Galli et Jean-Claude Fontaine devisaient en grignotant leurs amuse-gueule.

– Je ne veux pas vous flatter, disait Fussli au joaillier italien, mais, sans vous, la maison Dussault-Pontin n'aurait probablement pas un aussi bon marché au Moyen-Orient.

Galli eut un geste de modestie.

– De ce côté, les perspectives sont bonnes, dit-il, mais en affaires, les pronostics doivent rester prudents.

– Vous avez raison, dit abruptement Jean-Claude. Cette nouvelle collection, nous en reparlerons quand elle sera vendue!

– Vous la trouvez risquée?

– En effet. Je crois que notre maison court des risques.

Le banquier et le joaillier échangèrent un regard, et Fussli se préparait à demander à Jean-Claude d'expliciter sa pensée lorsque Marcel, qui avait suivi du coin de l'œil leurs échanges, s'approcha, toutes voiles dehors, avec des coupes pleines qu'il mit dans les mains des deux hommes.

– *Cheerio!* Il ne faut jamais laisser un banquier sur sa soif. Je crains que mon frère n'ait pas le sens du toast, messieurs!

Il se détourna, dans l'intention d'inviter Jacqueline à se joindre à eux, mais elle n'était plus où il l'avait laissée. Jean-Claude, en revanche, se tenait près de lui à le toucher, et il le pria de le suivre après s'être brièvement excusé auprès des deux autres.

– Je vois que tu t'échines à créer une ambiance agréable, dit Marcel, goguenard.

– Je me fiche de l'ambiance, j'ai à te parler, dit l'autre.

– De ma santé? Elle est excellente, merci. Et la tienne? Je trouve que tu as mauvaise mine.

– Laisse tomber nos santés, dit Jean-Claude.

Il avait l'air hargneux, mécontent. Bien qu'il fût l'aîné des deux frères, ses cheveux à lui avaient gardé leur teinte brun foncé, mais ça ne le rendait ni plus gai ni plus amène. On aurait dit que, sans relâche, il rongeait son frein, fulminant intérieurement contre le destin, les gens, la conjoncture. Son frère et sa désinvolture l'agaçaient autant que la superbe de sa belle-mère, le calme olympien de Nicole ou les « vapeurs » de Jacqueline. Fussli l'agaçait, Galli l'agaçait, et Perrig plus que tous les autres, en raison de l'énorme prime qu'il prenait afin d'assurer cette satanée collection. Mais c'est Marcel, pour l'heure, qui allait récolter les fruits de sa colère permanente. Il sortit de sa poche des factures et les lui mit sous le nez.

– Ça, pourtant, ça me ferait plutôt mal au ventre, dit-il. Peux-tu me dire ce que ça signifie?

– Ben! c'est des factures... Tu n'as pas de quoi les payer? Tu es... gêné?

– J'ai de quoi! Mais voilà : si elles sont à mon nom, ce n'est pas moi qui ai passé et reçu les commandes. Qu'est-ce que tu t'imagines? Que je suis ta banque? Que je dois payer tes notes de tailleur?

– Écoute, Jean-Claude, je n'avais plus un seul costume convenable, et, dans mon métier, il importe d'être bien habillé! C'est des frais généraux, les costumes, mon vieux. La société que je représente, c'est la tienne! Si j'inspire confiance, c'est *ta* société qui inspire confiance... Ça se paie, la confiance.

– Pas avec mon argent! riposta sèchement Jean-Claude. Si tu faisais moins de dettes au jeu...! – Il secoua la tête, mais ajouta seulement : Ne recommence pas... Compris?

Il tourna les talons. Le visage de Marcel passa par diverses expressions : amusement, soulagement, avec pourtant, en filigrane, un soupçon d'inquiétude – quel besoin avait cet abruti de Jean-Claude de lui rappeler ses dettes de jeu et le pétrin dans lequel il se trouvait? Quel trouble-fête! Si on le laissait faire, sûr qu'il allait troubler même celle de sa belle-mère.

16

Mais elle était coriace, la belle-mère. Justement, elle appelait l'attention vers elle. Tenant sa mallette en cuir grenat, elle était montée sur une petite estrade. Elle posa la mallette sur une table et l'ouvrit.

Le silence se fit, total. Douillettement couchées l'une à côté de l'autre sur des lits de daim grenat apparurent les montres de la collection. Brillant des mille feux des diamants, des rubis, des émeraudes dont elles étaient ornées, elles étaient, plus que des objets d'utilité courante, de magnifiques bijoux. Toutes différentes, toutes témoignant d'une imagination artistique remarquable, amie de tout ce qui était luxueux, chatoyant, somptueux. Des montres comme on n'en fait plus, ou plus guère; belles, certes, mais follement voyantes et follement coûteuses.

Quand ses invités eurent repris leur souffle, un instant coupé par ces insolites splendeurs, Constance Dussault prit la parole.

— Chers amis, je ne ferai pas de longs discours. Avant qu'elle parte pour l'étranger, je tenais à vous montrer cette collection, dont je suis fière. La maison Dussault a toujours été l'un des plus beaux fleurons de l'horlogerie suisse. Le bon goût, la qualité, le travail bien fait, voilà ce qui m'importe. Maintenant, vous avez vu, monsieur Perrig, pourquoi j'ai insisté pour augmenter le montant de la prime. Et vous, monsieur Galli, agent depuis vingt ans de notre maison en Italie, vous avez vu ce que vous aurez à vendre. Je compte beaucoup sur vous pour nous assurer le succès de prestige auquel ont droit mes fidèles ouvriers. Vous, mon cher Marcel, je vous confie la charge de vendre les plus précieux modèles aux émirs du Golfe. Existe-t-il un meilleur usage pour les dollars dont ils ne savent que faire? (D'un geste, elle ramena vers sa superbe collection l'attention de ceux qui la regardaient.) Monsieur Fussli, dit-elle, je vous ai emprunté plus d'argent que d'habitude, mais regardez ces montres : les diamants sont de l'eau la plus pure. Vos fonds sont investis dans ce qu'il y a de mieux... et je ne regrette pas de m'être battue pour cela.

Son regard, tourné maintenant vers Jean-Claude, luisait de malice victorieuse. Elle s'adressa à lui :

— Avouez, Jean-Claude, qu'à côté de ces bijoux, les plastiquailleries que vous voudriez fabriquer ne tiennent pas la distance!

– J'avoue, belle-maman, dit Jean-Claude d'un air bravache. Mais je réserve mes conclusions.

Il devrait se montrer moins condescendant, pensa Nicole, qui trouvait la collection admirable et songeait que pour une fois son mari aurait dû être meilleur joueur. Mais une surprise l'attendait. Constance reprenait la parole et, moqueuse :

– Il ne me reste qu'à remercier mes filles, pour les encouragements qu'elles ont oublié de me prodiguer!

Jacqueline pâlit. Elle tourna la tête de droite à gauche comme pour chercher une âme secourable. L'aimable Carlo Galli avait eu une moue de désapprobation en entendant la sortie imprévue de son amie Constance.

– Jacqueline, venez vous rafraîchir, on dirait que vous avez chaud, dit-il d'une voix amicale.

– J'ai toujours chaud, dit la jeune femme, mal à l'aise.

– Votre mari va bien?

– Il est à Bergame. C'est lui qui dirigera le Festival d'été. C'est pourquoi il ne pouvait pas venir aujourd'hui. A vrai dire, il ne me donne guère de nouvelles, mais c'est normal, n'est-ce pas?

Elle sourit, bravement. Il était important pour elle de réussir à se comporter avec naturel, et Galli était quelqu'un qu'elle aimait bien.

– Laissez donc ma fille, Carlo, dit à ce moment Mme Dussault, qu'aucun des deux n'avait entendue s'approcher. Elle a l'esprit bien trop fragile pour qu'on puisse l'interroger sur sa vie privée!

Un voile noir passa devant les yeux de la jeune femme. Sans s'excuser, elle tourna les talons et fila vers sa chambre.

A Bergame, Bruno Steinberg était heureux. Tout ne tournait certes pas rond dans sa vie, mais il était heureux parce qu'il faisait ce pourquoi il était né : travailler avec un orchestre en vue d'une série de concerts. Le reste, ce que les autres appellent bonheur ou malheur, venait loin derrière cette jouissance réservée à de rares initiés. Il les tenait juste pour des plaisirs ou des déplaisirs. Les déplaisirs, il s'efforçait de les écarter de sa route; les plaisirs, il cueillait ceux qui se présentaient comme de justes récompenses du guerrier.

Physiquement, il appartenait à cette race d'hommes qui

resteront jeunes jusqu'aux portes de la mort. Avec sa silhouette d'adolescent et sa tignasse claire, il était difficile de lui donner un âge. Il aimait les blue-jeans, les chemisettes légères, les pulls de ton pastel qu'on se jette négligemment sur les épaules. Son sourire communicatif devenait, lorsqu'il conduisait, extraordinairement heureux et habité; c'est ce sourire qui subjuguait les exécutants, fascinait son public et rendait les femmes folles de lui.

Une réputation de don Juan le précédait partout où il allait, plus ou moins justifiée. Il aimait certes les femmes, mais un peu moins qu'elles ne l'aimaient et beaucoup moins que la musique. Il n'en était pas une qu'il n'eût sacrifiée à son art, si ce n'était sa mère, sa fille Véronique et sa femme.

Celle-ci, hélas! s'enlisait dans une profonde dépression, d'où il commençait à désespérer de pouvoir la sortir. Les soins dont il l'avait entourée, les tendres objurgations, les cadeaux ou les distractions, pas plus que la science du docteur Müller, rien n'avait pu la sortir de ses idées fixes et de sa neurasthénie.

Bruno Steinberg souffrait de cette cassure d'une union qui avait été très heureuse, dans laquelle il avait puisé des forces pour s'accomplir, et qui était scellée à jamais, avait-il cru, par une communion qui dépassait les mesquineries humaines. Aussi pardonnait-il mal à Jacqueline de s'être laissé détraquer mentalement par une amourette sans durée ni profondeur. Il la croyait affranchie de ce genre de jalousie et assez ouverte, en tout cas, pour entendre les explications qu'il avait à lui donner. Mais elle s'était butée, et tous ses efforts n'avaient pu empêcher leurs rapports de se détériorer et l'esprit de la jeune femme de battre la campagne.

Ce n'est pas de gaieté de cœur mais avec un réel soulagement qu'il s'était rangé quelques mois plus tôt à l'avis du docteur Müller et qu'il avait pris, avec sa belle-mère, l'arrangement qu'on sait et qui était indispensable à la bonne marche du Festival. Depuis que Jacqueline se trouvait à La Chaux-de-Fonds, il respirait. Il était de nouveau un être totalement voué à sa musique, la cajolant dans son cœur et l'écoutant dans sa tête jour et nuit, un homme qui s'adonnait sans remords à ses répétitions.

Le directeur du théâtre, Giovanni Ferrari, était un manager d'une grande compétence, qui mettait au service de la scène et de la musique – en l'occurrence, de Bruno – ses dons d'organisateur et sa faculté d'amadouer les personnes et d'aplanir les événements qui tentaient de faire obstacle à ses desseins. Travailler avec lui était une joie.

C'en était une autre de côtoyer quotidiennement sa fille Alessandra, jeune femme ravissante et enjouée qui servait d'assistante à son père. Elle était visiblement amoureuse de Bruno et, mal mariée, n'avait pas tardé à devenir sa maîtresse. Intelligente et sensuelle, elle était venue combler un vide causé, non par l'absence momentanée de Jacqueline, mais par ses années de névrose et de désordre mental. Bruno avait oublié ce que peuvent apporter à un homme des rapports amoureux sans complication, et il connaissait pour la première fois depuis longtemps une détente qui lui faisait rejeter et remettre à plus tard – en tout cas, à après le festival – son problème avec son épouse.

Giovanni Ferrari était au courant de la liaison de sa fille et, s'il n'en augurait pas forcément un heureux dénouement, ne semblait pas s'en offusquer. Il adorait sa fille, qu'il avait élevée seul, la mère étant morte en la mettant au monde. Quatre ans auparavant, il n'avait pu empêcher son mariage avec un homme qui n'avait pour lui que sa jeunesse et sa beauté. Alessandra était éprise ; elle n'avait pas su pressentir que celui qu'elle voulait alors, Giorgio Thesis, était un être vil, pourri de vices, sans le sou et dangereux. Maintenant que ses yeux s'étaient dessillés, elle s'efforçait de lui tenir la dragée haute et se berçait de l'espérance qu'un double divorce lui permettrait d'épouser bientôt Bruno. Le père n'ignorait pas que sa fille rêvait sans doute au-dessus de ses moyens, mais il la voyait si heureuse qu'il n'avait pas le courage de la détromper ni celui de lui faire des remontrances. Il serait temps de prendre un parti après le Festival. En attendant, ça ne faisait de mal à personne – ni à l'odieux Thesis, qui méritait cent fois pis, ni à la pauvre Jacqueline, que son éloignement tenait dans l'ignorance – que Bruno et Alessandra passent leurs nuits ensemble au Grand Hôtel de Bergame et y cueillent les roses de la vie.

De son bureau, en ce moment, il les entendait rire dans la loge de Bruno. La répétition venait de se terminer et, sous

20

prétexte de choisir des photos pour les programmes, ils échangeaient des plaisanteries légères.

Le téléphone sonnant dans la loge les interrompit. Bruno décrocha et se rembrunit. A l'autre bout du fil, il y avait Jacqueline. Elle disait qu'elle avait appelé plusieurs fois sans succès, mais elle ne semblait pas en éprouver de la rancœur.

— J'ai pensé, dit-elle, j'ai pensé que je pourrais venir te rejoindre. Je m'ennuie sans toi, tu sais. Et toi, avec tout ce travail que tu as, peut-être cela te distrairait-il de me voir un peu...

Bruno se détourna pour qu'Alessandra ne vît pas son visage. Il lui semblait que le ciel venait de lui tomber sur la tête.

— Je ne pourrais pas m'occuper de toi, ma chérie, dit-il. Je suis tellement pris... Tu as suffisamment vécu avec moi pour savoir ce que c'est, et que je n'ai pas besoin que tu viennes me distraire...

— Je resterai à Lugano, Bruno. Je ne me mêlerai pas de ton travail. Je serai juste là à t'attendre le soir...

— Justement, Jacqueline, je ne rentre pas tous les soirs à Lugano. Il y a des jours où j'en suis tout simplement incapable... Et pour ces jours-là, j'ai loué une suite d'hôtel à Bergame.

Un bref silence apprit au chef d'orchestre que sa phrase avait causé un choc à Jacqueline. Mais elle enchaîna rapidement, et sa voix était encore ferme :

— Je comprends... Mais je ne me formaliserai pas si tu ne viens pas tous les soirs.

— Non, Jacqueline, dit Bruno d'une voix aimable, mais catégorique. Je ne veux pas que tu viennes. Je ne fais pas un travail de fonctionnaire. J'ai tout investi dans ces concerts qui vont avoir une audience internationale. L'idée que tu sois seule à Lugano me tarabustera, me déconcentrera. Je ne veux pas que tu viennes. Il faut que tu comprennes...

Cette fois, Jacqueline accusa nettement le coup, et c'est d'une voix mouillée de larmes qu'elle dit :

— Oh non! Bruno, ce n'est pas possible... Je suis tellement déprimée, je me sens tellement... Il faut que je vienne, je t'assure.

— Jacqueline, tu ne vas pas me faire ça!

— Si, je vais le faire! Je vais le faire tout de suite!

21

— Voyons, ma chérie, essaie de te dominer, de comprendre. C'est indigne de toi de me faire ce chantage.

— Je ne fais pas de chantage! Il me semble que... Bruno... Bruno...

Mais il avait raccroché.

A Bergame, le musicien et Alessandra se regardaient.

— Tu as été brutal avec elle, dit la jeune femme. Peut-être serait-il moins cruel de lui dire la vérité...

— La vérité?

Silence. Bruno respira à fond, tenté de dire à sa maîtresse qu'elle se faisait des illusions et que la vérité n'était pas exactement celle qu'elle imaginait; mais il n'avait pas envie de la blesser et de bousculer leur agréable liaison. Il vint lui caresser le visage et dit seulement cette phrase ambiguë :

— Non, Alessandra, ce serait dangereux.

— Maman, dit Jacqueline à Constance Dussault qui venait d'entrer dans sa chambre, je suis malheureuse.

— Hé! j'ai toujours pensé que tu le serais. Ton mariage ne m'a jamais dit rien qui vaille. Pourquoi crois-tu que Bruno t'ait épousée?

— Nous nous aimions, maman.

— Parce que tu crois Bruno capable d'aimer une femme? Il s'aime, lui. Il aime sa carrière. Et tu étais une Dussault-Pontin. Un excellent parti. Une belle dot.

— Oh! Arrête, maman!

Les yeux de Jacqueline étaient dilatés par l'horreur. Quel besoin avait donc Constance de l'enfoncer à ce point? Depuis qu'elle était revenue de l'usine cet après-midi, elle n'avait cessé de planter ses banderilles, ordonnant, tranchant, humiliant. Bruno croyait sa femme à l'abri, blottie dans la chaude protection maternelle; il ne savait pas, le pauvre, combien Mme Dussault était froide, sans tendresse, imbue d'elle-même et de ses opinions; il ne savait pas comment elle le jugeait, lui, ni qu'elle excitait sa fille contre lui.

— Mes gendres! continuait-elle. Deux gendres, et tous deux intéressés, parvenus, sans talent! Jean-Claude dit n'importe quoi, brasse du vent. Il veut « restructurer » l'usine, et pour ça, il cherche à me nuire. Il a la haute main sur les actions de sa femme, il essaie de contrôler le conseil d'administration. Un jour, Jacqueline, il va te demander une procuration sur tes actions à toi, j'en fais le pari! Être majoritaire, voilà ce qu'il voudrait.

Glacée, Jacqueline écoutait sa mère. Qu'aurait-elle dit de plus si elle avait su que Nicole, déjà, l'avait pressentie pour qu'elle donne cette procuration? Mais elle, Jacqueline, se garderait bien de le lui apprendre, et, d'ailleurs, elle avait réservé sa réponse. Comme c'était sale et mesquin, cette lutte pour le pouvoir! Le pouvoir sur une fabrique de montres...! A Bergame, au moins y avait-il Bruno, un artiste, un être sensible. Il ne savait sûrement pas à quel point sa femme était malheureuse, en proie à des êtres terre à terre et à une mère hostile. S'il avait su, il lui aurait dit de venir; s'il savait, il lui dirait de venir...

A l'hôtel de Bergame, Alessandra et Bruno venaient d'arriver dans la suite du maestro. La jeune femme prépara des whiskys, en tendit un à son amant.

— Bois ça, dit-elle, ça te fera du bien. Cesse de penser à ton concert, maintenant. Détends-toi.

Docilement, Bruno obéit. Debout auprès du fauteuil dans lequel il s'était jeté en rentrant, elle lui enleva son verre vide, se pencha doucement vers lui en caressant son épaisse chevelure. Lorsque son visage fut à hauteur de celui de l'homme, elle se mit à lui picorer les yeux, le cou, les oreilles de petits baisers fougueux. Tout en elle était grâce et gaie volupté. Il lui prit les lèvres et, l'attirant tout contre lui, referma les bras sur elle.

Le dernier invité parti, le maître d'hôtel loué pour la circonstance avait démonté le buffet, aéré les pièces et rendu le rez-de-chaussée de la maison Dussault à son ordre habituel.

Seule dans son bureau, Constance rouvrit sa mallette en cuir grenat et regarda encore une fois les montres précieuses de sa collection. Elle les caressait, s'emplissait les yeux de leur éclat. Elle les aimait à la folie. Avec elles, elle jouait son va-tout. Pour les réaliser, elle avait emprunté à la limite de son crédit, elle avait passé outre aux objections de son gendre, et elle se battrait jusqu'au bout. Quand elle eut refermé, à regret, la mallette, elle alla l'enfermer dans le coffre-fort. Elle aurait aimé l'emmener dans sa chambre, dans son lit, et dormir avec son trésor; mais le coffre-fort était plus raisonnable.

En sortant, elle éteignit toutes les lumières derrière elle. Sophie l'attendait sur le palier.

– Madame Jacqueline est partie, dit-elle.

– Partie? Où ça?

– A Lugano, Madame. Rejoindre son mari.

– Elle est folle! Traverser la Suisse! La nuit! Nerveuse comme elle est et bourrée de médicaments!

– Elle conduit bien, Madame, et elle connaît la route. Elle n'aura pas d'accident, croyez-moi. Venez dans votre chambre, Madame. Je vous aiderai à vous déshabiller. Demain matin, j'appellerai Lugano pour vous rassurer. Tout va bien se passer, n'ayez crainte.

Mme Dussault sourit, se laissa entraîner. Dans cette maison, dans cette famille, seule Sophie la comprenait, l'approuvait, ne discutait jamais. Le jour où elle l'avait engagée comme demoiselle de compagnie était un jour béni des dieux.

Aimable, elle le lui dit, tout en se dirigeant vers sa chambre. Elle était très fatiguée tout à coup et elle avait envie de dormir.

Un peu plus tard, un homme entra par la grande porte du rez-de-chaussée : Marcel Fontaine. Il était assez surprenant qu'il vînt à cette heure : même dans la journée, il n'était pas tellement assidu à son bureau, proche de celui de son frère Jean-Claude et de celui de Constance.

C'est vers ce dernier qu'il se dirigea, dans la faible lumière venant de la lanterne de la cage d'escalier, qu'on n'éteignait jamais. Il n'alluma que lorsqu'il fut entré dans la pièce et en eut refermé la porte.

Quatre minutes plus tard, il en ressortait, la mallette grenat à la main. Il quitta la maison comme il y était entré, refermant la porte avec sa propre clé, sans avoir été vu ni entendu de quiconque.

2

Le voyage de Jacqueline se déroula sans incident. La route était longue et requérait souvent de l'attention, mais la jeune femme conduisait avec prudence, sans hâte excessive, et même sans nervosité. S'éloigner de sa mère, si abrupte, maladroite et exaspérante, l'avait sensiblement calmée. Sa tutelle s'estompant à mesure que défilaient les kilomètres, Jacqueline envisageait plus sereinement son mariage avec Bruno et elle était toute à la joie de le revoir bientôt.

Elle ne doutait pas une seconde qu'elle le trouverait à Lugano, car, dans son idée et bien qu'il lui eût raccroché au nez, il se serait empressé, puisqu'elle lui avait annoncé son arrivée, de quitter Bergame et de venir l'attendre « chez eux ».

L'aube s'annonçait quand elle arriva. La villa était un logis somptueux dont les jardins fleuris dévalaient en pente légère vers le lac. Mme Dussault tenait à ce qu'elle fût parfaitement entretenue ; un ménage de gardiens et un jardinier y veillaient toute l'année.

Le cœur de Jacqueline se gonfla de joie, parce qu'elle avait mené à bien son voyage et que, dans un instant, elle serait dans les bras de Bruno, dans la chambre où ils avaient passé leur nuit de noces et qui, depuis ce jour-là, était restée traditionnellement la leur.

Mais, en réponse à son vibrant coup de sonnette, ce n'est pas dans cette chambre que s'allumèrent les lampes, mais dans l'annexe où habitaient les serviteurs. Il y eut un bruit de fenêtres qui s'ouvraient, d'autres lampes s'allumèrent dans le jardin, et Giuseppe, le gardien, apparut, un manteau jeté sur son pyjama et les yeux ensommeillés. Il grommelait on ne sait quoi en descendant l'escalier bordé de parterres qui flanquait la villa, mais s'arrêta net en reconnaissant l'arrivante.

— Madame Steinberg! Je ne vous attendais pas! s'écria-t-il.

— Monsieur aura oublié de vous prévenir, dit-elle légèrement. Il est dans sa chambre? Il a le sommeil plus lourd que vous!

— Il n'est pas rentré d'Italie, Madame, dit l'homme, embarrassé. Quand il est trop fatigué, il couche à l'hôtel à Bergame. Vous... vous ne le saviez pas?

— Si, si, Giuseppe, je le savais. Mais comme c'est demain dimanche...

Elle se laissa tomber sur une marche de l'escalier, et toute la fatigue du voyage lui dégringola sur les épaules. Elle chancelait de déception et, n'eût été la présence du gardien, elle aurait éclaté en sanglots.

Autrefois, quand elle et Nicole étaient des adolescentes, elles s'asseyaient sur cette même marche et regardaient passer les autos. Les belles voitures de sport découvertes les faisaient rêver. Il y avait toujours dedans de jeunes couples splendides, ou bien des hommes seuls, beaux comme des vedettes de cinéma. Un jour, elle avait vu Bruno comme ça, pour la première fois, au volant d'une Porsche blanche... Et le lendemain, elle avait fait sa connaissance chez une vieille comtesse autrichienne qui protégeait toujours deux ou trois jeunes musiciens et leur procurait des vacances dans son castel de Morcote.

Cette rencontre, ç'avait été pour Jacqueline la preuve que le merveilleux hasard et le bonheur existent — et elle l'avait cru pendant plus de quinze ans. Mais le bonheur n'existe pas, ce n'est qu'un leurre, elle aurait dû ne pas l'oublier.

— Madame, dit Giuseppe, si votre coffre n'est pas fermé à clé, je vais prendre vos valises et les monter dans votre chambre.

— Pas la peine! Je vais aller à Bergame, Giuseppe.

— Mais...

Il n'alla pas plus loin. Jacqueline, en se relevant et en le foudroyant du regard, lui cloua ses paroles sur les lèvres.

Il la regarda se remettre au volant et repartir en faisant grincer ses vitesses. Puis il remonta en hâte vers sa petite maison et sa femme, Erminia. Quand il l'eut mise au courant, elle se prit à rire.

— Elle pourrait bien avoir une drôle de surprise, la Madame, dit-elle. Un homme qui couche à l'hôtel tous les soirs quand il a une belle piaule comme celle-ci...! Moi, j'ai mon idée et je pourrais même citer un nom.

— Mais faut le prévenir, le patron, alors! Tu imagines le concert que ça va faire si ce que tu dis est vrai?

— J'imagine! Et ce ne sera pas lui le chef d'orchestre! s'esclaffa Erminia.

Elle était, non sans malice, partisan de laisser les choses suivre leur train : ça ne les regardait pas, cette affaire. Mais Giuseppe était d'un avis opposé, et c'est lui qui l'emporta.

Pendant que Jacqueline Steinberg traversait la Suisse pour, finalement, gagner l'Italie, Marcel Fontaine ne moisissait pas non plus à La Chaux-de-Fonds. Mais sa destination était Milan, et c'est en avion-taxi qu'il passa la frontière : il n'avait pas une minute à perdre. Pendant le court trajet, il dormit, apparemment peu troublé par son entreprise.

Curieux bonhomme, Marcel, aussi différent que possible de son frère, à croire que Jenny Fontaine avait fait un de ses fils avec un amant. Alors que Jean-Claude était pétri de sérieux et de volonté inquiète, le plus jeune était aussi léger, brillant et inconsistant qu'une bulle de savon. Son bon plaisir était sa règle, et il rejetait les contraintes sans même imaginer qu'il eût pu agir autrement. Raisonner, tirer des plans, régler sa conduite, être prévoyant l'ennuyaient. Face aux problèmes qui se posaient à lui, il improvisait des solutions vaille que vaille, système qui lui réussissait assez, car il ne s'était jamais embarrassé de personne — ni femmes, ni enfants — et son entourage, grâce à son heureux caractère, l'aimait bien. Même Jean-Claude, qui l'assommait souvent de ses remontrances, payait régulièrement ses petites dettes et ignorait discrètement ses fautes professionnelles.

Mais depuis quelque temps, ses tracas n'étaient plus de ceux que son frère pouvait arranger : sa dernière dette de jeu était particulièrement énorme, et il avait contracté une maladie inconnue de lui jusque-là : il était tombé amoureux. Qu'à cela ne tienne : il y a remède à tout. En creusant la question, on trouve la réponse. Celle que, en l'occurrence, il avait inventée était tout simplement époustouflante.

Débarqué à l'aéroport de Milan, où le pilote avait ordre de l'attendre le temps qu'il faudrait, il gagna en taxi les faubourgs de la ville. Cela l'amusait beaucoup de penser à ce qui allait se passer, et il était encore plus content de lui lorsque, en fin d'après-midi, il sortit de l'atelier où il avait eu à faire, et d'où il se rendit, en partie à pied, à la gare centrale.

Il faisait beau, très ensoleillé, et l'atmosphère était gaie, de cette gaieté nonchalante qu'ont les villes le dimanche en été. Son humeur accordée à cet air léger, Marcel se dirigea vers les consignes automatiques, prit possession d'un casier dans lequel il déposa un kangourou en peluche. Peu soucieux de savoir si on l'observait, il avait embrassé le petit animal sur le nez avant de refermer la porte et de mettre la clé dans sa poche.

Il alla ensuite se restaurer au buffet, puis fréta un taxi pour retourner à l'aérodrome. Il avait toujours en sa possession la mallette contenant la collection de montres. Elle l'avait accompagné toute la journée. Dans l'avion, il la posa sur ses genoux et l'ouvrit légèrement pour en contempler le contenu.

– Superbe! dit-il à mi-voix.

Outre sa maison en ville, vaste et confortable, mais dont le rez-de-chaussée était occupé par des bureaux et la salle du conseil de son entreprise, outre sa villa de Lugano et un chalet à Davos pour les sports d'hiver, Constance Dussault possédait à quelques kilomètres de La Chaux-de-Fonds une demeure campagnarde et cossue qu'elle appelait volontiers sa « maison des champs » et les habitants du village, le château des Monts.

C'était l'ancienne maison de famille des Pontin, devenue résidence de week-end et d'été au moment de son mariage avec Gustave Dussault, lorsque celui-ci avait décidé de s'établir en ville pour être plus près de l'usine dont sa belle-mère lui avait confié la gestion.

Ce dimanche-là, lendemain du jour où avait eu lieu la présentation de la collection, Sophie suggéra à sa patronne d'aller y passer la journée, dès que l'office religieux serait terminé. Constance trouva l'idée excellente. Elle était assez lasse, ayant vécu sur les nerfs tous les jours précédents. A son âge, elle pouvait encore être au mieux de sa forme et faire montre d'une extraordinaire vitalité, mais elle avait besoin de se relaxer en temps utile, c'est ce que lui rappela Sophie, avec sa coutumière et prévenante gentillesse. La demoiselle de compagnie prépara elle-même le panier du déjeuner et affirma que rien ne pouvait l'amuser davantage que de conduire Madame dans sa propre voiture et de passer la journée avec elle. Sophie était une perle.

Bruno Steinberg avait certes conscience de se conduire en parfait hypocrite, mais il voulait avant tout éviter de faire de la peine à qui que ce soit. Raison pour laquelle, ayant été averti par Giuseppe et ayant quitté l'hôtel illico en avertissant le concierge, il accueillit sa femme au théâtre – où il triait, dit-il, des partitions – et reprit avec elle le chemin de Lugano.

Il avait le cœur barbouillé de sentiments contradictoires : pitié pour Jacqueline, contrariété pour Alessandra et, par-dessus tout, désespoir de voir troublée la belle sérénité dans laquelle il travaillait jusque-là.

– Mais pourquoi? avait-il demandé. Pourquoi es-tu venue? Je t'avais pourtant dit...

– Je ne pouvais plus rester là-bas. L'atmosphère y est étouffante. Maman ne pense qu'à sa collection. Elle n'a pas de considération pour moi.

– Jacqueline, tu vois l'égoïsme des autres. Jamais le tien.

Elle avait gémi et l'avait regardé avec des yeux si tristes qu'il avait détourné les siens. Et il s'était demandé si quelque chose, un jour, viendrait mettre fin à leur calvaire, car c'en était un pour elle et pour lui. Que faire, mon Dieu, que faire?

A Bergame, cependant, Alessandra s'était précipitée chez son père pour lui raconter ce qui venait d'arriver. C'est par un billet de Bruno, épinglé à son oreiller, qu'elle avait appris l'arrivée de Jacqueline.

– Il l'a emmenée à Lugano, dit-elle, véhémente.

– Et alors? c'est sa femme. Et c'est sa maison.

– Mais c'est injuste, papa? Il est malheureux avec elle!

– Qui donc es-tu pour en juger?

Les yeux de la jeune femme s'arrondirent de stupeur.

– Mais, papa...!

— Essaie donc d'être honnête, ma petite fille. Tu essaies d'attraper Bruno. Normal. Les femmes aiment jouer au chat et à la souris.

— Pourquoi dis-tu ça sur ce ton? Tu estimes Bruno, tu m'aimes...?

— Ça n'empêche pas de voir clair, chérie. Je t'ai avertie.

— Tu m'as dit que Bruno était un être fascinant et que, pour une fois, je tombais amoureuse d'un type bien.

— Je l'ai dit, je le pense, mais la question n'est pas seulement là.

Ferrari s'approcha de sa fille et lui caressa les cheveux. Il l'aimait plus que tout. Elle était la prunelle de ses yeux.

— Parce que c'est un être fascinant, reprit-il doucement, sa femme aussi l'aime.

— J'en doute, papa.

Il hocha la tête.

— Elle l'aime, elle s'accrochera, elle le suivra partout.

— Elle ne me fait pas peur, dit farouchement la jeune femme. Aucune femme ne me fait peur. C'est moi que Bruno suivra.

— Mais toi aussi, tu es mariée, dit le père.

— Oui. A une ordure!

Justement, songea le père. Lui, c'est ça qui lui faisait peur, en plus du reste. Mais il n'exprima pas sa pensée, de peur de démoraliser sa fille.

Les portes de l'église s'ouvrirent. Premiers à en sortir, des gamins s'en échappèrent comme d'une cage et se mirent à se poursuivre sur la placette.

Lorsqu'elle apparut à son tour sous le porche, Mme Dussault les regarda et se tourna en souriant vers un homme qui sortait en même temps qu'elle.

— Il y a cinquante ans, c'était nous, Guillaume, vous vous souvenez? lui dit-elle.

— Comme d'hier, Madame. Nous jouions à cache-cache, et quand c'était à la balançoire, je zieutais vos jolis jupons sous votre robe.

— Et vous osez l'avouer? Depuis cinquante ans, vous me cachez que vous vous intéressez à mes jupons?

L'homme se mit à rire. Il avait apparemment le même âge

que la femme, mais la façon dont il se tenait et dont il parlait dénotait de la déférence, tempérée néanmoins par le fait que Constance, la patronne, et lui, l'ouvrier d'élite, se connaissaient depuis l'enfance.

– C'est délicieux, les jupons, dit-il. Toutes ces filles en pantalon, maintenant, ça ne ressemble à rien. Et tout se tient, Madame. Regardez ce peu de monde à l'église... Les jeunes ne croient plus à rien. C'est le règne du n'importe quoi.

– Ça oui, fit Constance.

– Ça m'attriste.

– Il ne faut pas, Guillaume. Il faut réagir. Vous et moi, nous réagissons. Vous êtes mon meilleur ouvrier. La montre en diamants est une merveille. (Guillaume sourit de plaisir.) Et vos filles, comment vont-elles? enchaîna la patronne.

– Bien, Madame. Ma petite dernière vient d'accoucher d'un garçon.

– Félicitations, Guillaume. J'espère qu'il sera aussi bon artisan que son grand-père.

L'homme fit la grimace.

– Peut-être qu'il n'y aura plus d'artisans quand il sera grand... Dites-moi, je voudrais vous demander... Il y a des bruits qui courent à l'usine.

– Quels bruits? demanda Mme Dussault, soudain plus attentive.

– Comme quoi on va licencier, Madame. On dit qu'on va mettre en place de nouvelles machines, et que nous autres, on sera licenciés.

– Mais jamais de la vie! s'exclama Constance, indignée.

Le visage de Guillaume s'épanouit.

– Là, vous me faites plaisir! Ce ne serait pas très grave pour moi de devenir chômeur : je suis à un an de la retraite. Mais je veux donner une fête à l'automne pour célébrer mes quarante ans de travail chez vous. Alors, pensez si j'aurais l'air fin, si j'étais licencié avant!

– Commandez votre fête, Guillaume, et invitez-moi : nous trinquerons ensemble.

– Sûr que je le ferai, Madame, dit Guillaume avant de prendre congé.

– Quel brave homme et comme il vous aime bien! dit Sophie en s'approchant. Nous y allons, Madame, à la maison des champs? Il y a tout ce qu'il faut dans le coffre.

— Nous y allons, ma petite, fit Constance.

Sa conversation avec Guillaume, tout en lui donnant matière à penser, l'avait dynamisée.

Jacqueline, Dieu merci! s'était endormie dans la voiture dès que celle-ci avait quitté le centre de Bergame. Épuisée par sa nuit blanche, elle ne s'éveilla que devant la grille de la villa de Lugano.

En reconnaissant les lieux et en constatant la présence de Bruno auprès d'elle, elle eut un sourire incertain, un sourire délicieux et timide de jeune fille.

Son mari l'aida à sortir de la voiture et lui prit affectueusement le bras pour pénétrer dans la maison. Pourvu que cette journée se passe sans anicroche, pensait-il. S'ils pouvaient passer tout un jour sans se disputer, peut-être que, ensuite, le ciel s'éclaircirait.

Elle avait toujours le sourire aux lèvres en pénétrant dans la villa. Lentement, elle enleva son imperméable, en regardant autour d'elle comme si c'était la première fois qu'elle voyait les lieux. A la vérité, un attendrissement la prenait parce que tout était exactement comme la première fois. C'était rassurant.

Sur le perron, Bruno parlait avec Giuseppe. Elle entendait avec plaisir le son de leurs voix. Les paroles lui semblaient avoir, ici, une autre résonance. Bruno, un jour, lui avait expliqué pourquoi : un phénomène d'acoustique... la proximité du lac...

Il entrait à son tour, Bruno, l'air heureux, et il l'entraîna dans le salon...

Et soudain, d'une façon tout à fait imprévisible, comme si quelqu'un ou quelque chose l'avait aiguillonnée, l'air de son mari peut-être, elle se raidit. Elle alla prendre une cigarette, l'alluma et, tout à trac :

— Bruno, je voudrais savoir si tu as une maîtresse.

— Quelle question! En voilà une entrée en matière dans notre maison!... Je vais chercher de quoi manger : ça te fera du bien.

Le chef d'orchestre avait parlé d'une voix très unie, avec douceur.

— Cesse de vouloir mon bien, dit-elle. Cesse de me parler comme à une gamine ou à une malade!

— Jacqueline, tu...

— Ne me dis pas que je *suis* malade. Tes airs protecteurs, ton paternalisme, c'est de la frime. C'est pour camoufler les problèmes, les *vrais* problèmes, *nos* problèmes. Mais ça, tu ne veux pas qu'on en parle. Au fond, tu t'en fiches pas mal. Pourtant, ce serait intéressant de faire notre bilan! De savoir au moins où nous en sommes l'un par rapport à l'autre.

— Je ne crois pas que ce soit intéressant, dit-il patiemment.

Elle fit un pas vers lui, exaspérée.

— Ça t'abaisserait, n'est-ce pas? Ça t'abaisserait de discuter posément avec ta femme?

— Tu ne parles pas posément, toi, Jacqueline.

— Tu préfères que je m'adresse à un détective pour savoir?

Bruno ferma les yeux. Il aurait préféré ne pas la voir ainsi, hors d'elle, perdant peu à peu le contrôle de sa personne et des expressions qui défiguraient son beau visage.

— Savoir quoi? demanda-t-il.

— Savoir avec quelle femme tu couches.

Il haussa les épaules sans répondre, mais elle vint vers lui, les yeux étincelants de colère.

— Dis-moi que tu n'as pas de maîtresse! Dis-moi que je me fais des idées! Ose me le dire!... Mais naturellement, tu n'oses pas... Ou plutôt, tu me traites par le mépris. Tu te fous de moi... Tu n'as plus besoin de moi... Tu n'as même plus besoin de *ma* maison.

Elle avait l'air d'une furie sans raison. Les mots s'enchaînaient aux mots, destinés à blesser, mais ne blessant qu'elle.

— Parce qu'elle est *à moi*, cette maison. Tu l'as oublié?

— Non, je n'ai pas oublié, dit Bruno avec lassitude.

— Même le jour où, pour l'éblouir, tu l'as amenée ici, dis? Parce que tu l'as amenée ici, n'est-ce pas? Et vous avez fait l'amour dans mon lit, n'est-ce pas?... Oh! Bruno, ose dire que ce n'est pas vrai!

Elle l'avait agrippé par le col de sa chemise, elle le secouait. D'un geste brusque, il se détacha d'elle et s'enfuit. Elle le regarda disparaître dans le jardin, hébétée, et se mit à sangloter.

– C'est une maison merveilleuse, dit Sophie.

– J'y suis née, dit Constance, l'air satisfait.

Elle était enchantée de sa journée, de sa promenade, de sa maison des champs. Parfois, pour commémorer tel ou tel événement, elle y rassemblait sa famille autour d'un succulent repas, mais jamais, en ces occasions, elle n'éprouvait le même sentiment de plénitude que lorsqu'elle y venait seule avec Sophie pour y pique-niquer d'un poulet froid et de quelques fruits. Sophie était reposante, agréable. Elle aimait les mêmes choses et les mêmes gens qu'elle. Elle était capable d'intérêt, de compréhension et d'admiration.

– Vois-tu, Sophie, si je venais à être ruinée, c'est la dernière chose dont je me séparerais. Ces jardins connaissent mon histoire, celle de mes filles aussi. Elles adoraient se perdre dans les bosquets.

– Vos filles ont eu de la chance.

– Tu devrais leur répéter ça, Sophie. On dirait souvent qu'elles l'ignorent.

Les deux femmes allaient de pièce en pièce dans la maison, s'attardant à regarder un bibelot ou un meuble, ou à contempler par les fenêtres le parc sous divers angles.

– Ça, j'adore, dit la demoiselle de compagnie, tombant en arrêt devant une vieille horloge adossée à un mur.

– C'est mon grand-père qui l'a fabriquée. C'est sur elle que s'est bâtie notre entreprise, en quelque sorte.

– Elle doit avoir beaucoup de valeur, dit Sophie en la caressant.

– Une énorme valeur sentimentale, mon enfant.

– Une valeur... idéale?

– Exactement, dit Mme Dussault, enchantée que Sophie trouvât toujours le mot juste et plaisant.

– C'est ce qui importe, Madame, reprit la jeune fille. La valeur idéale. Même pour les bijoux. Les femmes les aiment, pas tellement pour ce qu'ils ont coûté, mais pour ce qu'ils signifient à leurs yeux. C'est la même chose pour cette horloge. Vous l'aimez parce qu'elle fait partie de vous-même.

– C'est ça. Elle sonnait mes heures, l'heure de se lever, d'aller dormir, de goûter, de faire ses devoirs. Chacun réglait sa montre sur elle.

Sophie ponctuait le discours de sa patronne de petits « Hum !

hum! » approbateurs. C'est une manie qu'elle avait, pas désa-
gréable, au contraire.

— Elle ne marche plus? demanda-t-elle.

— Je pense qu'on oublie de la remonter. Elle n'intéresse plus
personne, vois-tu. Comme ces vieilles personnes qu'on laisse
de côté, un beau jour.

— Ce n'est pas vous qui devriez dire de telles choses!

— Il faut pourtant y penser, dit Mᵐᵉ Dussault en flattant
l'horloge de la main. Ne serait-ce que pour s'écarter avant
qu'on ne vous écarte.

— Mais, Madame!

— Ça, je ne le supporterais pas, vois-tu, qu'on me mette à
l'écart.

Sophie éclata d'un rire gentil.

— Mais qui voudrait faire ça!

— Ne t'inquiète pas, Sophie, dit Constance d'un air entendu.
Je ne suis pas disposée à me laisser faire. J'ai beau avoir des
points communs avec cette horloge, grâce à Dieu je ne suis pas
une horloge, et je ne me laisserai pas mettre au rebut.

Chaque fois qu'il s'arrêtait, comme maintenant, au bord du
lac de Lugano, Bruno Steinberg pensait que le paysage était un
concerto dans lequel l'orchestre opposerait son rythme abrupt
et rude à la mélodie douce, lumineuse et élégante du soliste –
l'orchestre étant figuré pour lui par les monts qui encerclaient
et protégeaient la nappe d'eau, le soliste par les rives fleuries,
les arcades, les colonnes assiégées par les rosiers en guirlandes
et l'éclat épuré de la lumière. Cette vue qui le ramenait par
degrés vers ce qui était sa préoccupation constante en même
temps que sa joie de vivre – la musique – parvenait à abolir ses
tourments et ses conflits intimes.

En quittant à grand fracas le salon où Jacqueline s'abandonnait à sa crise d'hystérie, c'est là qu'il était venu directement,
songeant que sa femme aurait peut-être avantage à s'intéresser
à un paysage si harmonieux.

Mais il ne se faisait guère d'illusions : Jacqueline paraissait
incurable, incapable désormais de voir d'autres paysages que
celui, infernal, de sa jalousie morbide. Et avec une certaine
horreur, parce qu'il avait été très épris d'elle et qu'il éprouvait

toujours beaucoup de tendresse à son égard, Bruno sentait qu'il était parvenu à un point de saturation, qu'il la supportait de moins en moins bien, qu'il allait cesser de l'aimer si un miracle ne survenait pas.

Une voix qui le hélait l'arracha à ses rêveries douces-amères, l'obligeant à penser, et à penser à ce qui lui causait le plus d'amertume.

Il sourit néanmoins et agita gaiement la main vers un canot à bord duquel pêchait l'homme qui l'avait appelé. C'était le psychiatre de Jacqueline. Il s'appelait Guido Müller et dirigeait une clinique dans les environs. Ses efforts pour sortir sa femme du pétrin n'avaient pas jusqu'ici été couronnés de succès, mais ce n'était pas une raison pour lui faire grise mine.

— Hello, Guido! dit le musicien. La pêche est bonne?

— Non. Les poissons me connaissent trop, s'écria Müller. Ils savent que je suis toubib et ils se méfient de moi. Tout comme les femmes — il s'esclaffa à sa propre plaisanterie puis, changeant de ton : Oh! Bonjour, Jacqueline...

Bruno sursauta. Jacqueline les avait rejoints. Il se mettait à avoir peur d'elle, se dit-il, parce qu'elle perdait les pédales pour un rien, comme elle venait encore de le démontrer. Mais elle dit avec gentillesse :

— Bonjour, Guido.

— Ça va bien en ce moment? demanda-t-il.

— Ça va bien en ce moment. J'ai diminué la dose des somnifères.

— Parfait! dit Müller. En règle générale, il faut diminuer de moitié les quantités de médicaments que l'on vous prescrit.

— Vous voulez dire par là qu'il ne faut pas faire confiance aux médecins?

— Mais non, chère amie! Seulement qu'il faut se méfier des médicaments.

Il éclata de rire, et Bruno se demanda comment ses malades percevaient sa jovialité.

— Si je pêche une belle pièce, je vous invite à dîner, mais au train où ça va, je ne peux rien vous promettre, jeta-t-il avant de relancer son moteur.

Un léger sourire errait sur les lèvres de Jacqueline.

Dans l'expectative, son mari la prit par le coude.

— On fait un tour?

– Si tu veux, fit-elle. Je voulais te dire... Je te demande pardon pour tout à l'heure. Quand je dis qu'il n'y a jamais eu d'amour entre nous, j'exagère.

– Tu as dit ça?

– Oui. Je crois.

– Je n'ai pas entendu, ma chérie. Quand tu cries, j'essaie de ne pas entendre.

Jacqueline leva vers son mari un regard doux et humide.

– Merci, dit-elle. Je ne devrais pas m'emporter comme ça, n'est-ce pas?... Comme ce lac est beau! Tu te souviens? Nous passions des journées entières sur le bateau... Le soleil, les baignades, l'amour... Les bains de minuit, tu te souviens? L'eau était si douce, noire et douce... On avait l'impression qu'elle allait nous engloutir pour toujours... C'était merveilleux, Bruno. Je voudrais retrouver ce temps-là, mais on me l'a volé... Je n'y ai plus droit.

– Personne ne vole rien à personne. La vie change. Le passé est un fantôme qu'on ne peut pas ressusciter, dit l'homme, avec toute la mansuétude dont il était capable.

– Mais moi, je n'ai pas changé! cria-t-elle. Je t'aime toujours autant! C'est toi qui as changé, toi qui en aimes une autre!

Et ça recommence, pensa Bruno avec désespoir.

– Oui, j'en aime une autre, dit-il brutalement.

– Ce Marcel, quel fou! dit Mme Dussault en raccrochant le téléphone au château des Monts. Il m'appelle seulement pour me dire que l'émir Abdul vient de prendre une quatrième épouse et qu'il nous achètera donc sûrement une montre de plus.

– C'est un enthousiaste, Madame, dit Sophie. Il n'aura pas voulu attendre pour vous faire ce petit plaisir.

– Possible, dit Constance avec indulgence.

Elle ajouta qu'on ferait un dernier tour de parc avant de repartir : Véronique, sa petite-fille, venait chez elle pour ses vacances et elle arrivait ce soir. Comme d'habitude, Sophie opina. Elle opinait toujours.

Mais comme les deux femmes franchissaient le seuil du château, elles virent une voiture se ranger à côté de la leur et trois personnes en descendre : Nicole et Jean-claude Fontaine, et un inconnu : un homme encore jeune, plus jeune, en tout cas, que Jean-Claude ou Marcel. Il avait une épaisse chevelure foncée partagée par une raie médiane et si drue qu'elle formait une frange sur son front.

Arborant son port de reine, Constance Dussault les attendit.

— Bonjour, dit-elle. Quel bon vent?

— Nous sommes venus te dire un petit bonjour, dit Nicole, amène.

Constance eut un sourire ironique, attendant la version de son gendre. Elle ne tarda pas.

— Comme nous passions dans les parages, dit-il, j'ai voulu montrer les beautés de votre fief à M. Savagnier.

— Vraiment!

— M. Savagnier — Pierre Savagnier — est ingénieur électronicien. Je l'ai engagé la semaine dernière.

— Engagé?

— Oui, dit Jean-claude. Il travaillera avec nous dès demain. Ce matin, je lui ai fait visiter l'usine.

— Un ingénieur électronicien! Et qui fera quoi?

Avec les petites phrases brèves qu'ils s'envoyaient, la belle-mère et le gendre faisaient penser à des escrimeurs qui font cliqueter leurs épées. Pierre Savagnier s'efforçait de garder un air de bonne compagnie. Nicole, gênée, se mordait les lèvres.

Depuis le matin, depuis qu'avec Jean-Claude elle avait accueilli l'ingénieur à la gare, elle était mal à l'aise. Elle savait ce que son mari avait dans la tête : « restructurer » la maison Dussault-Pontin. Il pensait, peut-être à juste titre, que l'ère des montres de luxe était terminée, qu'il fallait imaginer moderne, travailler moderne, vendre moderne, de manière à continuer à faire des bénéfices. Très bien. Mais même s'il avait raison, elle n'aimait pas sa façon de décrier sa belle-mère, avec insistance, devant un étranger. A l'usine, il s'était carrément moqué d'elle, de ses machines désuètes, de son immobilisme, de son refus du progrès — au point que ce jeune homme avait pris leur défense. Peut-être n'était-ce que manière de parler, mais c'était faire preuve de délicatesse envers elle, fille de Mme Dussault, avait pensé Nicole.

Ce genre de délicatesse, Jean-Claude l'avait depuis longtemps oublié. Il entendait bien que sa femme prenne parti, et prenne parti pour lui. Il méditait un coup d'État. Il voulait prendre le pouvoir et il avait un plan pour ça. S'il avait engagé Savagnier, c'était pour mettre la compétence professionnelle de l'ingénieur au service de ce plan.

A Nicole ça ne plaisait pas. Elle n'aimait pas l'autoritarisme de sa mère, certes non. Mais elle n'aimait pas davantage les manières de son mari. Elle n'aimait surtout pas être coincée entre les deux. Depuis son mariage, qu'elle avait pris – pas longtemps – pour un mariage d'amour, elle s'était fabriqué une manière de bonheur en tenant à distance la passion et les prises de position affirmées. Elle s'intéressait aux arts, collectionnait les beaux objets et cultivait le détachement. Elle plaignait de tout son cœur sa sœur, Jacqueline, de s'être laissé vaincre par les souffrances de l'amour et de la jalousie.

Elle dit qu'elle n'était pas d'humeur à entendre encore parler usine aujourd'hui et qu'il serait préférable de prendre un verre tous ensemble en bonne harmonie. Mais Constance Dussault objecta que ce n'était pas possible, qu'elle était attendue à La Chaux-de-Fonds.

Nicole prévoyait une telle réponse; sa proposition n'avait d'autre but que de la susciter et de remettre ainsi à plus tard les frictions.

Pourtant, Constance Dussault n'avait pas inventé de prétexte pour s'éclipser. Quelqu'un l'attendait réellement à La Chaux-de-Fonds : sa petite-fille, Véronique Steinberg.

Dix-sept ans, la beauté du diable, une élégance discutable – au moins aux yeux de sa grand-mère – et, sur le visage, cet air un peu faux et buté que les adolescents croient bon de prendre avec les adultes.

Véronique était heureuse d'arriver. Elle venait de passer une année en pension, et, même si cette dernière avait une renommée internationale, ce n'était jamais, pour la fille de Jacqueline et de Bruno, qu'une prison. Une prison qu'elle haïssait d'autant plus qu'elle avait le sentiment qu'on l'y avait mise pour la tenir à l'écart. Les grandes personnes vous voient toujours comme des enfants, elles veulent vous voir comme des enfants, surtout quand il leur arrive de graves histoires de grandes personnes.

La jeune fille avait subi une déception : à son arrivée, non seulement sa grand-mère était absente, mais sa mère l'était également, et Martine, la bonne, lui avait appris que c'était pour une durée indéterminée. Que se passait-il encore? Deux jours avant, une lettre de son père lui répétait que Jacqueline passait l'été à La Chaux-de-Fonds et qu'il se réjouissait de les savoir bientôt réunies toutes les deux là-bas. Et depuis, elle était partie! La veille au soir, avait dit Martine. « Au soir? En voiture? – Oui, Mademoiselle. – Mais maman a horreur de conduire la nuit! – Je n'en sais pas plus, Mademoiselle. »

Ensuite, il y avait eu le retour de grand-mère. Avec cette fille, Sophie. S'il y avait quelqu'un qui méritait le nom de « suivante », de « demoiselle de compagnie », c'était bien Sophie. Elle ne lâchait pas sa patronne. Même le dimanche. Et elle se mettait à ressembler à grand-mère, malgré la différence d'âge – elle n'avait sûrement pas trente ans –, à force d'être toujours de son avis, de l'écouter et de lui répéter que tout ce qu'elle faisait était bien.

De retour du château des Monts, les deux femmes s'étaient récriées sur la bonne mine et la beauté de Véronique, mais l'adolescente voyait bien que le regard de Constance s'attardait beaucoup sur sa tenue de jogging et ses baskets de couleur criarde – et qu'il en était offusqué.

C'était l'ennui, avec grand-mère : elle critiquait toutes les initiatives, tous les goûts de Véronique, et elle essayait sans cesse de faire main basse sur elle. Elle avait tout de la grand-mère abusive qui tient pour du beurre les parents et essaie de démontrer à l'enfant qu'elle est la meilleure, la plus compréhensive, la plus dévouée, celle à qui il faut se fier, celle qu'il faut prendre pour exemple.

Mais prendre pour exemple Mme Dussault n'était pas exactement le projet de Véronique. Elle n'éprouvait de goût ni pour son rigorisme entêtant ni pour ses principes d'un autre âge. Elle voulait bien aimer sa grand-mère – d'ailleurs, elle l'aimait –, mais non pas se laisser couler dans son moule ni gouverner par elle. Que Sophie se laisse faire, si ça l'amusait, mais pas elle, Véronique. D'ailleurs, à bien y réfléchir, si Sophie se laissait faire, c'est parce qu'elle était payée pour ça!

On avait sonné.

Marcel Fontaine se leva prestement du divan sur lequel il

40

était couché et dégringola l'escalier qui menait à la porte d'entrée.

Il ouvrit. Sur le seuil se tenait Sophie. Très pimpante. Soigneusement maquillée. Les yeux faits de façon suggestive. Et le chemisier déboutonné bas.

— Enfin, tu es là! dit Marcel.

Il referma la porte, prit la jeune fille dans ses bras et la couvrit de baisers ardents. Il était amoureux fou d'elle. Jamais femme n'avait su l'exciter autant. De la lave sous la neige!

Ah! La voir chez sa patronne, compassée et digne, avec ses cheveux soigneusement peignés et son maintien réservé, et savoir combien elle pouvait être impudique et déchaînée lorsqu'ils étaient seuls tous les deux, ça le mettait dans tous ses états. Quand il l'eut embrassée jusqu'à l'essoufflement, il l'entraîna vers le divan.

— Ton voyage? demanda Sophie.

— Magnifique. Tout s'est passé comme sur des roulettes. De grands artistes, ces Italiens.

— Le travail a été bien fait?

— Superbement. J'ai regardé faire mon lascar. Toutes les pierres ont été desserties en un temps record et remplacées par des imitations impeccables. J'ai mis les vraies pierres en lieu sûr et je suis revenu dans les temps.

Sophie se mit à rire.

— Ingénieux, ton coup de téléphone pour me faire savoir que tu étais rentré.

— Elle n'a pas tiqué?

— Un peu, mais j'ai fait remarquer que tu avais agi par gentillesse, comme d'habitude.

— Merci, Sophie. Et maintenant?

— Quand je suis partie, elle se préparait à emmener Véronique au restaurant.

— Elle est comment, la môme?

— Comme une môme, dit Sophie en riant. Elles sont toutes pareilles à cet âge-là. Et la vieille ne voit pas qu'elle lui casse déjà les pieds, à lui dire du mal de sa mère, puis de son père, et à l'endoctriner de toutes les manières. L'endoctriner! Je veux dire : essayer de l'endoctriner. En la flattant, par exemple. Elle lui a offert un collier en or qui n'est pas de la tarte. Mais ce qui est tarte, c'est l'effet que ça fait sur un survêtement.

– Sophie, dit Marcel en s'allongeant sur le divan et en l'attirant à lui, tu ne crois pas que je mérite...

– Tu le mérites amplement, dit-elle, mais il est prudent que je reparte. Elles sont au restaurant, je sais, mais la petite a parlé de regarder la collection. Mieux vaut que je rentre avant elles.

Il avait une furieuse envie d'elle et se mit à la caresser.

– Sophie, je t'en supplie...

Elle se laissa faire un instant, l'air chaviré, mais elle s'arracha bientôt à ses bras.

– Les vraies pierres, où sont-elles? demanda-t-elle.

– Moins il y aura de gens qui le savent, mieux ce sera, dit Marcel.

– Oui. Mais moi?

– Bien sûr, mon cœur. Quand le moment sera venu, tu le sauras.

– En attendant?

– En attendant, tu fais comme on a dit, fit-il en passant dans sa chambre.

En fin de compte, Véronique avait refusé d'aller au restaurant. Elle était éreintée. Un petit repas sur le pouce et elle irait au lit, si grand-mère permettait.

Grand-mère permit, déjà frôlée par l'amertume. Elle ne lui voulait que du bien, à cette petite, mais elle la sentait rétive. Ne prétendait-elle pas rejoindre ses parents à Lugano dès le lendemain? Des parents qui ne s'occupaient pas d'elle! Une mère malade et un père indifférent! On aurait dit qu'elle les préférait à elle. Insensé.

Dans sa chambre, Constance Dussault s'aperçut qu'elle avait laissé dans son bureau ses lunettes de lecture. Déjà vêtue pour la nuit, elle ressortit de la pièce.

En bas, Sophie venait de rentrer, lorsque la lumière s'alluma dans le couloir de l'étage. Elle n'eut que le temps de se tapir dans un recoin d'ombre sous l'escalier. Elle retenait son souffle, mais son cœur battait si fort qu'elle pensait qu'on devait l'entendre dans toute la maison.

C'est Mme Dussault qui descendait.

Pour aller dans son bureau, elle passa à deux mètres de sa demoiselle de compagnie, mais elle ne la vit pas. Lorsqu'elle fut repassée, Sophie faillit laisser échapper, tant était grand son soulagement, l'objet qu'elle tenait serré dans ses bras.

C'était la mallette en cuir grenat. En silence, elle alla la replacer dans le coffre-fort, dont Marcel lui avait donné la combinaison.

Dans l'escalier, elle fit un peu de bruit, exprès. Mme Dussault l'interpella à travers sa porte.

— C'est toi, Sophie?

— Oui, Madame, mon amie n'était pas chez elle. J'ai fait un petit tour en ville avant de rentrer. Bonne nuit, Madame.

— Bonne nuit, Sophie.

Une perle. Non seulement dévouée et efficace, mais sérieuse comme peu de jeunes filles de nos jours. Une perle absolue, on ne le répéterait jamais assez.

3

En venant prendre son service à la villa, Erminia, la femme du gardien Giuseppe, trouva M. Steinberg déjà éveillé, prenant son petit déjeuner dans la cuisine.

– Oh! Monsieur! Je suis en retard, dit-elle d'un ton d'excuses.

– C'est moi qui suis en avance, Erminia. Il faut que je parte tout de suite pour Bergame : j'ai une répétition de bonne heure. Et j'aime beaucoup faire le café.

La femme sourit, mais le ton jovial de son patron ne l'abusait pas. Il avait voulu partir avant son arrivée, c'était clair. Et après la scène de la veille, elle pouvait comprendre ça. Quand Madame traite Monsieur de salaud devant une domestique, Monsieur n'aime pas ça, c'est fatal.

Ça s'était passé à table pendant le dîner. Madame avait reproché à Monsieur d'avoir une maîtresse. Elle prêchait le faux pour savoir le vrai, car elle ignorait le nom de la maîtresse, elle n'était même pas sûre qu'il y en avait une. Mais elle gueulait, elle gueulait... Elle avait commencé *mezza voce*, gentille, mais tout de suite elle avait perdu les pédales et dit des horreurs. Elle reprochait à Monsieur de ne l'avoir épousée que pour son argent, elle prétendait qu'il voulait la rendre folle pour la faire enfermer...

Elle, Erminia, s'était retirée discrètement dans sa cuisine, mais plus tard, de sa maison, elle avait entendu la dispute qui reprenait dans le jardin. Infernal! Ce n'était pas très bien de la part de Monsieur d'avoir une maîtresse – elle-même n'aimait pas quand son Giuseppe donnait des coups de canif dans le contrat –, mais une femme aussi emmerdeuse que Madame, jalouse et incapable de se contrôler, ce n'était pas bien non plus, et on admettait que Monsieur cherche une consolation ailleurs. Et aussi qu'il se lève aux aurores pour ficher le camp avant que la râleuse s'éveille et qu'elle ne recommence son éternelle scène.

– Erminia, veillez bien sur Madame, dit le musicien. Son voyage l'a fatiguée, énervée. Elle a dû prendre des somnifères pour trouver le sommeil, vous comprenez...

Il regarda la domestique, son visage fermé – mais sur quelles pensées, apitoyées ou goguenardes?

– Je prendrai bien soin d'elle, Monsieur. Une bonne nuit de sommeil lui aura fait du bien.

– Je l'espère. Dites-lui que je rentrerai ce soir, aussitôt que possible.

Erminia regarda le maestro dégringoler l'escalier du jardin avec une alacrité d'adolescent. Même s'il avait une maîtresse, il était bien sympathique et il ne méritait pas d'être harcelé comme il l'était. Enfin, pendant toute une journée, il allait être tranquille, ce serait toujours ça de pris.

A Bergame, la répétition avait commencé, sous la direction de Walter Salieri.

C'était un garçon d'une trentaine d'années, excellent musicien, qui avait déjà travaillé au théâtre de Bergame à des postes divers. Il aspirait à la direction d'orchestre. Pour la durée de l'engagement de Steinberg, celui-ci, avec l'approbation de Ferrari, lui avait proposé d'être son assistant.

Walter avait accepté : côtoyer un aîné de la classe de Bruno lui paraissait devoir être riche d'enseignements et de progrès pour lui – en quoi il avait raison. Mais à l'usage, il s'avérait que sa tâche dépassait ses forces. Doté d'une sensibilité d'écorché vif, Walter souffrait mille morts. Il n'était pas fait, il n'était plus fait pour débroussailler le terrain pour un autre. Comme un papillon sortant d'une chrysalide, il se sentait pousser des ailes, il se sentait assez fort pour libérer le génie particulier qui était en lui, l'exercer et, si possible, le sublimer; et forcément, il lui était difficile de se soumettre dans le même temps à l'autorité d'un autre.

Poussé dans ses retranchements, il aurait dû avouer que c'était l'exemple de Bruno, celui de son génie, de sa concentration et de sa ferveur, qui avait provoqué sa propre éclosion, mais dans la pratique quotidienne, il ne voyait que les frictions et les humiliations, et, non sans masochisme, il les provoquait.

Ainsi, ce matin-là, répétant l'ouverture des *Noces de Figaro*, il venait d'indiquer aux violons un tempo lent dont il savait qu'il ne correspondait pas aux indications de Steinberg. Il le savait; mais il n'était pas du même avis que son chef, et il n'arrivait pas à se dominer au point de ne pas le faire savoir. Il ne lui appartenait pas de donner aux musiciens des indications opposées à celles de Bruno; il savait que ce dernier lui donnerait forcément publiquement tort; rien n'y faisait. Brusquement, il avait passé l'âge d'être sous les ordres de quelqu'un, et il n'était pas sûr de pouvoir le cacher et jouer le jeu jusqu'au bout.

Le premier violon, Diabelli, lui rappela que M. Steinberg désirait que l'entrée des cordes fût bien marquée, car c'était là que le thème du mouvement faisait son apparition.

— Non, Diabelli, je connais fort bien la partition. L'entrée des violons doit être douce. On recommence.

— Ça va, Walter, je prends le relais, dit Bruno Steinberg en bondissant à sa place. Les violons, avec énergie. Allons-y!

... Le bonheur. Il n'y avait d'autre bonheur que d'être là, à cette place, à faire naître la musique, pensait le maestro. Le reste n'avait aucune importance. Il fallait compter avec, hélas! mais là où il y avait de la musique, tout ce qui n'était pas elle se diluait...

Erminia s'apprêtait à passer l'aspirateur dans le salon lorsqu'elle vit la patronne dans le hall. Elle n'avait sur le dos que sa chemise de nuit et sortait visiblement de son lit.

— Bruno! dit-elle. Où est-il? J'ai rêvé d'un bruit de voiture. Ce n'était pas lui qui partait!

— Si, Madame, dit Erminia. Il devait aller à sa répétition. Il rentrera ce soir de bonne heure. Il m'a chargée de vous le dire.

— Mais ce n'est pas possible, Erminia! Il n'a pas pu partir sans me dire au revoir! S'il l'a fait, c'est un beau salaud! s'exclama Jacqueline.

— Vous aviez *besoin* de dormir, il n'a pas voulu vous réveiller. On n'est pas un salaud pour ça.

46

– De quoi je me mêle? Comment oses-tu? Fiche le camp!

Seigneur! pensa Erminia, ça commence bien. Elle était outrée et inquiète. Elle se dit que la présence de Giuseppe ne serait pas superflue et sortit rapidement du hall pour aller l'avertir.

Jacqueline, cependant, était entrée dans le salon. Elle était extrêmement agitée, en proie en même temps au désespoir et à la fureur. Son esprit s'était remis à tourner autour de son idée fixe, exigeant avec force des arguments pour l'alimenter. Avec nervosité, elle se mit à ouvrir les tiroirs, à fouiller les armoires. Elle en sortait le contenu, hagarde, et le répandait sur le sol, négligeant ensuite de refermer portes et tiroirs. Du hall, Erminia contemplait ce carnage.

– Madame, dit-elle, faut me demander. Je sais où sont les affaires. Je suis là pour vous aider.

– Fiche le camp, j'ai dit!

Erminia battit en retraite vers sa cuisine, cependant que Jacqueline sortait en trombe du salon et se ruait vers la salle de musique, dont Bruno avait fait son lieu de prédilection.

Des partitions jonchaient le piano, des photos tapissaient les murs – photos d'elle ou de Véronique, mais surtout souvenirs de concerts avec un Bruno étincelant, en habit et souliers vernis, tel qu'elle l'adorait, tel qu'il était adoré par toutes les femmes qui cherchaient à le lui prendre!

Mais ce n'était pas ces photos-là qu'elle cherchait. Quelque chose lui disait qu'elle allait tomber sur autre chose... Eh oui! *Ça* se trouvait parmi les partitions qu'elle avait jetées par terre en fouillant parmi elles. *Ça*, c'était le portrait d'une jeune femme brune, très belle, mince, élancée et souriante. Sou-ri-an-te. Comment osait-elle sourire, cette garce? Car elle était sûre que c'était elle, que c'était *la maîtresse*.

Fébrilement, elle regarda autour d'elle, vit un gros briquet.

– Tu vas voir, ma petite, tu vas voir. Il brûle d'amour pour toi? Tu vas voir!

Du mur, elle avait arraché une photo de Bruno. Il souriait aussi, le traître. D'un coup sec, elle brisa sur un coin du piano la glace qui la protégeait, puis elle la sortit du cadre et y mit le feu.

– Il brûle d'amour pour toi, tu vois? Eh bien, brûlez, les petits!

Elle présenta à la flamme qui dévorait les traits de Bruno la photo de la jeune femme brune. Les flammes grandirent et, effrayée, elle lâcha les clichés en feu. Ils tombèrent sur les partitions, qui s'enflammèrent à leur tour.

Jacqueline, fascinée, regardait ce feu de douloureuse joie, quand Erminia arriva en courant, suivie de Giuseppe.

Bruno était encore tout enivré de musique lorsqu'il quitta la salle de théâtre pour une brève pause. Mais le bruit de ses pas dans le hall dallé et sonore le rappela à d'autres réalités, et il se rembrunit un peu.

Alessandra l'attendait dans sa loge.

— Que s'est-il passé avec Walter? demanda-t-elle.

— Avec Walter? Rien.

— Si, insista-t-elle. Il ne veut plus rester ici. Il m'a fait une scène, il m'a dit qu'il ne supportait pas les brimades. Je lui ai fait remarquer que travailler avec toi, c'était une chance pour lui et que, s'il partait à cette période de l'année, il ne trouverait pas de travail ailleurs.

— Et il a répondu?

— Que nous n'avions pas besoin de nous faire de la bile pour lui, qu'il trouverait du boulot.

— Et encore?

Alessandra hésita un peu et vint caresser la joue de Bruno avant de répondre :

— Que travailler avec toi était non pas une chance, mais un sacerdoce. Qu'il n'avait rien d'un apôtre et que prêcher la parole de Dieu, c'était très peu pour lui.

Bruno se mit à rire.

— Il est vraiment parti? demanda-t-il, apparemment peu touché par la défection de son adjoint.

— Sûrement pour la journée, dit Alessandra.

Elle aussi riait, puisque son amant riait, mais elle demeurait préoccupée.

— Ça ne te tracasse pas trop... je veux dire : Walter?

Bruno haussa les épaules sans répondre.

— Et ta femme?

— Ben quoi, ma femme? Elle est à Lugano. Je rentrerai près d'elle ce soir.

— Tu ne préférerais pas rester avec moi à Bergame?

Il regarda sa maîtresse de l'air d'un gamin navré. Comment lui expliquer? Auprès d'elle, dans cette loge, il ressentait avec force la situation absurde dans laquelle il se trouvait. D'un côté, il y avait cette belle jeune femme qui l'adorait, qui lui donnait une camaraderie de l'esprit et une fête du corps qui le délassaient agréablement de sa passion possessive pour la musique; de l'autre, une épouse devenue abusive et impossible à vivre, dont les exigences empiétaient sur son domaine sacré. Comment n'aurait-il pas préféré la première, celle qui ne représentait que joie et jouissance? Tout le temps qu'il avait été avec Jacqueline, la veille, il avait rêvé de paix, et Alessandra était le symbole même de cette paix. Comment n'aurait-il pas préféré demeurer auprès d'elle à Bergame?

Il allait le lui dire quand le téléphone sonna.

Il devança le geste de la jeune femme, décrocha, se nomma, écouta, son visage changeant d'expression à mesure qu'on lui parlait.

— J'arrive, dit-il enfin, en raccrochant le combiné.

Il était pâle, atterré. Et il ne dit pas ce qu'il allait dire, car le destin ne lui laissait pas le choix.

— Rattrape Walter, fit-il en posant la main sur les cheveux d'Alessandra. Rattrape-le par n'importe quel moyen. Je dois rentrer à Lugano : Jacqueline a tenté de mettre le feu à la villa.

— Bruno! C'est du chantage!

— Peut-être que c'est du chantage. Mais Giuseppe l'a transportée à la clinique du docteur Müller. Müller est très inquiet, et ce n'est pas son genre de s'inquiéter pour rien.

— Bruno!

— Je dois aller auprès d'elle. Même si c'est du chantage, je suis responsable d'elle. Pour nous deux, il faut cesser de nous voir, au moins pour un moment. Je vais résilier la suite au Grand Hôtel...

— Mais nous nous verrons encore? demanda anxieusement la jeune femme. Nous ferons encore l'amour ensemble? Je pourrais louer un studio où nous nous verrions sans que personne le sache...

Elle se jeta dans ses bras et ils s'étreignirent. Bruno avait le sentiment que son havre de paix s'éloignait à toute allure, à des années-lumières. Il en aurait pleuré.

– Comprenez-moi bien, dit Jean-Claude Fontaine. Pour moi, l'objectif est clair. Le travail manuel assisté d'équipements mécaniques, ça a fait son temps, et notre maison doit en tenir compte. Nous devons faire appel aux techniques de pointe.

Il se trouvait dans son bureau avec son frère, Marcel, Pierre Savagnier et un inconnu. Savagnier opina d'un hochement de tête avant de prendre la parole :

– L'installation de chaînes de fabrication pour les mouvements nous permettra un volume de production très élevé. Automatisées, robotisées, elles ne requièrent qu'un personnel restreint mais hautement qualifié.

– Ça ouvrira la brèche dans le mur absurde des traditions, dit Jean-Claude en se frottant les mains.

– Minute, fit Pierre. Il ne s'agit pas de renoncer à la tradition qui a fait notre renom. Ce qu'il faut, c'est mettre l'expérience acquise au service de l'avenir.

– Tout à fait d'accord, mon cher.

– On pourrait acheter le matériel de base au Japon.

– Parfait, le matériel japonais.

– Le plus performant.

Marcel les regardait, ahuri. Très au point, pensait-il, leur numéro de duettistes. Il n'en revenait pas. Il savait que son frère avait des vues opposées à celles de sa belle-mère en ce qui concernait l'avenir de l'usine, mais il ne l'aurait pas cru capable d'aller si loin, en douce, tramant la défaite de Mme Dussault sous son propre toit! Il écouta avec plus d'attention. L'inconnu aussi écoutait. Marcel avait entendu son nom tout à l'heure, mais il avait mal compris et il sursauta un peu quand Jean-Claude, terminant son exposé, dit :

– Voyez-vous, Herr Shurer, nous garderons l'équipe de base, quitte à la faire tourner au ralenti, l'effort principal portant sur la structure automatisée que nous nous proposons d'installer, comme je viens de vous l'expliquer.

– J'ai très bien compris, dit l'Allemand avec un sourire, et je pourrai le faire comprendre à mes mandants. Je pense que votre entreprise et la nôtre devraient trouver facilement un terrain d'entente.

– Je vous remercie, Herr Shurer, dit Jean-Claude. Nous nous reverrons la semaine prochaine?

– Je vous téléphonerai avant, n'ayez crainte. J'ai été ravi de vous connaître, monsieur Fontaine.

Pierre Savagnier se leva en même temps que le visiteur pour le raccompagner. Quand ils eurent quitté le bureau, Marcel éclata :

— Bien joué, mon vieux. Je ne te savais pas capable d'un coup fourré!

Jean-Claude sursauta, agacé.

— Un coup fourré. Comme tu y vas! Et d'abord, depuis quand te mêles-tu de la gestion de l'entreprise?

— Qui est-ce qui m'a fait venir dans son bureau? ironisa Marcel.

— Oh! gémit son frère, excédé.

— Je te vois venir, tu sais, avec tes gros sabots. Tu t'associes avec ces Allemands. Tu as un projet, mais nous n'avons pas assez de liquide. Ça ne te dérange pas, au contraire. Tu fais une augmentation de capital, les Allemands apportent l'argent frais et, à vous deux — le groupe allemand et toi —, vous devenez majoritaires et vous mettez Constance sous le boisseau. C'est ça?

— Non! se récria Jean-Claude pour ajouter, dix secondes plus tard et sur un ton plus bas : Pas tout à fait.

— Mais c'est l'idée générale, renchérit Marcel. Et la motivation est bien de doubler ta belle-mère... Seulement, tu oublies quelque chose : si moi, l'idiot de la famille, j'ai pigé ça en cinq sec, elle, elle aura deviné avant que tu ouvres la bouche.

Le visage de Jean-Claude se renfrogna.

— C'est la faute de Jacqueline, grommela-t-il. Si elle me donnait mandat sur ses actions, j'en aurais moins besoin, des Allemands!

— C'est pas demain la veille qu'elle va te mandater, grand frère, persifla Marcel avant de sortir du bureau. Parce que j'oubliais : ta belle-sœur est en clinique, elle a essayé de flanquer le feu à la villa de Lugano. Sa fille et sa mère — ton honorable belle-mère — se préparent à partir pour le Tessin. Michel a déjà avancé la voiture!

Jean-Claude releva le nez, abasourdi, mais Marcel avait déjà passé la porte, qu'il claqua derrière lui.

La clinique du docteur Müller était un vaste bâtiment joliment peint en rose, comme nombre de villas voisines, et aussi pimpant à l'œil qu'elles, mais ce n'en était pas moins une clinique psychiatrique dont l'approche serrait le cœur.

Il en était ainsi pour Bruno en tout cas, lorsqu'il franchit le seuil du bureau du médecin. Le jovial Guido du dimanche avait pris l'aspect d'un homme préoccupé et perplexe. Il serra la main du chef d'orchestre et dit :

— Je ne te cache pas que je suis très inquiet.

Bruno se mordilla les lèvres. Il était désespéré, il avait l'impression que sa tête, trop pleine de soucis et de problèmes, avait considérablement enflé.

— Mais qu'est-ce qu'elle a, au juste? demanda-t-il en s'asseyant.

— Une vieille névrose qui s'est réveillée — comme le fait un volcan qu'on croyait éteint. Elle s'est réveillée avec plus de force que jamais, et je pense que tout peut arriver.

Bruno sursauta.

— Elle pourrait se suicider? Cette nuit, je l'ai trouvée au bord du lac et elle parlait de suicide. Elle disait que je serais bien heureux si elle se tuait, mais qu'elle ne me donnerait pas ce plaisir.

Il soupira et ajouta d'un ton las :

— C'était la quatrième algarade depuis son arrivée.

— Je sais, dit Guido, compatissant. Son agressivité est comme de la vapeur sous pression. Mais pas seulement dirigée contre elle, je le crains.

— Que veux-tu dire?

— Il ne faudrait pas qu'elle la dirige vers toi ou vers Véronique.

— Véronique! Tu crois? Ça pourrait arriver?

Bruno était franchement bouleversé.

— Je ne voudrais pas t'alarmer inutilement, dit le psychiatre, mais je pense qu'il faut nous tenir sur nos gardes, la surveiller.

— Mais encore?

— J'envisage une psychothérapie, dit le médecin, pensif, avant de poursuivre : Mais pour l'instant, nous devons l'envelopper, moi d'une camisole chimique, et toi d'amour protecteur.

— Tu vas l'assommer avec des médicaments?

— Pas l'assommer, Bruno. Je donnerai juste ce qui sera nécessaire, et j'en donnerai d'autant moins que tu restaureras sa confiance en toi.

— En faisant quoi?

— En l'entourant d'affection. En renonçant, au moins momentanément, à l'autre femme.

— Alessandra? Elle est mon soutien, le repos de mon esprit.

Müller hocha la tête.

— Je sais bien, mais essaie... essaie au moins le temps que Jacqueline se fasse à la situation.

— Tu sais qu'elle ne s'y fera jamais, dit Bruno avec lassitude.

— Tu peux jouer la comédie pendant quelque temps! Je t'en prie! Je t'en prie! dit le médecin en se levant. Tu as besoin de paix, m'as-tu dit, pour tes concerts? Je crois que c'est le prix qu'il te faut payer pour l'avoir. Fais-le pour éviter de plus graves désordres qui compromettraient le Festival.

A voir le changement qui s'était fait dans l'œil du maestro, Guido Müller sut qu'il avait touché le point sensible. Il ajouta :

— Ça vaudra mieux pour tout le monde. Et du même coup, ça te donnera le temps de réfléchir.

— Réfléchir à quoi?

— A tout. Au sens que tu donnes à la vie... On a parfois besoin de ce genre de claque pour mieux voir les choses. Va, maintenant, Bruno. Va la voir.

Mme Dussault et Véronique arrivèrent à Lugano dans le courant de l'après-midi. Elles ne s'étaient guère parlé pendant le trajet. A peine la Jaguar avait-elle démarré que Constance avait dit :

— Toi qui voulais aller voir tes parents, te voilà gâtée.

Jamais elle ne pouvait s'empêcher de persifler. Quelquefois, c'en devenait maladif. Elle ne se rendait pas compte que Véronique était bouleversée, se posait des questions, se faisait du souci. Ce que Véronique attendait d'elle, c'était une conversation franche et pleine d'abandon. A dix-sept ans, on croit encore qu'une grand-mère est un être débordant d'affection, de sagesse et surtout d'indulgence. Mais Véronique voyait apparaître la sienne comme la caricature de cette grand-mère idéale : généreuse de ses cadeaux, mais pas de sa tendresse; puits de sagesse, certes, mais de sagesse apprise, bourgeoise et égoïste. Elle ne voulait pas le bonheur des siens mais, comme elle disait, leur *bien*, le *bien* qu'elle avait choisi pour eux. Le sort de Jacqueline, que sa détresse avait poussée à un acte regrettable, ne semblait la toucher qu'en tant qu'elle se sentait obligée d'aller à Lugano, alors que son usine et sa collection requéraient tous ses efforts. Et si sa première phrase avait été persifleuse, sa seconde était franchement écœurante :

— Ta mère n'en fera jamais d'autre! Si elle avait tant soit peu pensé à moi, elle aurait réfléchi à deux fois, non, avant d'allumer ce feu?

Que peut-on répondre à cela? Véronique s'était rencognée contre les coussins confortables et avait feint de s'endormir.

A ses côtés, Constance pinçait les lèvres et pensait que les jeunes sont de l'égoïsme à l'état pur, cœur sec et mauvaises manières. Mais de celle-ci elle allait s'occuper et faire une demoiselle selon son cœur...

Sans s'arrêter à la villa, Michel les déposa à la clinique de Guido Müller.

Le médecin les accueillit dans le hall avec courtoisie, leur demandant de ne pas faire une visite trop longue et d'être attentives au ton qu'elles emploieraient avec la malade.

— Docteur, avant de voir ma fille, je voudrais vous entretenir en particulier.

— C'est tout naturel, madame. Veuillez me suivre.

Lui-même souhaitait un entretien avec cette femme au maintien fier, dont on pouvait croire, à la voir, qu'elle n'avait jamais pleuré de sa vie. Lui savait, pour avoir eu de longs entretiens, naguère, avec sa patiente, que, bien longtemps avant les infidélités de Bruno, c'était la dureté de sa mère qui avait rendu fragile l'esprit de Jacqueline.

Avant d'entrer dans son bureau, il confia Véronique à une infirmière qui la mena à la chambre de cette dernière.

Jacqueline, en voyant la silhouette de sa fille s'encadrer dans la porte ouverte, eut un sourire émerveillé. Elle était assise dans son lit, bien coiffée, le visage discrètement maquillé. Inexplicablement, cette bonne apparence et ce sourire firent mal à la jeune fille : ce masque allait craquer, elle en était certaine.

— Maman! s'écria-t-elle, les larmes aux yeux.

Jacqueline lui ouvrit les bras.

– Il ne faut pas pleurer, ma chérie... Ne pleure pas!

– Qu'est-ce qu'on t'a fait, maman?

– Rien du tout. Je suis fatiguée, mes nerfs ont lâché. Il faut que je me repose et on va m'apprendre à bien me reposer, à me détendre.

Jacqueline prit le visage de Véronique dans ses mains, l'embrassa. L'infirmière, qui était restée près de la porte, prête à intervenir si quelque incident survenait, se décida à sortir.

– Tu n'aurais pas une cigarette? demanda la mère.

Véronique sourit en faisant signe que non, et questionna:

– Ça ne t'est pas interdit?

– Si! Tout m'est interdit.

– Tu vas rester longtemps?

– J'espère que non, fit Jacqueline.

Elle était plus vivante, plus « elle-même » que ne l'avait craint sa fille, qui l'embrassa avec spontanéité, cependant qu'elle reprenait:

– Je voudrais te dire quelque chose, Véronique. Je ne sais pas ce que vont te raconter les autres, mais ne juge pas trop mal ton père. C'est moi qui ne suis pas bien en ce moment: je dramatise tout. Mais dans le fond... Enfin, n'en parlons pas, c'est des affaires entre lui et moi... tu n'as rien à voir là-dedans. Et peu importe la manière dont il se conduit avec toi... L'important pour toi, c'est que tu saches qu'il t'aime profondément. Comme moi, d'ailleurs.

– Maman!

– Je termine, dit Jacqueline. Ta grand-mère va certainement essayer de te convaincre que tous les torts sont du côté de ton père. C'est faux. Moi, j'ai eu tort de vouloir le faire changer, de ne pas lui faire confiance. C'était une erreur, Véronique, une grave erreur.

Véronique embrassa derechef sa mère. On aurait dit que le courant allait passer entre elles deux, qu'un nœud allait se défaire, pour le plus grand bienfait de la malade...

– Bonjour, dit la voix de Mme Dussault. Comment vas-tu, ma petite?

Les deux autres dénouèrent leur étreinte à regret.

– Je vais mieux, dit Jacqueline.

– Heureuse de te l'entendre dire. Je quitte à l'instant le docteur Müller. Il dit que tu ne resteras pas très longtemps ici... Mais il me dit aussi que ton intention est de rester ensuite à Lugano. Ce n'est pas sérieux?

— Tout à fait sérieux. Je veux rester auprès de mon mari.

— Un homme qui te roule dans la farine, qui est responsable de tous tes malheurs!

— Laisse-moi régler mes problèmes avec lui, maman.

— Mais tu en es incapable, ma pauvre! La preuve : on a été obligé de t'enfermer ici!

Véronique fit mouvement pour ne plus être dans le champ de vision de sa grand-mère. Était-elle méchante ou maladroite? Maintenant, elle poursuivait :

— Écoute, ma chérie, rentre avec moi à La Chaux-de-Fonds. Je m'occuperai de toi, je te soignerai. Tu seras beaucoup mieux qu'avec ton saltimbanque de mari!

— Moi, je vais faire un tour dans le jardin, dit Véronique, à qui ce discours donnait le tournis.

— Bonne idée, ma petite fille : va faire un tour dans le jardin, acquiesça Constance.

Avant de refermer la porte, l'adolescente l'entendit qui recommençait à énumérer les vices de Bruno. Elle se mit à courir pour ne pas l'entendre, à peine consciente qu'elle-même était lâche vis-à-vis de sa mère.

Mais dès qu'elle fut dehors, elle s'épanouit. A cinq mètres d'elle se trouvait le chef d'orchestre. Il avait peut-être des vices, comme le prétendait sa grand-mère, mais il était charmant, il était son père et elle l'adorait.

A dix-sept ans, Véronique Steinberg avait les charmes et les défauts de son âge, les charmes et les défauts de son époque. Elle était plus franche et plus spontanée que ne l'avaient été sa mère et sa tante vingt ans auparavant, mais une terreur panique de n'être ni assez franche ni assez spontanée lui donnait un violent esprit de contradiction et, souvent, une volonté ostentatoire de choquer.

Il est évident que, frottée à celle de sa grand-mère, sa personnalité ne pouvait que faire des étincelles. Car on aurait dit que Constance, pour sa part, mettait son point d'honneur à se vouloir plus vieux jeu que nature. A la limite, on pouvait se demander pourquoi cette femme, alerte et d'allure jeune, qui, à quarante-cinq ans, devenue veuve, s'était révélée capable de devenir une excellente femme d'affaires, affichait, quand elle parlait à sa descendance, une mentalité rétrograde et des manières qui eussent gagné à être tempérées par l'indulgence et l'humour.

Aucune des deux n'y mettant du sien, le dialogue entre elles était des plus difficiles, et chacune considérait qu'elle avait tout lieu de se plaindre de l'autre.

L'état de Jacqueline et les inquiétudes qu'il pouvait susciter n'avaient pas modifié leurs rapports; au contraire, il avait rendu Constance Dussault encore plus agressive; et Bruno Steinberg ne put se défendre de penser qu'elle avait bien de la chance de pouvoir combattre sur plusieurs fronts à la fois dans de si pénibles circonstances. Beaucoup de mères ayant une fille en clinique psychiatrique en auraient été démolies, mais pas elle, apparemment. Et non seulement elle ne l'était pas, mais elle profitait de l'occasion pour régler un autre problème, celui de Véronique.

— Le problème de Véronique? demanda Bruno, qui semblait ailleurs.

Belle-mère et gendre étaient à table; c'était le soir du deuxième jour.

— Ma parole, monsieur Steinberg, vous tombez de la lune! Vous pensiez à Jacqueline?

Bruno sursauta. Parce qu'il était effectivement dans la lune, mais aussi parce qu'il avait en horreur qu'elle l'appelât « monsieur Steinberg ». Dans la bouche d'une autre, ça aurait fait petit-bourgeois; dans la sienne, c'était de la provocation. Dans le temps, elle l'appelait « Bruno » ou « mon gendre »; depuis que Jacqueline était déprimée, il était devenu « monsieur Steinberg », un étranger maléfique. Elle ne se rendait pas compte qu'en le culpabilisant par le seul emploi de cette expression, elle créait un blocage, un premier obstacle à la guérison de sa fille, car il devenait agressif à son tour.

— Non, madame Dussault, je ne pensais pas à Jacqueline. Je pensais à mon concert.

— Elle vous occupe beaucoup l'esprit, votre musique!

— En effet.

— Justement. C'est de quoi je voulais vous parler.

— De ma musique?

— Ah non, monsieur Steinberg! glapit Constance, l'air

outragé. Ne jouez pas à cache-cache avec moi. Je vous ai parlé de Véronique. Revenons-y, voulez-vous?

— Oui, dit Bruno d'un ton ironique.

— Elle veut laisser tomber ses études.

— Je sais. Elle m'en a parlé.

— Et c'est tout ce que vous trouvez à dire?

— Beaucoup de jeunes de nos jours ne continuent des études que pour masquer leur paresse et leur nullité.

— Monsieur Steinberg, vous dites n'importe quoi. Moi, je trouve ça lamentable. Véronique est douée et intelligente. C'est un crime de ne pas l'aider à trouver sa voie.

— Qui vous dit que je ne veux pas l'aider? Elle sait bien qu'elle peut compter sur moi.

Constance éclata :

— Mais vous n'êtes pas disponible, avec votre musique! Quant à Jacqueline, elle n'est pas capable. Mon autre fille non plus. Il n'y a que moi qui puisse m'occuper d'elle.

— Et la convaincre de continuer ses études?

Bruno avait déployé son éblouissant sourire, mais sa voix était très sceptique.

— Pour convaincre, il faut être convaincu. Moi, je le suis, dit Constance, non sans grandiloquence.

— Je ne vous empêche pas d'essayer. Et si Véronique est d'accord, va pour les études! Mais l'internat...

— Pas besoin d'internat : il y a des collèges à La Chaux-de-Fonds. L'essentiel, c'est qu'elle travaille et soit disciplinée. Moi, je serai là pour y veiller.

— Eh bien, madame Dussault, dites-lui ça et persuadez-la! dit Bruno en se levant de table. Maintenant, excusez-moi...

Il sortit de la pièce et s'en alla droit vers la salle de musique. Giuseppe et Erminia avaient fait disparaître les traces du feu. En vérité, ils l'avaient circonscrit tout de suite et il y avait eu peu de dégâts. Seules une odeur persistante de brûlé et une photo manquant au mur indiquaient que quelque chose s'était passé ici. Le piano était intact. Bruno étala dessus les partitions qu'il s'était fait apporter d'Italie et des myriades de notes se mirent à résonner dans sa tête.

Par la porte entrouverte, il vit passer sa belle-mère, mais c'est à peine si son esprit enregistra la vision. Mais elle, elle le vit bien, penché sur ses feuillets, tellement absorbé, et elle eut un mince sourire de dérision et de satisfaction.

Le lendemain, elle reprendrait la route, pensa-t-elle, et avec la gamine. La gamine dirait ce qu'elle voudrait, mais elle serait bien obligée de rentrer à La Chaux-de-Fonds si on l'exigeait : elle était mineure. Il faut savoir faire le bien des enfants malgré eux.

Bruno passa la moitié de sa nuit à lire ses partitions, et quand il alla se coucher, il était heureux, détendu. Quelque part, il y avait Jacqueline, Alessandra, Véronique, Constance, des tas de femmes qui attendaient peu ou prou quelque chose de lui, mais il n'y a pas une femme qui vaille un accord sublime, une belle coulée de notes glissant sur les cordes d'un violon, une attaque d'orchestre crevant tout à coup le silence.

Quand il prit le petit déjeuner avec sa fille et sa belle-mère, il constata l'air glorieux de l'une et les yeux tristes de l'autre, mais il se garda bien de poser des questions. Et il vit avec soulagement la Jaguar et Michel les remmener vers La Chaux-de-Fonds.

Avant sa visite à Jacqueline, il alla contempler le lac, ses eaux scintillantes et le ciel dont le bleu était encore pâle et transparent. Il essayait de puiser du courage dans ce paysage frais et paisible...

Jacqueline aussi était fraîche et paisible. Guido, en introduisant Bruno dans la chambre, dit que la veille au soir elle avait pleuré, mais que c'était normal : elle commençait à se détendre. Puis il sortit, laissant les époux tête à tête. Et tout de suite, Bruno vit que sa femme avait un regard amical.

— Viens près de moi, embrasse-moi, dit-elle. Je suis très heureuse que tu sois là. J'ai réfléchi. J'ai été odieuse avec toi.

— J'ai déjà oublié, dit le musicien en lui posant d'affectueux baisers sur les joues.

— Tu n'as pas oublié. Moi non plus. J'ai fait un sacré cinéma, hein !

Bruno haussa une épaule, attira une chaise et s'assit tout près d'elle.

— Tu n'as pas fait de cinéma. Tu es malade, Jacqueline.

Elle rit malicieusement.

— Tu fais semblant de croire que je suis malade. Sais-tu ce que je pense? Que Guido et toi m'avez enfermée ici pour me faire peur. Pour me faire comprendre que si je continuais, on m'enfermerait pour de bon.

— Guido et moi t'avons mise ici pour que tu te reposes.

Le sourire de la jeune femme s'accentua.

— Farceur! dit-elle. Quand je pense que je suis tombée dans le panneau! Que j'ai cru que tu pouvais en aimer une autre! Étais-je bête! Tu m'as menti, n'est-ce pas, Bruno?

L'homme commençait à se sentir moins paisible. Il grimaça un sourire et dit :

— Moi, te mentir? Pourquoi?

— Tu m'as menti sur l'essentiel, mon chéri. Toi, avoir une maîtresse? Tu n'en as pas le temps! Avec tes concerts, tes disques!

Imperceptiblement, Bruno avait ramené vers lui la main qu'il tenait posée sur elle, et son visage s'était figé. Un piège? Lui tendait-elle un piège? Ou est-ce que sa folie prenait une nouvelle direction?

— Ne fais pas cette tête-là, dit-elle. Je ne te cherche plus de querelle. J'ai très bien compris ton petit jeu. Tu as voulu me rendre jalouse!... M'inquiéter en me disant que tu avais une maîtresse! Tu savais que j'allais réagir violemment, mais que, une fois cette réaction passée, je reviendrais vers toi plus amoureuse qu'avant. C'est ça, n'est-ce pas? (Elle n'attendit pas la réponse.) Quand un homme aime sa femme, il est capable de choses étranges. Dire que je ne comprenais pas! Mais maintenant, en te voyant entrer, j'ai tout de suite compris que tu m'aimais, que tu me désirais. J'ai retrouvé notre passion, ce besoin physique que nous avons l'un de l'autre depuis toujours... Oh! dis-moi que tu m'aimes, Bruno...

Il s'était sauvé aussi vite qu'il avait pu. Après lui avoir dit qu'il l'aimait et l'avoir embrassée. Mais il avait honte. Pour elle. Pour lui. Il avait pitié. D'elle. De lui. Mais il n'éprouvait plus d'amour pour elle. Il n'aurait plus jamais confiance en elle.

Il se sentait floué. Elle était devenue une femme incapable de concevoir la réalité, une femme avec qui aucune discussion saine ne pourrait avoir lieu, une femme sans raison. D'une manière ou d'une autre, avec ou sans elle, il ne pourrait plus jamais être un homme heureux.

En sortant de la clinique, il se jeta littéralement dans les bras d'une jeune femme qu'il ne reconnut pas tout de suite tant il était bouleversé. C'était Alessandra. Il sursauta.

– Qu'est-ce que tu fiches ici?

– Mais, Bruno!... J'avais besoin de te voir.

– Qu'est-ce qui se passe? Ça ne tourne pas rond au théâtre?

Alessandra recula d'un pas. Il y avait quelque chose d'éperdu dans son regard.

– Tout va bien au théâtre, dit-elle. Mais il y a trois jours que nous ne nous sommes plus vus!

– Mais nous sommes convenus de ne plus nous voir! Et tu étais d'accord. Alors?

– Tu ne me donnes aucune nouvelle. Je ne sais pas si tu es bien, si tu es mal. Prends-moi dans tes bras, je t'en supplie. Dis-moi quelque chose!

– Te dire quoi? soupira Bruno.

– Dis-moi que tu m'aimes!

– Oh non! Pas toi! gémit-il. J'ai l'impression de vivre un cauchemar, de voir tout en double! Les femmes sont de vraies sangsues!

Le visage d'Alessandra se ferma.

– Oh! Je vois, dit-elle. Excuse-moi...

Il la regarda s'éloigner, le dos droit, sans se retourner une seule fois. Elle devait être ulcérée, et elle ne le méritait pas. Les femmes étaient certes des sangsues, mais même les artistes avaient besoin d'elles, quand ils sortaient de leur tour d'ivoire. Il courut derrière elle et la rattrapa comme elle allait monter dans sa voiture.

Si Constance Dussault avait tenu à repartir ce jour-là, c'était pour plusieurs raisons: sa présence à Lugano lui paraissait superflue; elle voulait « rapatrier » rapidement la récalcitrante Véronique; surtout, elle voulait assister au départ pour Milan de Marcel Fontaine et de la collection fabuleuse.

Elle arriva à temps pour sortir elle-même celle-ci de son coffre-fort, jeter un bref coup d'œil à son contenu, puis regarder le garde du corps sélectionné par la compagnie d'assurances attacher la mallette grenat au poignet de Marcel par une chaîne à bracelet. Tout avait été minutieusement réglé entre elle et Carlo Galli, le joaillier italien. Toutes les précautions étaient prises – l'assureur Perrig était également dans le coup – pour éviter au maximum les risques de hold-up...

Mais quand le diable s'en mêle, toutes les précautions du monde ne servent à rien. Entre l'aéroport et Milan, une Alfa Roméo fit une audacieuse queue de poisson à la Fiat où avaient pris place Marcel et le garde du corps, de sorte que son chauffeur fut obligé de stopper. Trois malfrats armés sortirent de l'Alfa et attaquèrent l'autre voiture. Le chauffeur, qui avait tenté de sortir son revolver, fut abattu, Marcel et le garde assommés. Après quoi, l'un des trois hommes sortit de sa poche une pince à métaux, grâce à laquelle il put couper la chaîne qui reliait le poignet de Marcel et la précieuse mallette.

Marcel, il le laissa sur place avec les autres, mais il prit la mallette, bien entendu. Tout s'était déroulé à la vitesse de l'éclair et avec une précision absolue. Les gangsters aussi avaient dû préparer leur coup minutieusement. Plus minutieusement même que les autres, puisqu'ils avaient gagné.

Aucune voiture ne s'était arrêtée, et aucune ne le fit, si ce n'est, une demi-heure plus tard, celle d'une patrouille de police. Le chauffeur était mort et les deux autres hommes encore passablement groggy. Un commissaire interrogea Marcel, mais il n'en tira sur le moment que des bribes de phrases où revenaient les mots « montres », « collection », « Carlo Galli ».

Après avoir donné des consignes à ses hommes, le commissaire emmena le Suisse à Milan.

4

Bruno Steinberg apprit la nouvelle du hold-up le lendemain matin, tout à fait fortuitement, par la radio de sa voiture... Il allait à Bergame pour y passer la journée avec son orchestre, et il entendit ça : la fabuleuse collection de montres de sa belle-mère était entre les mains de gangsters.

Il reçut l'information comme un coup de matraque, mais il ne réalisa pas vraiment ce que ça signifiait. A vrai dire, pour lui en ce moment, ça signifiait bien peu de chose – et il coupa le journal parlé.

C'est Jean-Claude qui avertit Constance Dussault. Son vieil ami Carlo, mis au courant par la police, n'avait pas osé l'affronter dans cette terrible circonstance, et c'est donc le gendre qu'il avait prévenu en le chargeant de transmettre la nouvelle.

Jean-Claude ne prit pas de gants. Malgré les injonctions de Sophie, qui voulait l'empêcher de monter, il força littéralement la porte de Constance, qui, encore en chemise de nuit, était en train de se polir les ongles.

Elle commença par se plaindre vertement de cette intrusion, envoya à son gendre quelques vannes féroces... auxquelles il répondit en lui assenant la vérité toute nue.

Mme Dussault pâlit nettement, mais elle réussit à garder son sang-froid aussi longtemps que Jean-Claude fut là. Elle ne s'effondra qu'un peu plus tard, lorsqu'elle fut seule avec Sophie. Ce qui arrivait était tout simplement affreux. Ce pouvait être la ruine absolue de la maison Dussault-Pontin.

En effet, Mme Dussault avait engagé dans cette collection tout son argent disponible, plus un prêt très important de la banque Fussli, et un autre, amical et particulier, mais également important, de Carlo Galli. Bien sûr, il y avait l'assurance, mais on sait comme les compagnies sont chicanières, et qu'elles ne versent l'argent que poussées dans leurs retranchements. Or, Constance s'était à ce point exposée que tout délai pouvait être fatal.

Jean-Claude n'était pas moins catastrophé qu'elle, car son complot ne pouvait prendre corps si les assises de la maison – les ventes de montres de luxe – s'écroulaient brusquement. Bien sûr, il avait accablé naguère sa belle-mère de ses sarcasmes et de ses prévisions défaitistes. Il estimait qu'elle ne retirerait pas de sa collection les bénéfices qu'elle escomptait. Mais que cette collection s'évapore était tout différent. Même l'argent de l'assurance, en admettant qu'il vienne, et vite, ne compenserait pas le manque à gagner provoqué par la disparition pure et simple des montres – pour lesquelles l'argent investi dans des matières précieuses était multiplié par un coûteux travail artisanal.

Aussi, cependant que Constance, dans sa chambre, était à la limite de la pâmoison, Jean-Claude, dans son bureau du rez-de-chaussée, n'en menait pas large non plus. Pierre Savagnier, son nouvel adjoint, le questionna, et il fallut bien le mettre au courant. De tout, y compris du pétrin dans lequel on était.

Dans la foulée, Jean-Claude confia à Pierre une mission importante : faire patienter les Allemands sans leur laisser deviner la situation précarisée de la firme – et lui-même décida de se rendre à Milan, afin de se rendre compte exactement de ce qui se passait.

Quand elle eut réussi à dominer son émotion, Constance décida qu'elle aussi se rendrait à Milan. Sa fille Nicole, qui était accourue, craignait qu'un tel voyage ne représentât un effort trop considérable, mais elle hésitait à donner franchement son avis, sachant que sa mère pourrait le prendre en mauvaise part. Nicole était toujours assise entre deux chaises : tout ce qu'elle disait ou faisait apparaissait toujours comme une marque de favoritisme accordée soit à Jean-Claude, soit à Mme Dussault, selon la personne à qui elle s'adressait.

Mais Sophie intervint – elle aussi trouvait que sa patronne

avait mieux à faire que de s'envoler vers Milan –, et Constance se rangea illico à son avis. De cela aussi, Nicole tira de l'amertume : aux yeux de sa mère, Sophie était un parangon de sagesse et de vertu qu'elle préférait évidemment à ses propres filles. Mais elle ne dit rien, comme d'habitude, et se retira dans son jardin secret.

Le coup qui avait assommé Marcel avait provoqué une ecchymose, mais un examen médical établit que les dégâts corporels se bornaient à cela. En conséquence de quoi le commissaire commença tout de suite son interrogatoire. Le jeune Fontaine était effondré et encore bégayant, mais il était urgent d'entamer l'enquête.

Dans son affolement, bien qu'il eût été présent à toute l'affaire et n'eût pas complètement perdu connaissance, Marcel n'avait à peu près rien mémorisé. Il se souvenait très bien que le chauffeur avait réagi avec sang-froid à la queue de poisson des agresseurs, mais ensuite... Combien étaient-ils? Euh!... trois, pensait-il. Taille, corpulence, couleur de cheveux? Seigneur! Comment savoir? Il croyait se souvenir que deux étaient de taille moyenne, le troisième plus grand. Habillés comment? Aucune idée. Jamais Marcel ne retenait comment les gens étaient habillés... Une séance d'identification ne donna aucun résultat. Le commissaire, découragé, rendit la liberté à son témoin, persuadé qu'il n'en tirerait plus grand-chose. C'était folie d'avoir confié une mission aussi importante à un homme de si peu de sang-froid, telle était jusque-là la conclusion du commissaire, et il devait avouer qu'elle était bien mince.

Du commissariat, Marcel se fit conduire dans un hôtel où il se rafraîchit et changea de chemise, et ensuite chez Carlo Galli. Ce dernier avait son bureau au-dessus de son élégante boutique de la galerie Victor-Emmanuel. Marcel y trouva son frère, qui venait d'arriver. Il avait son habituel air rogue et le front tout plissé de rides par la contrariété.

Carlo Galli aussi avait la mine défaite. Son aimable visage paraissait creusé et vieilli de dix ans. Il tenta néanmoins de faire bonne figure à Marcel et de lui montrer de la compassion, ce qui n'était certes pas le cas de Jean-Claude, qui aurait vertement salué son frère si la secrétaire, à peine la porte refermée sur le jeune Fontaine, ne l'avait rouverte pour introduire un autre visiteur : Heinz Perrig.

Une semaine plus tôt, ils sablaient tous ensemble le champagne de Mme Dussault, mais ici ils se revoyaient dans un autre éclairage, l'éclairage décapant de l'infortune et de la suspicion. Perrig était en quelque sorte devenu l'ennemi des trois autres, et chacun à part soi observa qu'il avait une tête d'inquisiteur espagnol. Dès qu'il fut assis, il prit des allures de juge d'instruction.

— En tant que représentant de la compagnie d'assurances, dit-il d'une voix dont les autres n'avaient pas remarqué précédemment qu'elle était aussi coupante, en tant que représentant de la compagnie d'assurances, j'ai à vous poser des questions. Il me faut vérifier si les clauses du contrat ont été respectées par les assurés... représentés ici par M. Jean-Claude Fontaine.

Marcel intervint :

— ... Représentés ici par Jean-Claude Fontaine et son frère Marcel... Marcel, c'est moi.

— Désolé, monsieur : seul le nom de Jean-Claude Fontaine figure sur la police, répondit Perrig. (Il se tourna vers le joaillier.) Monsieur Galli, étiez-vous au courant de l'identité de notre agent? L'homme qui conduisait la voiture.

— Non, fit l'interpellé. Je connaissais seulement la marque du véhicule, sa couleur et le numéro de sa plaque minéralogique. Vous devriez le savoir : c'est vous qui m'avez informé!

— En effet, dit Perrig. Et à qui avez-vous communiqué ces informations?

— Mais à personne, dit Galli, passablement indigné.

— Qui d'autre était au courant, messieurs?

— Je ne connaissais rien de tout ça! s'écria Jean-Claude.

— Mais qui, alors?

— Ben moi, forcément, et puis Mme Dussault, qui m'avait passé la consigne, dit Marcel, qui avait l'air de penser : « Comme si tu ne le savais pas, pauvre con! »

— C'est juste, admit le redoutable « pauvre con ». Et vous n'avez communiqué ces informations à personne?

— Eh non!

– Alors, monsieur Perrig? demanda Jean-Claude, anxieux et bourru.

– Il serait prématuré de tirer des conclusions. Mais je sors de chez le commissaire et je partage son point de vue.

– Qui est...?

– Le commissaire pense, dit l'homme des assurances avec componction, qu'il y a eu une fuite d'informations. Dans ce cas, notre compagnie se verra sûrement contrainte de faire intervenir la clause de réserve.

Marcel dévisagea l'un après l'autre ses trois compagnons. En dernier, il rencontra le regard de son frère posé pensivement sur lui. Après un silence, Jean-Claude dit :

– La situation est grave, Marcel. Si tu as commis une imprudence, dis-le tout de suite.

Le cadet sursauta.

– Une imprudence? Que veux-tu dire?

– Que si, par maladresse ou par omission, tu as...

– Par maladresse! Par omission! Tu essaies de faire quoi? De me faire endosser l'affaire?

Jean-Claude parut ahuri.

– Mais non! J'envisage le point de vue de l'assurance. Je gamberge... Il faut que je sois en règle envers l'assurance.

– Et si tu arrives à prouver que c'est moi qui ai fait le coup, tu seras en règle et bien content, c'est ça?

– Mais qu'est-ce que tu me chantes là? fit Jean-Claude.

Sa stupéfaction était partagée par Galli. Perrig, pour sa part, ne s'était pas départi de sa froideur. On aurait dit qu'il tenait à faire oublier sa présence. Marcel, en tout état de cause, vidait son sac comme s'il avait été seul avec son frère.

– Je te chante la vérité! s'exclama-t-il. Qui était contre cette affaire? Toi! Et tu es ravi de cette mésaventure, qui prouve qu'elle était foireuse.

– Tu es fou! Je suis le seul ici qui ne connaissait rien sur la voiture d'accueil. Je suis bien plus net que toi!

– Ça signifie que je ne le suis pas? Ça t'arrangerait, n'est-ce pas? Et vous aussi, Galli, ça vous arrangerait.

– C'est absurde, dit le bijoutier, complètement abasourdi par cette algarade.

Il connaissait Marcel comme un jeune homme aimable, un peu trop léger peut-être pour la mission que lui avait confiée Constance, mais en aucune façon accusateur tous azimuts, tel qu'il se montrait maintenant. Son étonnement redoubla lors-qu'il entendit ce dernier poursuivre, ses yeux dans les siens :

— Oui, vous pourriez très bien avoir manigancé tout ça pour empocher la prime d'assurance, quitte à négocier après la vente en douce des objets! Vous qui vous vantez toujours de bien connaître les milieux parallèles...!

Le joaillier devint très pâle.

— M. Galli est au-dessus de tout soupçon, dit Jean-Claude. Le nom qu'il porte...

— ... Est un grand nom, ironisa Marcel. Mais on peut faire des choses basses avec un grand nom.

— Tu dis ça parce que toi, tu es un rien du tout.

— Pas de scène de famille, s'il te plaît. Je n'ai pas à me justifier auprès de toi. Auprès de ces messieurs peut-être, et encore! Vous avez tous intérêt à ce que j'aie fait le coup. Mais pourquoi l'aurais-je fait? Je suis le seul avec Mme Dussault à n'avoir pas de mobile.

— Vous dites vraiment n'importe quoi! s'exclama Galli.

— Pas n'importe quoi!... Je brûle!... Vous êtes tous à touche-touche dans cette affaire, c'est pour ça qu'on a du mal à cerner le coupable du premier coup. Parce que la compagnie d'assu-rances, elle m'a l'air aussi dans le bain. Pourquoi mon garde n'a-t-il pas réagi? Il était armé! Trouille ou complicité?

— Taisez-vous, monsieur, dit calmement Perrig. Nous en reparlerons quand l'enquête sera terminée. D'ici là, je le répète : je vais faire jouer la clause de réserve.

Jean-Claude serra les poings et gronda à mi-voix vers son frère :

— Tu me le paieras!

Cependant que Galli disait, tout en raccompagnant Perrig au rez-de-chaussée :

— C'est le coup qu'il a reçu sur la tête! Je ne vois pas d'autre explication!

En pénétrant dans le théâtre de Bergame, Bruno Steinberg avait définitivement oublié le malheur qui frappait sa belle-mère, de même qu'il avait oublié Jacqueline et sa folie, et les versatilités de Véronique. Du hall, il entendait l'orchestre, et c'était divin – même si le tempo n'était pas celui qu'il désirait

(Walter avait dû s'en donner à cœur joie pendant son absence!). Dans quelques minutes, il tiendrait au bout de sa baguette l'âme des instruments, et il baignerait dans la béatitude. Il se hâta.

Son euphorie dura tout le jour. Il avait repris son orchestre en main avec une facilité surprenante et les musiciens avaient merveilleusement travaillé. Vers 4 heures de l'après-midi, il jugea, à une lassitude qui le prit, que les autres aussi devaient être fatigués, et il décida d'une pause. Juste comme il descendait de la scène, il s'entendit héler.

— Hé! Bruno...!

Il se retourna et reconnut avec surprise son beau-frère Jean-Claude.

— Qu'est-ce que tu fais ici? demanda-t-il.

— Je suis venu en Italie pour l'affaire.

— L'affaire? Quelle affaire?

— Tu n'es pas au courant? On a volé notre collection de montres!

Bruno se passa la main sur le front en souriant.

— Oui, j'ai entendu ça tout à l'heure. Excuse-moi. J'avais oublié. C'est grave?

— Gravissime.

A part soi, Jean-Claude était indigné. Pendant qu'il suait sang et eau et se tracassait, cet éternel gamin qu'il avait pour beau-frère avait l'air parfaitement serein et détendu. C'était une injustice criante mais ce n'était pas le moment d'en faire état, d'autant que Bruno disait gentiment :

— Je suis navré, mon vieux. Je ne pense pas que je puisse faire quelque chose?

— Que si, mon vieux! C'est justement pour ça que je suis venu te voir.

— Ah! fit Bruno, sans enthousiasme.

— On peut parler tranquillement?

— Allons dans ma loge.

Les deux beaux-frères n'avaient jamais été de vrais amis, mais ils n'étaient pas non plus des ennemis. Ils se voyaient peu et n'en souffraient nullement. En dehors du fait qu'ils avaient l'un et l'autre épousé une demoiselle Dussault, ils n'avaient rien en commun. Jean-Claude jalousait vaguement Bruno parce qu'il était célèbre et que tout donnait à penser qu'il était adulé des femmes, mais, par ailleurs, il le méprisait parce que

69

c'était un artiste et que les hommes de son espèce prennent les artistes pour des feignants et des jean-foutre. Bruno n'avait aucune opinion sur Jean-Claude; sauf en sa présence, il ne pensait jamais à lui. Au demeurant, dans les réunions de famille où ils étaient amenés à se rencontrer, ils fraternisaient dans la plaisante fiction qu'ils étaient les victimes de trois harpies acharnées à leur perte : Constance et ses deux filles. Tout ça était banal, sans consistance, et n'aidait guère Jean-Claude à trouver une entrée en matière. Aussi n'en chercha-t-il pas.

— Voilà, dit-il, dès qu'il fut assis dans la loge de Bruno en face de son beau-frère, tu connais l'existence de la collection, et tu sais qu'elle vient d'être volée. Ce que tu ignores sûrement, c'est que notre belle-mère s'est endettée au maximum pour réaliser cette collection. Celle-ci disparue, il n'y a plus un rond dans les caisses, plus de disponibilités... disons pour refaire une autre collection.

— Pourtant, les montres devaient être assurées?

— Exact. Mais lorsqu'il y a vol, les assurances ne paient pas cash avant d'avoir tout tenté pour récupérer la marchandise.

— Je vois, dit Bruno. Dussault-Pontin pourrait être anéanti par cette affaire?

— Fort bien vu, mon cher.

— Ce que je ne vois pas, c'est en quoi je...

— Minute! fit Jean-Claude en levant un doigt doctoral. Moi, j'ai un plan de sauvetage. Trop long à t'exposer ici, sauf si tu me le demandes, mais rien à voir avec les collections de luxe, les diamants et les émirs. Je peux remettre Dussault-Pontin sur ses rails avec des méthodes radicalement opposées à celles de notre belle-mère.

Bruno eut un petit rire. Après avoir passé des heures enivrantes et épuisantes avec son orchestre, le discours de son beau-frère lui semblait futile et dénué d'intérêt.

— Ce n'est pas toi qui vas me donner tort de m'opposer à ses conceptions? demanda Jean-Claude, qui ne savait quelle signification accorder au rire de l'autre.

— Ni tort ni raison, mon vieux. Je n'y comprends rien. J'ai seulement une légère tendance à penser que tu es un homme posé, que tu as le sens des affaires, et donc que tu es dans le vrai.

— Je te remercie, dit Fontaine avec une légère amertume.

– En ce qui me concerne, je te donne ma bénédiction et je forme des vœux pour que tu réussisses!

Jean-Claude soupira. Il commençait à être exaspéré par l'indifférence de son interlocuteur. Il éleva brusquement la voix :

– Je ne peux rien faire. J'ai les poings liés par la vieille, qui n'aime pas mon plan, et puis par ce hold-up qui risque de m'empêcher de trouver des alliés comme je l'escomptais. C'est une question de voix au conseil d'administration. Je ne dispose que d'un tiers des voix, celles de Nicole.

– Qui détient les autres? demanda Bruno, d'un air si naïf que son beau-frère le soupçonna de jouer la comédie et de se moquer de lui.

– Tu ne le sais vraiment pas! jeta Jean-Claude, prêt à la colère, mais qui se domina en pensant à l'enjeu. Constance pour un tiers, Jacqueline pour l'autre, dit-il plus calmement. Tu vois toute l'importance qu'a ta femme dans cette histoire? Elle fait la balance. Selon qu'elle se met avec moi ou avec sa mère, elle sauve la maison – car je sais comment faire – ou elle la ruine. Une ruine qui te concerne, Bruno.

– Oh! Moi, tu sais, je gagne assez d'argent pour vivre gentiment avec ma femme et ma fille!

Est-ce qu'il me nargue? se demanda Jean-Claude, de plus en plus irritable mais se contenant encore.

– Écoute, Bruno. Je te félicite de ta réussite et de... ton désintéressement. Mais une maison plus que centenaire mérite de survivre et...

– Jacqueline est malade et pas en état de s'occuper d'affaires.

– Je peux m'en occuper pour elle. Il suffirait qu'elle me donne une procuration et que je puisse voter en son nom. Je lui en ai parlé. Elle est favorable, mais elle hésite encore. Si tu lui conseillais de le faire, Bruno, toi, elle t'écouterait, et ça dégagerait le ciel devant nous.

– Je ne crois pas ça possible. Elle n'est pas bien, je t'assure. Incapable de prendre une décision de ce genre.

– Mais si *toi* tu lui *dis* de signer!

– Je ne me suis jamais mêlé de la gestion de sa fortune personnelle.

– Il faudra bien que tu le fasses, puisqu'elle est malade, insista Jean-Claude.

– Tout ce que je peux promettre, c'est de lui en parler, dit

Bruno. Pour te faire plaisir et te rendre service. Maintenant, je dois retourner à ma répétition. Si tu veux y assister, mets-toi dans une loge au fond du théâtre.

– Désolé, dit Jean-Claude d'une voix blanche. On m'attend. Mais merci pour ton offre... et pour ton aide!

Il était ulcéré. Il sortit de la loge sans ajouter un mot. Dehors, il y avait plein de soleil et il retrouva son énergie. Bruno avait promis, c'était l'essentiel. Il avait l'air, comme ça, dans la lune, mais c'était un honnête garçon. En anticipant sur sa réussite auprès de Jacqueline, on pourrait influencer Mme Dussault et manipuler les Allemands. Il ne s'agissait que d'être habile.

Et brusquement, il eut envie d'être à La Chaux-de-Fonds, pour se battre. De retour à Milan, il alla directement à l'aéroport, sans retourner voir Carlo Galli.

Dans son élégant bureau au-dessus de la bijouterie, Carlo Galli méditait sombrement. Il s'était mis dans la panade. Pas jusqu'aux oreilles, mais au moins jusqu'aux épaules. Sa vieille amitié pour Constance Dussault l'avait entraîné à transgresser les principes de prudence qui avaient toujours été les siens, et il s'en voulait.

Elle l'avait toujours fasciné; quarante ans avant parce qu'elle était belle – exactement le type de jeune fille qu'il aimait –, et, par la suite, parce que, devenue veuve, elle s'était révélée une remarquable femme d'affaires. Il avait aimé son sens de l'argent, la sûreté de ses goûts artistiques et l'autorité qui émanait d'elle, entraînant ses partenaires, bluffant ses adversaires.

Depuis quelque temps, elle avait changé, et il ne s'en était pas rendu compte, ou alors, trop tard. Elle exerçait son autorité non plus par nécessité, mais par esprit de domination et d'entêtement. Parce que son gendre lui criait casse-cou et préconisait de nouvelles fabrications – montres de série bénéficiant des toutes dernières techniques –, elle s'était butée. Parce qu'il était son gendre? Parce que le pouvoir reste une arme quand l'âge diminue la beauté? Carlo ne savait pas et, dans le moment qu'elle changeait, il ne s'en était pas aperçu, parce que, pour lui, elle était toujours jeune, jolie et merveilleusement entreprenante. Maintenant, il convenait que la collection était beaucoup trop importante, que Constance aurait dû y consacrer moins d'argent, ne pas entamer son fonds de roulement. Mais trop tard! Plutôt que de la contredire quand elle faisait ses projets, il l'avait applaudie, encouragée et suivie. Lui aussi avait pris des risques financiers. Le vol et l'attitude de Perrig lui faisaient mesurer leur inconscience à tous deux.

Mais il était trop tard pour se lamenter, et quand il avait eu Constance au téléphone, loin de la gourmander, il s'était efforcé de la consoler et de lui remonter le moral. Il lui avait promis de se battre et lui avait laissé entendre qu'il avait un plan.

Maintenant, Carlo Galli examinait mentalement ce plan et il était moins optimiste. Il en était là de ses pensées, quand Heinz Perrig s'annonça. Il s'en réjouit, car il avait souhaité la rencontre.

Les deux hommes réduisirent au minimum les préambules. La situation n'avait pas évolué. La police n'avait pas de piste sérieuse; et la compagnie continuait d'être suspicieuse et de vouloir faire jouer la clause de réserve.

Perrig s'assit et refusa le cognac que lui proposait le joaillier. Il avait un air de circonstance, l'air de l'homme qui demeurera inflexible.

— Je suis désolé, Galli. Je connais votre honnêteté, je sais que vous n'avez pas trempé dans une affaire louche, mais les règles de ma compagnie...

— Je sais, dit Galli. Je ne vous reproche rien. Mais j'ai pensé ceci : trente ans de métier m'ont doté de beaucoup d'expérience. Je connais effectivement, comme l'a prétendu naguère le jeune Fontaine, les milieux parallèles. Si quelque chose se passe à propos de nos montres, c'est dans ces milieux-là que...

Perrig se renfrogna.

— Je ne voudrais pas, dit-il, que notre désir d'aller vite en besogne nous porte préjudice... La loi, ça existe. Nous devons en tenir compte, et je préfère attendre quelques jours avant de m'engager sur ce genre de piste... Mais si la police demeure impuissante, s'il n'y a pas moyen de faire autrement, eh bien, il faudra que nous en passions par là!

Galli toussota pour s'éclaircir la voix, tout en approuvant de la tête. De toute évidence, Perrig voulait en dire le moins possible, mais il était d'accord avec lui.

– Dans ce cas-là, dit-il, je vous apporterai toute l'aide que je pourrai.

– Et moi, je vous soutiendrai, dit Perrig.

Ils se regardaient dans les yeux, maintenant, un minuscule sourire de connivence sur les lèvres.

– Vous n'auriez rien contre, dit Galli, si je débroussaillais déjà le chemin...?

– Il faudrait le faire prudemment... très prudemment...

– Oh! Je ferai très attention, vous pensez bien... Alors, décidément, pas de cognac?

– Juste un fond alors, pour trinquer, dit l'assureur.

Galli servit les verres et ils burent en silence avant de se séparer. Quand Perrig fut parti, le joaillier demeura un moment les mains à plat sur son bureau, pesant le pour et le contre, et regardant le téléphone d'un air pensif. Il décrocha subitement, comme on se jette à l'eau, et composa fébrilement un numéro.

– Allô! dit une voix tout contre son oreille.

– Le Professeur, dit-il. Je voudrais parler au Professeur.

De retour à La Chaux-de-Fonds, Jean-Claude alla faire son rapport au « général », comme il le dit à Nicole avant de quitter son domicile.

Il avait son air habituel, bougon et volontaire, et le ton acidement goguenard qu'il avait adopté désormais pour s'adresser à sa belle-mère – avec une note triomphaliste qui n'échappa pas à cette dernière.

Il venait de lui exposer ce qui avait été fait et dit à Milan, et de conclure :

– Bref, en attendant la fin de l'enquête de la police, Perrig fait jouer la clause de réserve. Vous savez ce que ça signifie, n'est-ce pas?

– Je sais, dit Constance, sans pouvoir maîtriser un certain tremblement de sa voix. Je sais, oui, mais vous le savez aussi, et on dirait que ça vous fait plaisir.

– Ça ne me fait pas plaisir, belle-maman. La ruine ne me séduit pas plus que vous. Je suis consterné, je vous dirai, je suis consterné que les faits me donnent raison : vous avez mis tous vos œufs dans le même panier, y compris ceux que vous n'aviez pas, et vous voyez ce qui arrive! Vous savez très bien que je ne voulais pas que cette collection soit si fastueuse et si abondante.

Mme Dussault se raidit. Elle n'aimait pas du tout que son gendre lui parle sur ce ton sarcastique. Elle le regarda, avantageux et sûr de lui, et s'accrocha à la pensée – la seule qui fût réconfortante – que c'était dans *son* bureau qu'on était et que c'était *elle* qui était assise dans le fauteuil directorial. Mais c'est Jean-Claude qui dit :

– J'ai décidé de prendre un certain nombre de mesures qui devraient nous permettre de survivre à la situation catastrophique où vous nous avez mis. Et je voudrais que, dès maintenant, mon rôle soit défini une fois pour toutes au sein de la société.

– Vraiment, mon gendre! Et en vertu de quel pouvoir?

– Du pouvoir que me donne la nécessité de réparer vos bêtises. Il faudra bien que vous vous en accommodiez!

– Que je m'en accommode?

– Absolument.

– Et si je refuse? demanda Constance.

Elle avait son air hautain habituel, et sa voix ne chevrotait plus. Elle était toujours celle à qui la nécessité de lutter donnait de grands moyens.

– Pendant que j'étais en Italie, je suis allé à Bergame et j'ai vu Bruno, chère belle-maman.

– Le mari de Jacqueline?

– Lui-même. Il partage entièrement mes vues sur la conduite de la société, Jacqueline aussi. Elle me fait mandataire de ses parts au sein du conseil d'administration. Ça vous en bouche un coin, n'est-ce pas?

– Ne soyez donc pas vulgaire, dit Constance en se levant de son fauteuil.

Non pour le céder à son gendre, mais pour lui signifier que cet entretien avait assez duré.

Conscient d'avoir marqué suffisamment de points, Jean-Claude sortit sans autre forme de procès, mais plus satisfait en son for intérieur qu'il ne l'avait été depuis longtemps.

Le lendemain, Constance Dussault appela sa fille à la clinique du docteur Müller. Elle y pensait depuis la veille, mais, curieusement, elle appréhendait cette conversation et elle avait attendu que Sophie fût sortie pour téléphoner.

La jeune femme, pourtant, fut ravie d'entendre sa mère et elle le lui dit. Elle dit également que son état s'améliorait, qu'elle se levait toute la journée et espérait sortir bientôt.

— Magnifique, dit Mme Dussault. Dépêche-toi de guérir et reviens près de moi. J'ai besoin de toi, tu sais. Il faut que tu m'aides, Jacqueline.

— Mais, maman...

— Écoute-moi. As-tu signé une procuration à quelqu'un, pour tes actions de la société?

— J'étais bien trop mal pour ça!

— Tu es sûre? insista Mme Dussault.

— Je ne suis pas folle au point de faire des choses sans le savoir! dit Jacqueline avec un petit rire gaiement ironique.

— Tu me soulages d'un grand poids, dit la mère. Mais écoute : si jamais Bruno essaie de te faire signer une procuration en faveur de Jean-Claude, refuse! Résiste-lui. Conseils, supplications, menaces, résiste, ma petite fille!

— Mais, maman, tu divagues! Supplications, menaces, ça n'a jamais été le genre de Bruno!... En plus, il a trop de noblesse d'âme pour faire quoi que ce soit contre toi!

— De la noblesse d'âme! C'est toi qui divagues! Après les souffrances qu'il t'a infligées! Mais ce n'est qu'un arriviste, ma chérie. Un arriviste qui a profité de toi et de ta dot, qui t'a menti depuis le premier jour et qui est capable de tout. C'est incroyable que tu n'arrives pas à ouvrir les yeux sur lui! Il faut que tu te réveilles, ma fille, si tu ne veux pas être malheureuse toute ta vie. Que tu te réveilles!

— Oui, maman, dit Jacqueline d'une voix lasse en lâchant le combiné pour ne plus entendre ces paroles délétères.

Mais, à La Chaux-de-Fonds, Mme Dussault avait raccroché, n'imaginant même pas l'effet de ses propos : seul lui importait le fait de savoir que Jean-Claude avait menti.

Cependant que Jean-Claude, ignorant qu'il était démasqué, continuait à triompher, son frère Marcel était dans ses petits souliers. Cet être faible et de peu de réflexion s'était soudainement troublé en constatant la détresse de Constance Dussault. Entre eux deux existait l'amitié qu'il arrive qu'on éprouve pour son contraire, et que l'image de force qu'offrait habituellement la « patronne » fût altérée l'avait bouleversé. Lorsqu'il préparait son coup, cet aspect de la question lui avait échappé; il en était tout chaviré. Il remâchait ces tristes pensées sous sa douche lorsqu'il entendit du bruit dans l'appartement. Sûr et certain qu'un désagrément l'attendait, il enfila un peignoir et sortit de la salle de bains. En voyant Sophie, il poussa un gros soupir de soulagement.

– Je t'ai fait peur? demanda la jeune femme.

– Pas vraiment peur. Je me sens un peu nerveux.

Il se laissa tomber sur le canapé et elle vint s'asseoir auprès de lui.

– Pourquoi nerveux? demanda-t-elle en lui caressant les cheveux. Tout s'est bien passé, non?

– Y a un macchabée, dit-il.

– Ah oui? Qui ça?

– Le chauffeur. Ne me demande pas comment c'est arrivé. Je n'en sais rien.

– Bon. Qu'y a-t-il encore?

La voix de Sophie était douce et paisible.

– Heinz Perrig. L'homme des assurances. Il fouine partout. Un vrai maniaque. Il va nous porter la poisse, je te dis.

– Mon chéri, dit Sophie, calme-toi. Est-ce que des erreurs ont été commises?

– Sûrement pas!

– Alors, cesse de te faire du mauvais sang!

– Je ne peux pas m'empêcher de m'en faire. Ce Perrig refuse de payer l'assurance. Pas tant que l'enquête n'aura pas abouti.

– Et alors, mon chéri? Tu sais bien que l'enquête a peu de chances d'aboutir.

Elle alla vers le bar, prépara deux whiskys et revint s'asseoir à côté de Marcel. Il regarda pensivement le verre qu'elle lui tendait.

– Dieu t'entende, Sophie, et fasse que l'enquête n'aboutisse jamais! (Il but une grande gorgée.) Seulement, ce qui me dérange, c'est Constance : elle a besoin de l'argent de l'assurance. Plus besoin que je ne pensais. Pour moi, depuis que je suis tout petit, Constance est une femme riche, et qui mourra riche. Je n'ai jamais pensé qu'elle pouvait être ruinée. Je n'aimerais pas qu'elle soit ruinée.

Marcel s'animait à mesure qu'il parlait. Sophie le dévisageait, d'abord amusée, puis perdant son sourire et fronçant les sourcils.

— Continue, dit-elle, tu m'intéresses. Tu fais dans le remords, maintenant? Tu te fais de la bile pour Mme Dussault?

— Ben oui! avoua Marcel. Ça me fout le bourdon de voir cette femme forte toute désemparée.

— Pauvre chéri, dit-elle affectueusement, avant de continuer, sur un autre ton : A t'entendre, on croirait que c'est avec cette vieille que tu vas partir dans quelques jours pour le Mexique!

— Oh! fit Marcel.

Sophie s'agenouilla sur le canapé, posa ses mains sur les épaules de son amant et lui fit un séduisant sourire.

— Pourquoi faire cette tête? Nous sommes en excellente posture. Ta police et ton assureur s'époumonent à la poursuite de fausses pierres, et ils vont courir longtemps! Nous, on a les vraies. Dans quelques jours, elles seront vendues et à nous le départ et la belle vie! Tu as eu une idée de génie, Marcel. Faut pas renâcler maintenant. D'ailleurs, il est trop tard. Nous avons pris trop de risques pour nous arrêter en chemin. Et puis, ta Constance, tu serais idiot de te faire du mouron pour elle.

— Nous avons toujours été de bons amis.

— De bons amis! Ne me fais pas rire. C'est une femme qui ignore l'amitié. Toi, tu as les yeux dans ta poche, tu ne vois que les apparences. Moi, j'observe et j'écoute. Je sais comment elle parle des gens dès qu'ils ont franchi le seuil de sa maison.

— Oui? dit Marcel, le regard interrogateur.

— Elle te trouve amusant. Elle trouve que tu as de petites compétences qu'elle utilise au mieux. En bref, elle te considère comme un domestique, elle te méprise, elle aurait plutôt plus d'estime pour Jean-Claude... bien qu'elle ne l'aime pas du tout.

— Je vois... Tu as raison, je serais bien idiot de me faire du mouron... Sophie... J'ai envie de toi, Sophie...

Elle se coula sur ses genoux d'une manière très féline.

— Mais moi aussi, j'ai envie de toi, gros bêta...!

Il y a des jours où les forces mauvaises du destin s'entendent à susciter d'affreuses coïncidences. Ce devait être le cas pour Jacqueline Steinberg.

Le matin, Bruno lui avait fait une longue visite et ils avaient parlé calmement, avec tendresse et compréhension mutuelle. Le docteur Müller lui avait promis qu'elle sortirait dans une semaine au plus, et cette fois, il paraissait tout à fait sincère. Elle se sentait plus forte qu'elle n'avait été depuis longtemps, enfin prête à se colleter avec la réalité.

Et puis, brusquement, le coup de téléphone de sa mère avait ranimé ses vieux démons. Personne d'autre que sa mère n'aurait eu ce pouvoir, mais elle, peut-être à cause de sa voix qui rappelait de très vieilles déprimes, l'avait bouleversée au-delà de toute raison. Jacqueline avait beau savoir que sa mère était cruellement entêtée, elle était redevenue inquiète et fragile. Elle demeura longtemps à méditer et à essayer de se raisonner.

A Bergame, cependant, la répétition avait duré tard – c'était la dernière avant le concert –, et Bruno pensa que l'état de Jacqueline, s'étant si sensiblement amélioré, l'autorisait à ne pas rentrer à Lugano ce soir-là. L'idée de prendre le volant le fatiguait d'avance.

Alessandra pénétra dans sa loge comme il téléphonait sa décision au gardien Giuseppe. Elle n'eut guère de peine à le persuader qu'ils pourraient passer quelques heures ensemble à l'hôtel où il avait négligé de résilier sa suite.

A la clinique du docteur Müller, Jacqueline essayait encore de reprendre son calme. Il y avait longtemps qu'on avait servi les dîners et que les infirmières de jour étaient rentrées chez elles.

Tout était calme, beaucoup trop calme. Le silence était pareil à celui d'un tombeau, se mit à penser la jeune femme, le tombeau où elle était reléguée cependant qu'ailleurs la vie continuait, que Bruno parlait et riait avec des gens inconnus d'elle. Elle appela fébrilement la villa; Giuseppe lui dit que Monsieur avait averti qu'il ne rentrerait pas. Elle appela l'hôtel de Bergame et, dans la suite de Bruno, c'est une femme qui décrocha. Voilà comment les choses s'enchaînèrent. Non seulement son mari parlait et riait loin d'elle, mais il faisait sûrement l'amour avec une autre. Elle était déchirée, elle ne pouvait pas encaisser cela, pas encore...

Avec une détermination et un sang-froid qui contrastaient avec l'agitation responsable de son hospitalisation, elle s'évada de la clinique. Ce n'était pas le premier séjour qu'elle faisait chez le docteur Müller, elle connaissait bien les lieux. Elle emprunta un uniforme au vestiaire du personnel, puis sortit par une porte de derrière sans que personne eût tenté de l'arrêter.

Tout à coup, elle savait. Elle savait qui était l'autre femme. Le souvenir lui revenait de photos envoyées quelques mois avant à Bruno par le directeur du théâtre de Bergame, photos représentant la salle de concert et l'orchestre sous divers angles. Sur plusieurs de ces photos figurait une belle jeune femme brune, fille et collaboratrice du directeur, et qui n'était autre – ça lui sautait aux yeux brusquement, comme si elle avait eu ces photos sous son regard – que celle dont elle avait brûlé l'effigie naguère.

A 6 h 30, Bruno fut éveillé par un coup de téléphone de Guido Müller, après lequel il s'habilla en hâte et pria Alessandra de faire de même et de s'en aller. Sans même avaler un café, il prit la route de Lugano. A la villa Dussault, il rejoignit Müller qui avait espéré y trouver Jacqueline. Elle n'y était pas, mais elle y était venue et avait laissé des traces de son passage : l'uniforme d'infirmière gisait sur le sol de la salle de bains et une somme en argent liquide manquait dans le secrétaire. Cependant, Giuseppe et Erminia n'avaient rien entendu.

A l'hôtel de Bergame, Jacqueline également trouva vide l'appartement de son mari, mais comme le ménage n'avait pas encore été fait, elle découvrit des indices fâcheux : deux verres sur un plateau, des mégots tachés de rouge à lèvres et surtout, le pis, deux oreillers creusés par l'empreinte de deux têtes.

Comme la vie était triste, pensa-t-elle, qui ne lui faisait récupérer la raison que pour la jeter dans le malheur. Elle aimait tellement Bruno, elle n'allait pas le laisser à une autre, à la jolie brune des portraits. Elle allait le lui faire savoir, à cette fille, qu'il fallait lui laisser Bruno, qu'il était à elle. Elle lui expliquerait que Bruno avait des passades et que, toute jolie brune qu'elle fût, elle n'avait rien de durable à attendre de lui.

A Lugano, Bruno était affolé. Müller le rassurait du mieux qu'il pouvait en parlant de l'amélioration évidente de l'état de Jacqueline. Le médecin était sûr et certain qu'elle ne commettrait rien d'inconsidéré, qu'elle n'attenterait à la vie de personne, qu'elle ne se suiciderait pas. Mais le musicien était inquiet, néanmoins.

Un coup de téléphone insolite acheva de le démoraliser : Véronique, qui n'avait pas l'habitude d'être matinale, l'appela de La Chaux-de-Fonds. Elle avait appelé en premier la clinique, mais sa mère ne s'y trouvait plus. Bruno trouva une explication rassurante pour sa fille; toutefois, après avoir raccroché, ce coup de téléphone lui parut être un mauvais présage.

Dans l'annuaire de Bergame, Jacqueline avait trouvé l'adresse de Mme Thesis – la jolie brune s'appelait Mme Thesis, c'était écrit au dos des photos –, mais, à cette adresse, quand elle s'y rendit, elle ne trouva que M. Thesis.

M. Thesis avait un visage d'ange, avec des cheveux tout bouclés. Il se déclara enchanté de connaître Mme Steinberg, mais il ne savait pas où était sa femme. En général, M. Steinberg savait cela mieux que lui, dit-il.

Tout se brouilla dans la tête de Jacqueline; la raison et la folie s'y livrèrent combat de nouveau. Mais elle garda assez de sang-froid pour reprendre son errance – et elle savait où elle voulait se rendre.

5

De la ville de Bergame, de ses vieux édifices mordorés, de ses séculaires et solides colonnades, Jacqueline ne voyait rien que les affiches qui annonçaient le premier concert donné le soir même par Bruno dans le cadre du festival.

Elle voyait ces affiches et elles lui paraissaient être le symbole de sa vie : Bruno l'étincelant, Bruno et sa musique qui prenaient toute la place, Bruno qui ne pourrait jamais se donner à elle en exclusivité... et elle qui s'essoufflait à vouloir changer la nature des choses. Elle désirait le comprendre et ne pas lui couper les ailes, mais sa jalousie était toujours la plus forte, et c'était un éternel recommencement : excédé par ses exigences et ses suspicions, Bruno trouvait toujours sur son chemin une jeune ravissante auprès de qui se réfugier et goûter un plaisir sans complication.

Dans ses meilleurs moments, Jacqueline se disait que son mari avait toujours dû être volage, et que tant qu'elle l'avait ignoré, elle l'avait tenu pour un époux adorable. Mais quand elle avait « appris », le poison de la jalousie s'était installé en elle, détruisant son bonheur, son cœur et son esprit. A certains moments, elle devenait incapable de se maîtriser – là résidait sa folie, mais ça ne lui servait à rien de le savoir.

Elle errait dans Bergame en regardant les affiches, connaissant très bien le chemin du théâtre, mais l'évitant, tiraillée qu'elle était entre sa raison, qui lui disait qu'en demeurant calme elle sauverait son amour, et son délire, qui lui soufflait de faire un esclandre.

Quand elle arriva devant l'édifice, ce combat durait toujours.

Elle entra, parcourut des couloirs, poussa des portes. Dans un bureau, elle trouva un bel homme aux cheveux blancs qu'elle avait déjà rencontré dans d'autres circonstances : Giovanni Ferrari; et une jeune femme très séduisante qu'elle reconnut tout de suite : Mme Thesis.

Elle marcha vers elle et dit :

— Vous voilà enfin! Il y a longtemps que je vous cherche.

Ferrari regarda sa fille et pesta intérieurement : il avait toujours redouté cette rencontre.

— Madame Steinberg, dit-il de sa voix amène, votre mari n'est pas ici.

— Peu importe, monsieur. Ce n'est pas lui que je veux voir. C'est celle-là, dit Jacqueline en pointant vers Alessandra un doigt vengeur. (Sur les derniers mots, la voix était devenue stridente, et n'importe lequel de ses familiers eût compris qu'elle entrait en état de crise.) C'est celle-là, la putain de mon mari! Ah! elle est belle! Ça doit l'exciter de briser mon ménage. Petite garce! (Elle souffla.) Il t'a fait des promesses, n'est-ce pas? Tu crois qu'il va t'épouser! Mais tu n'es pas la première à qui il fait des promesses... Moi, je suis la première qu'il a épousée, et, jusqu'à présent, je suis la seule...!

Alessandra se tenait coite, le visage défait, mais s'efforçant d'opposer un air digne à cette furie déchaînée.

— Je vous en prie, dit Ferrari, calmez-vous!

Jacqueline ne l'écoutait pas. Proche à la toucher de la maîtresse de son mari, elle reprit :

— Il couche avec toi? Belle affaire! Mais peut-être ne cherches-tu que ça : coucher avec lui et empocher un peu de son argent? Comme la putain que tu es?

Alessandra se leva, blême. Giovanni Ferrari était atterré, désespéré pour sa fille humiliée et pour cette femme dans la bouche de qui les gros mots détonnaient.

— Quand je pense, dit-elle en détournant sa colère vers lui, quand je pense qu'un homme comme vous tolère une liaison entre sa fille mariée et *mon* mari!

— Jacqueline! dit Bruno, qui entrait sur ces mots.

— Bruno! fit Jacqueline dans un sanglot.

Elle se jeta dans ses bras et il l'étreignit.

— Je suis là, fit-il doucement. Je suis là. Viens dans ma loge et calme-toi.

Elle obéit à l'injonction et quitta la pièce accrochée au bras de Bruno, après avoir envoyé un regard triomphant aux deux autres. Elle dit à son mari :

– Je savais que c'est moi que tu aimes. Je le savais.

Ils étaient arrivés dans la loge et elle noua ses bras autour de son cou.

– Bruno, chuchota-t-elle, je suis si heureuse. Allons à ton hôtel, je veux faire l'amour avec toi.

– Ce n'est pas possible, Jacqueline. Ce n'est pas possible.

– Je t'en supplie!

– Ce n'est pas le genre de choses pour lesquelles on supplie. C'est humiliant pour toi. C'est humiliant pour moi.

Elle laissa retomber ses bras et il se demanda si son calme subit était réel ou dissimulait encore quelque inquiétante réaction.

– J'ai compris, dit-elle. Tu dois avoir raison. Je vais rentrer en Suisse. Je m'y sentirai mieux et je serai auprès de ma fille. Ne t'inquiète plus pour moi : je sais ce que j'ai à faire. Je vais m'habituer à vivre sans toi, Bruno. Je crois que j'y arriverai. J'ai l'impression de ne plus rien ressentir. C'est comme une libération. Je vais partir tout de suite.

Bruno ne savait quelle attitude adopter, mais sa femme paraissait tout à fait raisonnable, et lui, depuis un moment, se sentait gagné par un émoi particulier, celui qu'il ressentait chaque fois qu'il était à quelques heures de diriger en public.

– Que puis-je faire pour toi? demanda-t-il néanmoins. Veux-tu que je te conduise à la gare?

– Inutile, dit-elle, je vais très bien me débrouiller.

Il n'eut pas un geste pour la retenir. Du seuil de sa loge, il écouta décroître le bruit de ses talons sur le dallage, et ce bruit, fait par une femme dont le sort pourtant le préoccupait, se mua doucement en sons, en rythme, en musique... Son conflit intérieur s'évanouit.

Jacqueline sortit du théâtre et se mit une main en visière pour se protéger de la lumière. Avisant un homme auprès d'elle :

– Où puis-je trouver un taxi, *signor*?

– Pourquoi un taxi? J'ai ma voiture. Je peux vous conduire où vous voulez, madame Steinberg.

Elle reconnut Thesis, le mari d'Alessandra, qui lui prenait gentiment le bras. Comme la première fois elle lui trouva un visage d'ange, un ange affectueux et qui tombait à pic.

Marcel Fontaine, vautré sur un des sofas de son loft, en était à son troisième whisky lorsque Sophie entra. Il sursauta. Il sursautait souvent ces jours-ci.

Avec ses lunettes noires et son imperméable, sa maîtresse ressemblait à Greta Garbo jouant dans un film d'espionnage, ce qui l'agaça vaguement.

— Alors, lui dit-elle, c'est ainsi que tu t'actives? En carburant au whisky?

— Oh! Je t'en prie, bougonna-t-il. Mêle-toi de tes affaires. Ce n'est pas toi qui risques de te réveiller dans la merde.

— Quelle mouche te pique?

— Je vais me réveiller dans la merde, Sophie. Je suis monté en première ligne. Je cours des risques. Toi, tu es bien peinarde. Rien ne prouve que tu as trempé dans cette affaire.

Sophie lui enleva son whisky et le posa sur un guéridon avec violence. Elle avait l'air furibond.

— Pauvre connard, dit-elle. Comme si on ne prenait pas des risques tous les deux! D'où je viens, tu crois? De rencontrer un acheteur possible pour les diamants. Un intermédiaire, plutôt. Faudra que j'aille à Anvers. C'est pas un risque, ça? Passer deux frontières avec ces cailloux! Arrête de faire le malin, c'est pas ça qui te rendra courageux.

— Parce que je ne le suis pas? C'est facile de dire aux autres qu'ils ne sont pas courageux.

— Oui, monsieur. Quand ils sont lâches, c'est facile.

Marcel regarda la jeune fille méchamment, mais elle n'en fut pas démontée pour autant.

— Mettons les choses au clair, tu veux? reprit-elle. Tu *es* lâche. Si je n'avais pas été là, tu ne serais jamais allé jusqu'au bout. Tu te serais contenté de bâtir des châteaux en Espagne, grâce à ton merveilleux plan, pas vrai?

— Oh! arrête...!

— Si tu ne m'avais pas, dit Sophie, méprisante, tu n'entreprendrais jamais rien. Tu as de la chance que je sois là. Tu devrais t'en souvenir. *Ciao*, mon petit!

— Tu pars déjà? dit-il, soudain implorant.

— Je reviendrai quand tu seras plus en forme.

Elle claqua la porte en partant.

Marcel se versa un autre whisky sans quitter cette porte des yeux. Il était très amoureux d'elle, pas de doute, mais quelquefois, elle l'effrayait.

Jean-Claude sursauta. Tout à son travail, il n'avait pas entendu Mme Dussault s'approcher de son bureau. Elle se tenait dans l'embrasure de la porte et l'observait – depuis quand? Avec une certaine fébrilité, il prit les notes qu'il venait de rédiger et les fourra dans son tiroir.

— Jean-Claude, je vous en prie, ne vous conduisez pas en garçonnet surpris à mal faire par sa maîtresse d'école! dit Constance. Ça fait mauvaise impression, vous savez.

Elle s'approcha du bureau et s'assit en face de son gendre.

— Que me vaut l'honneur de votre visite? demanda ce dernier, sur la défensive.

— Je suis venue vous dire le fond de ma pensée. Je sais que vous êtes un homme habile à transformer une situation difficile à votre avantage, mais j'ignorais que vous pouviez être ignoble.

— Vous êtes venue m'insulter?

— Que vous ayez circonvenu Nicole pour mettre la main sur ses actions, dit Mme Dussault, négligeant l'interruption, je trouve ça inélégant, néanmoins je conçois que ça ait pu arriver. Mais que vous ayez fait un déplacement à Bergame pour influencer Bruno et profiter de la maladie de Jacqueline, c'est ignoble, oui, il n'y a pas d'autre mot. Rien ne vous arrête quand il s'agit de me nuire, hein?

— Et voilà comment vous écrivez l'histoire! tonna Jean-Claude. Je veux vous nuire. Steinberg veut vous nuire. Vos gendres, vos filles ne font que comploter contre vous. Vous ne leur prêtez jamais que des mobiles mesquins. Vous refusez d'entendre leurs arguments. Vous clouez le bec à tout le monde. Vous ne voyez pas que c'est une situation malsaine, intenable pour nous tous? Je suis un homme libre, belle-maman! Bruno aussi. Il a parfaitement le droit de conseiller sa femme.

Mme Dussault sourit.

86

– Il en a le droit, comme vous dites. Mais il n'en a pas usé, si vous voulez le savoir... Au fait, les notes que vous venez de cacher dans le tiroir, c'est quoi, au juste?

– Un rapport. Un rapport que j'écris pour...

– Pour vos Allemands, c'est ça? demanda la vieille dame, ironiquement. Bon, Jean-Claude, vous en avez le droit, et puisque vous me dites que vous ne me voulez pas de mal... (Elle prit un temps, le regarda en souriant.) Puisque c'est redresser la situation que vous voulez, très bien. Mais plutôt que de m'associer à ces Allemands, j'ai décidé de vendre ma villa de Lugano et le chalet de Davos.

Jean-Claude ouvrit la bouche, mais aucun son n'en sortit, tant il était stupéfait. A la fin, il secoua la tête.

– Faites ce que vous voudrez. A quoi bon vous donner mon avis? Vous n'écoutez jamais personne. Vous ne faites confiance aux gens que dans la mesure où ils servent vos idées. Vous avez arrangé mon mariage avec votre fille sans vous soucier de nos sentiments parce que vous vouliez un gendre capable et à votre botte. Je suis toujours capable, mais plus à votre botte, parce que j'estime que vous faites fausse route; alors vous voulez m'éliminer. Vous manquez de loyauté, belle-maman.

– Mais vous, vous ne manquez pas d'arrogance! dit Constance en se levant brusquement. Et je n'aime pas l'arrogance.

Elle sortit, laissant Jean-Claude pantois et perplexe.

Après le départ de Jacqueline, Bruno quitta sa loge mais pas le théâtre. Dans la salle chichement éclairée, Giovanni Ferrari regardait le personnel retirer les housses qui protégeaient les rangées de fauteuils. C'était un instant magique, le prélude au rituel de communion qui se jouerait ce soir entre l'orchestre et le public.

Bruno s'arrêta auprès du directeur, goûtant comme lui cet instant.

– Alors? demanda Giovanni à mi-voix. Ta femme?

– Elle est redevenue raisonnable. Elle rentre à La Chaux-de-Fonds.

– Parfait! Tu dois être soulagé. Je te connais, mais j'avoue que j'avais quelques craintes pour ce soir. Ce soir, tu ne peux pas avoir de vie privée, tu le sais?

Bruno se contenta de lui sourire. Ce sourire lointain et mystérieux montrait suffisamment qu'il n'avait déjà plus de vie privée, seulement sa vie d'artiste.

— C'est ridicule, dit Jacqueline. Pourquoi m'avoir amenée ici? Et pourquoi me suis-je laissé faire?

Elle descendit de l'auto dont Giorgio Thesis tenait la portière ouverte et regarda autour d'elle. Par-delà les villas et les jardins, le lac de Côme scintillait.

— Vous aviez besoin de vous détendre, c'est votre instinct de conservation qui vous a guidée, dit le jeune homme. Voici mon palais. Ce n'est pas Versailles, mais c'est ma retraite à moi, mon ermitage. J'y suis bien et vous y serez bien aussi.

Il avait des manières très prévenantes, mais Jacqueline ne cessait de se demander pourquoi elle l'avait suivi. Ça lui ressemblait si peu. Certes, elle était impulsive et prenait des décisions subites, mais là, elle n'avait rien décidé; elle avait tout simplement suivi un homme. Pourquoi? Parce qu'il était beau? Parce qu'il était gentil? Parce que, simplement, il lui avait demandé de l'accompagner? C'étaient de bonnes raisons, mais qu'est-ce que ça prouvait, quant à elle?

La maison était effectivement charmante, bien moins somptueuse que la villa de Lugano, mais réellement plaisante.

— Je vais préparer un cocktail, dit Giorgio. Installez-vous, mettez-vous à l'aise.

Jacqueline s'assit, déposa son sac, se lissa les cheveux du plat de la main. Elle se sentait comme une dame en visite, ou plutôt une jeune fille en visite, une ancienne jeune fille, timide et incertaine.

Thesis lui tendit un verre.

— Buvons à nous deux, dit-il. Vous verrez : je fais très bien les cocktails.

A Bergame, le concert allait commencer. Les musiciens gagnaient leurs places, échangeant de brèves plaisanteries avant de s'asseoir, mais il y en avait qui étaient muets et recueillis comme s'ils priaient.

Dans la salle, le public s'installait aussi. C'était un public élégant, en tenue de soirée, dans une salle élégante aux grâces veloutées de bonbonnière. L'air était chargé de cette électricité qui précède un spectacle, et plus particulièrement un concert, quand viennent de la scène, pour accompagner le bruit des mots qui s'échangent et des fauteuils qu'on rabat, les gammes et les arpèges des instruments qu'on accorde.

Ferrari et Alessandra étaient déjà assis dans la loge du directeur. Celui-ci avait suggéré à sa fille de s'effacer, juste après la violente sortie de Jacqueline, et la jeune femme s'était interdit d'approcher de son amant, mais ses yeux gonflés et rouges laissaient deviner son chagrin.

— Tu le verras tout à l'heure, dit affectueusement le père. Jacqueline est partie. Il paraît qu'elle était tout à fait raisonnable.

— Je la déteste, dit Alessandra. Elle n'aurait pas dû me traiter de putain.

— Courage, dit Giovanni. Et aie un peu de pitié. Elle est très malheureuse.

Dans sa loge, Bruno pestait contre son nœud de cravate. Furtivement, la pensée le traversa que ce n'était pas la peine d'avoir une épouse et une maîtresse, si aucune des deux n'était là pour l'aider à s'habiller, mais ça ne dura qu'une fraction de seconde. Il se tourna vers son assistant, Walter Salieri, et lui fit un sourire.

— J'ai le trac, dit-il. Enfin, ce que j'appelle le trac : une tension insoutenable qui ne s'apaisera qu'une fois la première note jouée. C'est grisant et c'est très éprouvant. Je veux te remercier, Walter, pour le travail accompli pendant que j'étais à Lugano. Et je te demande pardon pour les jours où je me suis emporté.

— Je me suis emporté aussi, dit le jeune musicien. Je me suis emporté et j'avais tort. Le concert de ce soir va être sublime, je le sens.

— Merci, Walter.

Giorgio Thesis entra dans le living-room, tenant à bout de bras un plateau chargé de nourriture. Il le posa sur la table basse, devant le canapé où Jacqueline était assise.

Elle sourit, et il s'étonna une fois de plus, à part soi, de la qualité évanescente de ce sourire. Cette femme était surprenante : gracieuse, tout en douceur, mais comme absente. Lorsqu'il avait proposé une dînette, elle avait eu ce même sourire qui pouvait passer pour un acquiescement; elle n'avait pas proposé de l'aider, et elle était demeurée tout le temps de son absence à la même place, presque dans la même position.

Tout en débouchant la bouteille de vin, Giorgio se demanda comment elle serait dans l'amour. Quand il l'avait vue sortir du théâtre, il avait en un éclair conçu le projet de la séduire – contre Alessandra, contre Bruno, voire dans un dessein crapuleux –, mais, depuis un moment, son désir croissait, et pour d'autres raisons : il voulait forcer son attention, l'obliger à sortir de cette réserve surprenante et, à la limite, offensante, voir ce qu'elle avait dans la tête.

Il versa le vin dans les verres, lui en tendit un.

– C'est merveilleux de vous avoir ici, dit-il. J'adore cette maison. Elle me fait du bien, mais ce soir particulièrement, parce que vous y êtes avec moi. A votre santé, Jacqueline.

– A votre santé, Giorgio.

– Vous êtes très belle, dit-il.

– Vraiment ?

– Vous paraissez incrédule. On ne vous a jamais dit que vous étiez très belle ?

– Si. Mais il y a bien longtemps. Il y a bien longtemps que plus personne ne m'a parlé de moi.

– C'est fou ce que les gens sont indifférents. Ils vivent à côté de vous sans vous voir, sans vous parler. C'est renversant.

Jacqueline eut son sourire incertain, posa son verre sur la table, se leva.

– Excusez-moi, dit-elle.

– Vous désirez quelque chose ?

– Seulement me laver les mains.

Dans la salle de bains, elle demeura longtemps devant le miroir à scruter son visage. Elle suivait d'un doigt hésitant son arcade sourcilière, l'arête de son nez, l'arc de sa bouche, comme si elle n'arrivait pas à se reconnaître. A la fin, elle sortit de sa poche un tube de comprimés; elle en avala trois, sans eau. Puis elle se lava les mains avec sa minutie habituelle et se les sécha longuement avant de revenir dans le salon près de Thesis.

Il avait rempli les verres et préparé des assiettes. Il était charmant, efficace et attentionné. Il lui redit qu'elle était belle, que jamais il ne s'était senti aussi heureux dans sa propre maison, et qu'il fallait profiter de l'instant.

Elle répondit qu'il était tard et qu'il valait mieux...

— Il vaut mieux quoi? Laisse tomber les paroles, veux-tu? Je suis amoureux de toi, tu ne t'en aperçois pas?

— Je n'aurais pas dû venir, dit-elle, sur la défensive.

— Jacqueline, je t'aime, je te désire, laisse-toi faire... Je suis très doux avec les femmes... Je vais te rendre très heureuse...

Elle poussa un petit cri quand il la souleva dans ses bras et l'emporta dans sa chambre.

Toute l'assistance debout applaudit pendant un bon quart d'heure le premier concert du festival de Bergame. Comme d'habitude, Bruno Steinberg avait électrisé son orchestre et le public. L'ouverture des *Noces de Figaro*, particulièrement, avait été étincelante.

Mais le maestro n'était pas vraiment heureux. Maintenant qu'il avait déversé dans la musique toutes ses forces vives, il se remettait à percevoir le quotidien de la vie et, se superposant à l'image du théâtre éclairé et fleuri plein d'une foule délirante, il y avait une petite silhouette qui disait : « Je vais très bien me débrouiller », puis qui disparaissait, accompagnée d'un cliquetis de talons sur les dalles du hall. C'était dément d'avoir laissé Jacqueline, fragile comme elle était, partir seule.

Dès que l'enthousiasme se fut calmé, il se rua dans sa loge, décrocha le téléphone et composa le numéro de la maison de La Chaux-de-Fonds.

Sophie répondit. Elle dit que madame Steinberg n'était pas là et s'étonna fort quand il rétorqua qu'elle aurait pu y être. Il commença une explication, mais dut raccrocher parce que des gens envahissaient la loge, Ferrari et sa fille en tête, pour l'embrasser, le cajoler, le toucher...

Mais c'est à peine s'il comprenait le sens de leurs gestes, à peine s'il se souvenait d'avoir dirigé un de ses meilleurs concerts. Il était envahi par un tremblement intérieur, une détresse incontrôlée et irrépressible. Alessandra, radieuse maintenant, vint lui poser un baiser sur la joue, et sa joie le réconforta un peu, mais il la pria de disperser ses admirateurs et il déclina l'invite de Ferrari, qui voulait l'emmener souper. Il prétexta sa fatigue, l'épuisement provoqué par le concert et sa préparation... Il ne pouvait pas dire à tous ces gens qu'il craignait d'avoir envoyé sa femme à la mort...

Giorgio Thesis se pencha sur sa compagne endormie. Il était satisfait. Il avait tenu dans ses bras, aussi nue qu'une créature peut l'être, aussi livrée, aussi impudique, l'épouse de ce musicien qui avait envoûté sa femme. Un jour, pourquoi pas? il se prévaudrait de cela et en tirerait une substantielle récompense, mais, pour l'heure, il avait pris beaucoup de plaisir à faire l'amour à cette jolie femme, non seulement plaisir de l'esprit, mais plaisir du corps, car elle était sensuelle et paraissait rechercher l'extase avec la frénésie désespérée des délaissées. Fallait-il être bête et mufle pour délaisser ce joli morceau! Il eut envie de le lui dire et se mit à lui baiser doucement le visage afin de l'éveiller.

Quand elle ouvrit les yeux, il lui prit les lèvres mais, à sa surprise, elle le repoussa violemment.

— Mais voyons, Jacqueline... tu...

— Va-t'en, dit-elle. Ne me touche pas. Je ne voulais pas faire l'amour avec toi... Je ne voulais pas!... Mais tu m'as fait boire et tu as profité de mon ivresse!... Tu es une ordure.

Une ordure! Alessandra aussi employait ce mot.

— Retire ce que tu viens de dire, fit Giorgio, soudain blanc de colère. Tu étais moins fière tout à l'heure. Voilà bien les femmes : vous les faites jouir et elles vous traitent d'ordure!

— Salaud! hurla Jacqueline.

Elle prit sur la table de chevet son étui à cigarettes – un bel objet brillant et lourd, cadeau de Bruno – et le lui lança à la tête. Le projectile passa par-dessus la cible et atterrit sur le sol à côté du lit. Elle saisit le cendrier pour le lancer à son tour, mais Thesis l'avait prise à la gorge et il la secouait.

— C'est toi, l'ordure! vociférait-il en lui martelant le visage de ses poings. Je t'empêcherai bien de m'injurier, moi!

Terrorisée, Jacqueline se glissa hors des draps. Il la regardait ironiquement. Elle ramassa ses vêtements et l'étui d'or. Elle avait mal, elle avait soif, elle voulait trouver la paix et la fraîcheur. Thesis ricanait maintenant, l'air suffisant. Elle sortit de la chambre, s'habilla dans le living, ramassa son sac et sortit par la porte-fenêtre qui donnait sur le jardin.

Sans prendre la peine de quitter son habit de soirée, Bruno sortit du théâtre par une porte dérobée. Sa voiture était garée derrière le bâtiment. Il se mit au volant et démarra en trombe.

Jacqueline. Il devait retrouver Jacqueline avant qu'il ne soit trop tard. Sans doute était-elle retournée à Lugano en train ou en taxi pour y récupérer sa voiture... Peut-être attendait-elle le jour pour prendre la route de La Chaux-de-Fonds. Peut-être...

S'il la retrouvait, il lui demanderait pardon pour ses offenses. Il lui expliquerait qu'il était amoureux d'Alessandra, mais que c'est elle, Jacqueline, qui était son épouse et qui avait toute sa tendresse. Il fallait seulement qu'elle comprenne quel homme il était, que son conditionnement d'artiste en faisait un être fragile, aussi fragile qu'elle, quoique d'autre façon, et qu'il était nécessaire qu'ils accordent leurs fragilités, qu'ils trouvent un terrain d'entente...

Ce discours, qu'il rumina tout le temps de son voyage, il n'eut pas le loisir de le débiter : Jacqueline n'était pas à Lugano, et rien ne donnait à penser qu'elle y fût venue. Il n'y avait pas de lumière dans la maison des gardiens.

Bruno se changea, but un grand bol de café qu'il se fit lui-même et repartit dans la nuit.

Il devait être 10 heures lorsqu'un représentant du consul de Suisse se présenta au théâtre de Bergame et demanda à parler au maestro Steinberg. Mais le maestro n'était pas là, ce qui avait de quoi surprendre, car une journaliste américaine devait arriver d'un moment à l'autre pour une interview importante.

En son absence, c'est Giovanni Ferrari qui reçut le visiteur et qui apprit le premier la terrible nouvelle : quelques heures auparavant, un pêcheur matinal avait découvert dans le lac de Côme le cadavre d'une femme. D'après les constatations de la police, cette femme était Jacqueline Steinberg, née Dussault, de nationalité suisse. Une enquête était commencée, mais elle piétinerait tant que l'autopsie n'aurait pas eu lieu.

Quand Ferrari revint dans son bureau auprès de sa fille, il était livide.

— Il est arrivé quelque chose? s'écria Alessandra.

Le père fit oui de la tête.

— Bruno! Il est en retard parce qu'il lui est arrivé quelque chose!

Son bouleversement acheva d'émouvoir Giovanni, mais il fit un effort et dit :

— Pas à Bruno. A sa femme. Elle est... elle est morte. On l'a retrouvée noyée dans le lac de Côme. La police a averti le consulat suisse. Le consul a téléphoné à Lugano, mais Bruno n'y était plus, et il a eu l'idée d'envoyer quelqu'un ici.

— Oh! papa, ce n'est pas possible!...

C'était possible, puisque c'était arrivé. Mais bien qu'elle frappe chaque jour et tout le monde, la mort laisse toujours incrédules et pétrifiés par le choc ceux qu'elle a épargnés jusque-là.

Lorsque Bruno, de retour au théâtre, et Mme Dussault, chez elle, apprirent la nouvelle, tous deux furent horrifiés, et ils firent retour sur eux-mêmes. Car la mort, c'est encore cela : un reproche, une accusation de culpabilité. Le mari et la mère comprirent en quoi ils avaient manqué à Jacqueline, mais il était trop tard pour y remédier. Ils ne pouvaient que se débattre avec leur chagrin et leurs remords – et avec leurs rancunes.

Quant à Véronique, elle reçut le choc comme si elle s'y attendait depuis longtemps. En vérité, elle s'y attendait; elle avait vu la mort rôder autour de sa mère, mais avec la lâcheté propre à la jeunesse, elle avait feint de n'avoir rien vu.

Les premières constatations du médecin légiste firent remonter la mort à 2 heures du matin. Crime ou suicide? Seule l'autopsie donnerait un commencement de réponse. La nuque, le visage et le thorax de la noyée portaient des traces de coups, dont certains violents, mais peu susceptibles d'avoir causé la mort. Il n'était pas exclu qu'ils fussent dus aux pierres du lit du lac : l'eau était peu profonde là où le corps avait été trouvé.

— A votre avis, demanda le commissaire Bonetti, de la préfecture de police de Côme, au médecin qui lui expliquait tout ça, à votre avis, est-il possible qu'on l'ait poussée dans le lac?

— C'est possible. S'il y a de l'eau dans les poumons, ça signifie qu'elle est morte par noyade. S'il n'y en a pas... Je vous signale que le médicament trouvé dans sa poche est un sédatif puissant et rarement prescrit — seulement dans les cas de dépression sévère. Son médecin nous donnera de bonnes indications, de même que l'analyse du contenu de l'estomac.

Le commissaire était songeur.

— La thèse du suicide ne me satisfait pas vraiment, dit-il.

— Hé! fit le médecin légiste, c'est votre affaire de la prouver ou pas. Mon affaire à moi, c'est seulement le cadavre, n'est-ce pas?

Le commissaire daigna sourire.

Nicole Fontaine ne se souvenait pas d'avoir jamais vu sa mère pleurer, mais elle ne fut pas étonnée de la trouver en larmes dans de si pénibles circonstances. Elle-même se sentait comme amputée d'un membre; son enfance et son adolescence lui revenaient en bouffées déchirantes, et elle avait eu de la peine à conduire sa voiture pour venir de chez elle, tant son regard était brouillé par les pleurs.

Mme Dussault regardait de vieilles photos de ses enfants en se tamponnant les yeux d'un mouchoir de dentelle. Son visage était ravagé et vieilli.

— Tu ne devrais pas te torturer ainsi, maman, dit Nicole en tentant de lui ôter l'album des mains.

Constance secoua la tête et ne se laissa pas faire.

— C'était une bien jolie petite fille, dit-elle d'un ton nostalgique. Dommage qu'elle le soit restée, qu'elle n'ait pas réussi à grandir... Elle n'est pas devenue adulte, nous n'avons pas su l'aider...

— Nous? demanda Nicole.

— Moi, dit la mère. Toi aussi, peut-être. Et surtout l'autre.

— Quel autre?

— Le musicien, tiens! Il n'a jamais cessé de l'abuser. Il l'a trompée, humiliée. Il ne l'a jamais aimée.

— Tu te trompes, maman, dit Nicole, indignée. Bruno aimait ma sœur. Il l'aime encore, il a beaucoup souffert de sa dépression et je suis sûre qu'il souffre de sa mort.

– Foutaises, Nicole! Je ne vois pas ce qui te fait parler ainsi. Le plaisir de me contrer, sans doute? Steinberg est coupable de la mort de ma fille. Et il paiera pour ça.

– Maman, tu es injuste.

Que cette femme était dure et implacable! pensait Nicole. Elle avait du chagrin, énormément de chagrin, mais déjà elle évacuait ses remords en chargeant Bruno de tous les péchés, de l'entièreté du péché. Sa force, c'était ça, et c'était assez redoutable : elle n'avait pas de pitié pour les autres, elle refusait de considérer leurs points de vue comme valables. En agissant ainsi, elle se faisait des ennemis – témoin, Jean-Claude –, mais son contentement de soi, sa certitude d'être dans le vrai étaient des protections à l'intérieur desquelles elle se sentait inattaquable. Il y avait de quoi l'admirer, se disait la jeune femme, mais aujourd'hui, franchement, c'était au-dessus de ses forces : sa mère avait déjà trouvé le moyen de vaincre la mort, celle de Jacqueline en tout cas, et c'était monstrueux.

Bruno dut remplir le pénible devoir de reconnaître le corps de son épouse. Il était en état de choc, mais le dissimulait de son mieux. Il se reprochait d'avoir cédé à la tentation de coucher avec Alessandra l'avant-veille, cette pensée occupait pour l'instant la totalité de son cerveau, lui causant une insidieuse et lancinante migraine.

Ferrari et l'homme du consulat suisse l'avaient accompagné. La triste formalité accomplie, ils le prirent chacun par un bras pour sortir de l'institut médico-légal. Près de la voiture qui les avait amenés, le Suisse serra la main des deux autres et prit congé.

– Courage, monsieur Steinberg, dit-il. Si je puis vous être utile en quoi que ce soit, je suis à votre disposition.

– Merci, monsieur, dit Bruno en ouvrant la portière de la voiture.

Il allait pénétrer dans le véhicule quand il s'entendit interpeller par un homme entre deux âges, moustachu, noir de cheveux avec une mèche blanche, qui se présenta comme le commissaire Bonetti et engagea le dialogue en présentant ses condoléances.

– Je vous remercie, commissaire, dit Bruno.

– A l'occasion, j'aurais quelques questions à vous poser,

maestro. Des questions de routine. Oh! pas maintenant, bien sûr. A un moment où je ne vous dérangerai pas.

Giovanni Ferrari intervint :

— Si ce sont des questions de routine, posez-les tout de suite. N'est-ce pas, Steinberg?

Bruno lui lança un regard contrarié, mais le commissaire parla avant lui.

— Non, dit-il, rien ne presse. Je prendrai rendez-vous avec vous, monsieur Steinberg. A votre hôtel ou au théâtre. Nous parlerons tranquillement tous les deux.

Bruno opina et prit place dans la voiture. Il était à bout. Ce qui n'échappa pas, bien sûr, au commissaire Bonetti.

6

Le commissaire Bonetti ne laissa guère de répit à Steinberg. Sans doute avait-il le maestro dans le nez : il y a des policiers qui prennent un malin plaisir à tracasser les célébrités. La journée n'était pas finie qu'il s'amenait à l'hôtel où Bruno s'était retiré, seul, après sa visite à la morgue.

Il était aimable, un brin plus guilleret que ne l'exigeait la situation, donnant tout à fait l'impression que sa présence là n'était qu'une formalité nécessaire.

Bien qu'il fût extrêmement las et déprimé, Bruno le fit asseoir dans le salon et s'efforça de lui répondre avec courtoisie et précision, mais ses pensées ne pouvaient s'empêcher de tourner en rond sur les mêmes thèmes : quand, pourquoi et comment Jacqueline était-elle allée au bord du lac de Côme pour y trouver la mort? Entre le moment où ils s'étaient quittés et celui où elle avait glissé dans l'eau noire, qui avait-elle vu? Était-il la dernière personne à qui elle eût parlé?

Comme s'il lisait dans ses pensées, le commissaire demanda :

— Quand l'avez-vous vue pour la dernière fois?

— Hier après-midi. Entre 17 et 18 heures, je crois, dit Bruno.

Il se passa la main sur le front, soupira et ajouta, comme pour lui-même :

— Je n'aurais jamais dû la laisser partir. Mais, voyez-vous, elle était redevenue calme et elle-même m'a dit qu'elle était bien.

— Avant, elle n'était pas bien? demanda Bonetti, soudain en alerte.

Le maestro hésita, soupira de nouveau.

— Elle avait piqué une colère, dit-il.

— Ah bon! Et pourquoi?

— C'est une question de vie privée, commissaire.

— Je suis policier, monsieur. Je suis obligé de poser des questions. Mais je suis aussi un homme très discret.

Bruno lui jeta un coup d'œil et dit, en haussant les épaules :

— Discret, peut-être, mais forcément curieux, c'est ça? Autant donc que je vous dise moi-même ce que vous voudrez savoir. Ma femme et moi avions décidé de ne pas vivre ensemble cet été. Elle devait passer ces mois-ci à La Chaux-de-Fonds chez sa mère.

— Mais elle est venue à Bergame vous faire une scène de ménage?

— Pas exactement une scène de ménage, commissaire. Voyez-vous, ma femme m'était... très attachée. Notre séparation... lui pesait.

— Mais alors, pourquoi l'avoir décidée? Entre vous, il y avait... incompatibilité d'humeur?

— Incompatibilité générale. Incompatibilité entre son état de santé et ma profession... Entre nos exigences.

— Ah!... Vous envisagiez de divorcer?

— C'était impensable. Ne serait-ce que parce que sa famille — sa mère — ne l'aurait pas toléré. Chez les Dussault, on ne divorce pas. Si ça ne marche pas, on sauve au moins les apparences.

Le commissaire décroisa les jambes et fit jouer ses doigts comme pour y rétablir la circulation. Il changea également de ton pour questionner :

— Après son départ, quel a été votre emploi du temps?

— J'avais un concert à 21 heures, monsieur le Commissaire! Je suis resté dans ma loge à m'y préparer et à me concentrer.

— Bon! dit Bonetti. Mais ensuite?

— Le concert terminé, j'ai repensé à Jacqueline et j'ai téléphoné à La Chaux-de-Fonds pour savoir si elle était arrivée. Réponse négative. J'ai alors pensé qu'elle était allée dormir à Lugano avant de prendre la route. Ma belle-mère y possède une maison qui est en quelque sorte la nôtre. Je m'y suis rendu, mais elle n'était pas là. Je suis revenu à Bergame.

J'ai parcouru la ville en tous sens. Je suis allé à la gare... Puis je suis retourné à Lugano.

— A quelle heure?

— A 2 heures du matin... 3 heures...

— A 2 ou 3 heures?

— Je ne sais plus, dit Bruno, épuisé.

Il avait la sensation que sa tête était vide, sans souvenirs, sans idées, sans pensées. Mais le commissaire insistait, et il lui fallut répondre encore.

— Ce que j'ai fait ensuite? J'ai essayé de dormir. Sans résultat. A l'aube, j'ai pris un somnifère et j'ai failli ne pas me réveiller à l'heure... Mais j'avais un rendez-vous important et je suis quand même arrivé au théâtre en temps voulu... pour apprendre cette affreuse nouvelle!

— Excusez-moi d'avoir ravivé votre chagrin, monsieur Steinberg, mais j'avais besoin de ces précisions pour mon enquête.

— Je comprends, dit Bruno. Puis-je disposer, maintenant?

— Une dernière question. Votre femme avait-elle une assurance-vie?

— Je pense que oui. Et que j'en suis le bénéficiaire. C'est en tout cas ce qu'elle m'avait dit.

— Je vois, dit le commissaire en se levant de son siège. Je vous remercie. Je ferai mon possible pour hâter les formalités...

Il n'eut pas le loisir de terminer sa phrase, car Alessandra, sans avoir frappé, avait fait irruption dans la pièce et se précipitait vers Bruno.

— Je vous présente Mme Thesis, dit le musicien, en arrêtant l'élan de la jeune femme d'un bras ferme. C'est la fille du signor Ferrari et ma fidèle collaboratrice.

— Enchanté, madame... Commissaire Bonetti, de la préfecture de police de Côme.

— Enchantée, dit Alessandra, d'une voix un peu crispée.

Bonetti s'inclina et sortit.

En bas, il avisa le concierge et lui demanda si la jolie femme qui venait de monter chez le maestro Steinberg venait souvent ici. L'homme joua successivement le stupéfait, le débordé, le discret, mais il n'est pas recommandé au personnel hôtelier de tenir tête à la police : il finit donc par admettre que cette jolie femme venait souvent chez le maestro le jour... la nuit.. oui, également la nuit.

Le commissaire remercia et sortit. Il avait en tête le schéma de toute l'affaire. Il avait commencé à se dessiner quand la fille de Ferrari était entrée dans le salon. Il y a des signes qui ne trompent pas, surtout un fin limier.

Bruno non plus ne s'y était pas trompé. Il avait littéralement *vu* le déclic se faire dans la tête de Bonetti à l'arrivée d'Alessandra – et, dès qu'il fut seul avec elle, il lui reprocha d'être venue.

– Mais je voulais avoir de tes nouvelles, voir si tu n'avais besoin de rien! s'exclama la jeune femme, interdite par l'accueil qui lui était fait.

– Tu ne comprends donc pas que la décence... et la prudence t'interdisaient de venir ici maintenant?

– Va pour la décence, dit Alessandra, pincée, mais la prudence?

– Ce commissaire serait heureux de découvrir que j'ai assassiné Jacqueline.

– Mais tu ne l'as pas assassinée!

– Il aimerait que je l'aie fait. Il croit que je l'ai fait. Il m'a questionné sur l'assurance-vie. J'ai bien dû répondre que j'en étais le bénéficiaire! Puisque c'est la vérité. Encore heureux qu'il n'ait pas songé au testament. Jacqueline m'a répété plusieurs fois qu'elle me laisserait sa fortune.

– Oh! fit Alessandra, contrariée par les soupçons du commissaire, mais aussi déçue par le manque de chaleur de son amant.

– Et maintenant, il te voit entrer ici comme chez toi, alors que je viens justement de lui apprendre que, dans la famille Dussault, on ne divorce pas!

– Tu deviens fou, ma parole!

– Ce n'est pas moi qui le suis. Je n'ai pas tué Jacqueline, mais si le commissaire croit le contraire, il s'acharnera à trouver des motifs et prendra ses présomptions pour des preuves.

– C'est absurde, dit Alessandra. Les faits aussi, ça existe.

– Bien sûr, dit Bruno, avec un soupir. Mais va-t'en, maintenant, ma chérie... Je t'aime, ajouta-t-il pour atténuer la brusquerie de son congé.

Comment ne comprenait-elle pas qu'elle était de trop et que

les sentiments qu'il éprouvait pour elle ne pesaient pas lourd, en ce moment, en face du souvenir de Jacqueline et de leurs longues années de vie heureuse?

Certains jours, Alessandra rentrait dormir au domicile conjugal. Elle détestait Giorgio Thesis pour ce qu'il était : vaniteux, truqueur, paresseux, joueur – on en passe –, mais aussi parce que sa vue lui rappelait qu'une femme comme elle pouvait être aveuglée par l'amour et se conduire comme une idiote. A travers lui, c'est aussi elle-même qu'elle haïssait, la jeune fille stupide et entêtée qu'elle avait été dans un premier temps, l'épouse humiliée et battue qu'elle était devenue ensuite, avant de se libérer et de se réaliser dans l'amour qu'elle portait à Bruno.

Ce soir-là, c'est une espèce de masochisme qui la poussa à rentrer chez elle – comme pour se punir de l'erreur commise en se précipitant sans précaution chez son amant.

Elle y trouva comme souvent son living-room transformé en tripot enfumé. Dieu merci! tout ça n'était plus que du folklore pour elle. Comme si elle n'avait pas vu les joueurs, elle traversa la pièce et se réfugia dans sa chambre. Il y avait longtemps qu'elle en avait fait une pièce à son usage exclusif, et Giorgio affectait de n'y pas mettre les pieds.

Pourtant, il ne tarda pas à l'y rejoindre et, dans son désarroi, elle ne regimba pas. Son mari avait un air bizarre, comme s'il avait secrètement marqué un point sur elle – du moins fut-ce l'impression qu'elle eut.

– Qu'est-ce qui me vaut l'honneur de ta présence ici? demanda-t-il avec arrogance. Ton jules t'a plaquée?

– Non, dit-elle en se détournant. Mais sa femme est morte. On l'a trouvée à l'aube dans le lac de Côme. Noyée. Je suppose que tu t'en balances!

– Sûrement pas! Je me fais du mouron pour toi, mon chou! C'est pas drôle pour la maîtresse d'un homme marié quand sa légitime se suicide. Parce que c'est un suicide, non?

– Oui, dit Alessandra, mal à l'aise.

Elle s'était assise sur le lit et avait allumé une cigarette. Des yeux, elle se mit à chercher un cendrier. Il la devança, lui en posa un sur les genoux et dit, suave :

– Pauvre femme. Je ne l'ai jamais vue, mais j'imagine

comme elle a dû être malheureuse pour se jeter à la flotte... Comme elle a dû souffrir... Moralement, et physiquement : tu sais que la mort par noyade, c'est pas le pied!

— Tais-toi! dit Alessandra d'une voix étouffée.

— Je peux comprendre, mon chou, je peux comprendre ce que tu ressens. La responsabilité... La culpabilité... Pour toi non plus, c'est pas le pied, hein? Mais tu as tort de te faire tant de bile, parce que, au fond, ça va vous arranger, cette mort. Moi, je compte déjà pour du beurre... Plus besoin de vous cacher, désormais.

— Fous le camp!

— A vos ordres, général, fit ironiquement Thesis. T'as raison, les copains m'attendent.

Son épouse lui décocha un regard noir. Cette fois, elle était sûre qu'il arborait un air triomphant.

Quand Bruno arriva au théâtre, le commissaire Bonetti l'attendait dans sa loge. Il s'était assis et lisait, apparemment avec intérêt, le programme complet du festival.

— J'ai une curieuse nouvelle pour vous, maestro, dit-il de but en blanc, sans même se lever de son siège. Vos concierges de Lugano affirment – je les ai fait interroger par un confrère suisse – qu'ils vous ont bien entendu rentrer à 3 heures du matin, mais pas avant.

— La première fois, j'avais laissé ma voiture dans l'avenue, dit Bruno, puisque j'ignorais encore à ce moment si ma femme était chez nous ou non.

— Admettons, dit le commissaire. Mais vous êtes le seul à le prétendre, et je ne suis pas obligé de vous croire. Dans votre emploi du temps, il y a un trou entre la fin du concert – 23 heures – et votre prétendu second retour à Lugano. C'est ennuyeux pour vous, vous vous en rendez bien compte?

Steinberg ne répondit pas. Le commissaire le regarda un moment sans bouger; puis il se leva et sortit.

C'était extra, cette enquête, pensait Bonetti. Tout s'emboîtait merveilleusement. Steinberg avait au moins deux bonnes raisons d'assassiner sa femme : elle refusait de divorcer, alors qu'il en aimait une autre; elle avait contracté une assurance-vie à son profit. Et il bénéficiait en plus d'une circonstance favorable : la pauvre était dépressive, et on penserait immédiatement au suicide.

« On », peut-être, mais pas le commissaire Bonetti. Le commissaire Bonetti avait un sacré feeling et il savait poser – ou faire poser – les bonnes questions. Un entretien qu'il eut avec Thesis renforça ses soupçons : le jeune homme confirma que Bruno et Alessandra avaient une liaison. Il dit que cette liaison était connue d'un si grand nombre de personnes que l'épouse devait forcément être au courant, cela expliquant que la défunte était venue chez lui, Thesis, très montée contre Alessandra et la cherchant partout. Il affirma encore que, pour sa part, l'inconduite de sa femme l'avait détaché d'elle et qu'il lui avait donné à entendre qu'il divorcerait sans faire de difficultés. Donc, le seul obstacle à un remariage étant Jacqueline, un crime à la fois passionnel et bassement sordide était envisageable, se dit le commissaire.

Une autre interview, en revanche, fut un peu moins probante. Giovanni Ferrari, interrogé également, affirma que Bruno Steinberg gagnait depuis au moins dix ans, en tant que chef d'orchestre, des sommes considérables qui le rendaient indépendant de la fortune de sa femme, d'autant que son désintéressement était bien connu.

Mais fallait-il ajouter foi – au moins en ce qui concernait le désintéressement – au père de la maîtresse du suspect, qui affirmait par ailleurs ne rien ignorer de la liaison de sa fille. Il y a des gens qui sont prêts à se parjurer quand il s'agit de défendre leurs enfants... Ferrari avait l'air d'être de cette espèce-là.

Passablement contrarié et inquiet pour Bruno, Ferrari ne put cacher ses appréhensions à sa fille lorsqu'elle arriva au théâtre, et la jeune femme commença à penser que son amant, par sa faute à elle, courait de grands risques.

Quant à Bruno, sa contrariété, sinon son inquiétude, avait pris un tour différent, car il s'apprêtait à affronter une autre situation : un coup de téléphone de La Chaux-de-Fonds lui avait appris que Mme Dussault s'était mise en route pour Lugano. Avec la Jaguar, Michel, Véronique, Nicole et Sophie. Parmi toutes ces femmes, il n'y en avait qu'une qu'il tenait à voir, sa fille, mais il ne pouvait pas, décemment, refouler les autres. Il se rendit donc lui aussi à Lugano.

Le choc eut lieu d'emblée entre lui et sa belle-mère. Véronique, il se contenta de la prendre dans ses bras et de pleurer avec elle – et tout l'essentiel était dit. Mais Constance Dussault ouvrit les hostilités dès que le chauffeur eut arrêté la voiture devant le perron de la villa, d'abord en ignorant ostensiblement son gendre et, plus tard, quand ce genre de manifestation ne fut plus efficace, en l'accusant nettement d'être responsable de la mort de Jacqueline.

Dix minutes avant, en la seule présence de Sophie, elle s'était laissée aller, elle avait craqué, démolie par tous les malheurs qui s'abattaient sur elle : le hold-up, les difficultés financières, sa querelle avec Jean-Claude et, pour finir, ce coup irrémédiable, la mort de sa fille aînée. Mais elle s'était reprise et, fidèle à sa méthode de défense, elle avait décidé d'attaquer.

Elle le fit au moment du repas, en présence de Véronique.

– J'ai tenu à ce que tu sois là, ma chérie, dit-elle, parce que tu n'es plus une enfant et que tu as droit à la vérité. Tout n'a pas été clair dans cette histoire... (Elle se tourna vers Bruno, pointant un doigt vers lui.) En particulier vous, monsieur Steinberg. Vous portez sur vous l'entière responsabilité de la mort de Jacqueline!

Véronique, jusque-là fermée comme une huître, se redressa d'un élan.

– Grand-mère, tu n'as pas le droit de dire des choses pareilles!

Bruno était devenu blême. Sa belle-mère le toisa, puis revint à la jeune fille, le regard plus doux.

– Véronique, reprit-elle, je tiens à t'expliquer les choses telles qu'elles se sont passées.

– Je ne veux pas que tu m'expliques! Je ne te crois pas, grand-mère.

Cette fois, la jeune fille se leva tout à fait et, changeant de siège, alla s'asseoir tout contre son père, qui lui passa un bras autour des épaules et la serra contre lui.

– Belle-maman, dit-il, je vous rappelle que Véronique vient de perdre sa mère et que vous vous conduisez à son égard avec une incroyable cruauté.

– Je ne suis pas cruelle avec elle! Je vous attaque, vous! Et vous ne le supportez pas.

— C'est moi qui ne le supporte pas, grand-mère. Je ne veux pas que tu attaques papa. C'est mon père. Je veux vivre ici avec lui. Et rien de ce que tu peux dire ne me fera changer d'avis.

Mᵐᵉ Dussault accusa le coup. Elle n'avait pas prévu que la jeune fille se montrerait si ferme. Nicole, qui avait l'air d'être au supplice, profita du silence pour intervenir. Elle prit une inspiration et dit :

— Maman, essaie de comprendre. Bruno est le père de Véronique. Elle n'a plus que lui, maintenant. Tes accusations lui déplaisent! Et il est normal qu'elle veuille vivre avec lui.

— Oh toi! dit Mᵐᵉ Dussault, ulcérée.

Ce n'était pas la première fois que Nicole désertait son camp. Déjà, à La Chaux-de-Fonds, avant qu'elles se mettent en route, la jeune femme avait suggéré qu'elle pourrait prendre Véronique en charge, sous-entendant ainsi qu'elle n'estimait pas que sa mère fût une compagne agréable ni une bonne éducatrice pour une fille si jeune. Elle avait été vertement remise à sa place, mais voilà qu'elle revenait à la charge.

— Mêle-toi de ce qui te regarde, reprit la mère. Je doute fort que Véronique veuille sérieusement vivre avec Bruno.

— Mais si, grand-mère, riposta l'adolescente.

— Vous voyez bien, dit le chef d'orchestre. Ma fille veut vivre ici avec moi, vous n'y pouvez rien. Je suis son père.

— Elle ne vivra pas ici avec vous, claironna Mᵐᵉ Dussault. Je mets cette villa en vente. J'y suis contrainte par mes difficultés financières. Et ne le serais-je pas, je ne vois pas pourquoi je vous y laisserais vivre, monsieur, maintenant que ma fille est morte.

Bruno lui lança un regard noir.

— Il y a des milliers de maisons de par le monde, madame, où je peux m'installer avec ma fille et qui ne me rappelleront pas votre visage d'impératrice offensée!

— Bruno! dit Nicole. Toi aussi, modère-toi!

— Pourquoi est-ce que je me modérerais? Je ne fais que commencer. J'ai pour belle-mère une femme qui croit parler au nom de la morale chrétienne, mais c'est une morale rigide, desséchée, dans laquelle elle se drape pour dissimuler qu'elle n'a pas de cœur.

Nicole se leva, excédée. Elle attrapa Véronique par le bras, la força à se lever également et l'entraîna hors de la pièce en disant aux deux autres :

— Vous êtes trop fatigants... Vous êtes inhumains pour cette pauvre petite.

Mais tout à leur dispute, c'est à peine s'ils l'entendirent. Les yeux de Bruno étincelaient de colère; ceux de Constance distillaient la haine.

— Comment osez-vous parler de cœur? dit-elle. Vous qui ne regardiez jamais ma fille!

— C'est elle qui vous a dit ça?

— Oui!

— Ça m'étonne. Elle se plaignait assez de ne jamais pouvoir parler à cœur ouvert avec vous! Parce que vous ne voyiez jamais les choses qu'à travers les lunettes de votre satanée morale!

— Vous mentez, monsieur Steinberg. Jamais ma fille ne se serait permis de dire du mal de moi.

— C'est vous qui mentez, madame Dussault. Votre fille était une malade mentale. A cause de vous. L'éducation que vous lui avez donnée, en étouffant sa spontanéité, l'a marquée à jamais. Vous avez tué votre fille, madame.

— Comment osez-vous!

— Vous avez fait de Jacqueline un être prédisposé au malheur, parfaitement.

— C'est vous qui l'avez rendue malheureuse en la trompant avec n'importe qui!

— Ne parlez donc pas de ce que vous ne connaissez pas.

— Je parlerai de ce qui me plaît. Je sais ce que j'avance. Vous n'avez pas la conscience tranquille et je n'aimerais pas être dans votre peau!

— Que voulez-vous insinuer?

— Rien pour l'instant. J'attends les conclusions de la police.

Cela dit, elle sortit de la pièce, laissant Bruno interdit : elle lui avait remis en mémoire le commissaire Bonetti.

L'après-midi était avancé quand Alessandra se décida. Elle prit sa voiture et se rendit à Côme. Le procureur chargé de l'enquête sur la mort de Jacqueline n'était autre que Carlo Gravina, un vieil ami de son père, qui la connaissait depuis qu'elle était toute petite, et elle ne doutait pas qu'il l'écouterait avec attention. De fait, il la reçut sans attendre. C'était un sexagénaire au haut front intelligent, au regard bienveillant, dont la seule vue lui apporta déjà un peu de réconfort.

— Eh bien, ma petite fille! lui dit-il après l'avoir embrassée paternellement, quel bon vent t'amène?

— Pas un très bon vent, Carlo. On raconte que Bruno Steinberg est suspecté d'avoir assassiné sa femme. Je suis venue vous dire... vous dire que ce que Bruno a raconté au commissaire, ce n'est que des fariboles inventées pour ne pas m'impliquer dans l'affaire.

— T'impliquer, toi, Alessandra?

— Je suis la maîtresse de Bruno, dit-elle. Et la vérité, c'est que nous avons passé la nuit ensemble... la nuit de la mort de Jacqueline. J'aurais préféré ne pas rendre ça public, évidemment, mais si Bruno est accusé faussement...

Gravina parut réfléchir, puis dit :

— Si Steinberg est accusé faussement, tu serais prête à témoigner?

— Oui, naturellement.

— Fort bien. Laisse-moi te poser quelques questions... Vous avez passé la nuit ensemble. Où ça?

— Mais chez moi! dit Alessandra précipitamment. J'étais seule, sûre que mon mari ne rentrerait pas. J'ai fait venir Bruno.

— Parfait! Il est resté toute la nuit?

— Oui.

— Donc, quand il a téléphoné à 4 heures à La Chaux-de-Fonds, c'était de chez toi?

— Ben oui.

— Tu l'as entendu? Tu te souviens de façon précise des mots qu'il a employés?

— Pas de façon précise, non.

Le procureur eut un bon sourire.

— Forcément, tu ne peux pas t'en souvenir. Il n'y a pas eu d'appel à 4 heures. M. Steinberg a appelé à 23 heures, et du théâtre. Ton histoire est fausse, ma petite fille, d'autant plus fausse que les domestiques de ton Bruno ont témoigné qu'il était rentré à 3 heures.

— Bruno n'a pas tué sa femme, Carlo! dit Alessandra en fondant en larmes. Mon histoire est fausse, mais il n'a pas tué.

— S'il est innocent, rassure-toi, il ne lui arrivera rien. C'est beau, l'amour, Alessandra, mais je crois que ta petite intervention ne peut servir à rien, au contraire. Alors, je veux bien la garder pour moi, ce sera mieux.

– Oh! Carlo! dit la jeune femme en se levant.

Un moment, elle demeura à pleurer, le front appuyé à la poitrine du magistrat, qui lui tapotait gentiment l'épaule. Puis elle releva son visage, s'essuya les yeux et se moucha. Il lui promit de surveiller l'enquête de très près. Elle n'était plus une petite fille, comme il aimait à le croire. Elle était une femme avec des problèmes de femme – et elle n'avait pas de mère pour l'aider, pensa-t-il.

En sortant du bureau de Carlo Gravina, Alessandra avait encore les yeux rouges, mais elle ne pleurait plus. Dans le couloir, elle croisa deux personnes qui attirèrent son attention, peut-être parce que la femme – d'une soixantaine d'années, comme le procureur ou son père – affichait une dignité qui confinait à la raideur. Son élégance même, bien que réelle, avait quelque chose d'austère. Elle aussi sembla intéressée par Alessandra et, pendant une demi-seconde, leurs regards demeurèrent accrochés l'un à l'autre.

La fille de Giovanni Ferrari retrouva avec bonheur le soleil de la place au moment même où Constance Dussault et son compagnon Claval, représentant le consul de Suisse, entraient à leur tour chez le procureur.

Carlo Gravina commença par présenter ses condoléances. Il s'exprimait avec beaucoup de déférence, ainsi qu'il se doit avec une femme d'un certain âge, riche et connue comme chef d'entreprise, malheureuse par surcroît.

– Je pense qu'il vous est pénible, madame, d'avoir à faire face aux indispensables formalités et aux lenteurs qui en sont indissociables. Mais je m'efforcerai de réduire tout cela au minimum. Signez ce formulaire, et M. Claval s'occupera du reste. Croyez que je compatis.

Constance Dussault remercia et signa, et le procureur lui assura qu'elle pourrait prendre dès le lendemain toutes les dispositions pour les obsèques. Mais comme elle faisait mine de se lever, il l'arrêta d'un geste.

– J'aimerais vous poser une question, madame. Entre votre fille et son mari, existait-il des problèmes, des tensions?

– Et comment! C'est simple : il ne restait rien de leur

mariage, rien! Mais dans notre milieu, ce sont des choses qu'on n'avoue pas au grand jour.

— Mon Dieu, madame! fit Gravina, surpris par le ton excessif de son interlocutrice. A notre époque, les échecs conjugaux ne sont plus des maladies honteuses!

— Dans notre famille, si, monsieur le Procureur. Et je crains que l'échec n'ait existé dès le début. Il y a longtemps que je suis sûre que Bruno Steinberg n'a épousé ma fille que par intérêt. Il est certain que notre fortune et le milieu dans lequel nous évoluons ont facilité sa carrière. Que dis-je? Aurait-il même fait carrière sans nous?

Le procureur hocha la tête.

Mme Dussault reprit :

— Ma fille l'aimait, monsieur. Elle n'a jamais cessé de l'aimer, malgré les souffrances qu'il lui infligeait en la trompant sans vergogne. C'est ce qui a tué ma malheureuse enfant. Je tiens Bruno Steinberg pour moralement responsable de sa mort.

— Je vois, dit le procureur.

Mais c'était façon de parler : il n'y voyait pas si clair que ça. Il admirait le courage de cette femme, et son caractère, mais il était gêné de la voir accabler son gendre, alors qu'elle n'avait à la bouche que le mot « morale » et qu'elle semblait toujours savoir si bien ce qui se fait et ce qui ne se fait pas. Assurément, elle avait le cœur sec, et cela choquait le procureur Gravina.

A tel point qu'il était prêt à admettre l'innocence du maestro Steinberg, en dépit de la conviction du commissaire Bonetti. Ce n'était pas simple, tout ça.

Le lendemain, Constance Dussault dormit très tard. Sophie, la veille au soir, l'avait dorlotée et persuadée de prendre somnifères et tisanes afin d'obtenir le repos réparateur dont elle avait un besoin urgent.

A l'aube, la demoiselle de compagnie prit le train pour Milan et fit un strict aller et retour, ne sortant même pas de la gare et se contentant d'aller à la consigne automatique sortir de son casier le kangourou en peluche que Marcel Fontaine y avait déposé naguère.

Une sacrée bonne idée qu'avait eue Marcel, de lui remettre

la clé au moment du départ de La Chaux-de-Fonds, et de la charger de cette mission. Une idée superbe. C'était agréable de constater à quel point il avait besoin d'elle. Il était lâche et trouillard, mais, Dieu merci! il avait confiance en elle, et elle était là pour compenser ses manques et tirer le meilleur parti possible des situations.

Elle rentra à Lugano comme Madame émergeait de son sommeil, en sorte qu'elle ne lui manqua nullement.

Bruno et Véronique furent très contents de se retrouver seuls à la table du petit déjeuner.

— Grand-mère a continué à t'engueuler, hier? demanda l'adolescente.

— Si tu veux... mais elle ne me fait pas peur, dit le chef d'orchestre. Elle veut vendre la maison, tu as entendu?

— C'est juste pour nous foutre dehors, dit Véronique avec rancune.

Elle adorait la villa. C'était *sa* maison, celle où se situaient ses meilleurs souvenirs d'enfance. L'idée de ne plus jamais y vivre lui brisait le cœur.

— Ce n'est pas une catastrophe, dit Bruno doucement. Toi et moi, nous pouvons vivre ailleurs. Même à l'hôtel, dans l'immédiat.

Il avait l'air sincère. Véronique se força à dompter sa nostalgie et dit :

— Bien sûr! Du moment qu'on est tous les deux, n'est-ce pas?

Bruno fit à sa fille son merveilleux sourire, et elle se dit que le chagrin causé par la mort de sa mère serait supportable si seulement son père lui faisait souvent de tels sourires.

Quand ils eurent terminé leur repas, il lui proposa de l'emmener à Bergame, au théâtre. Elle accepta sans hésiter, et ils passèrent une matinée agréable, à visiter la salle et la scène tout en parlant musique. Avec Bruno, on pénétrait dans la musique comme dans un temple superbe, même s'il ne faisait qu'en parler.

En fin de matinée, alors qu'ils étaient dans sa loge, causant toujours avec agrément, Alessandra Thesis fit son entrée.

Le maestro la regarda avec une intensité significative et dit très vite :

– Je te présente ma fille, Alessandra.

Puis, s'adressant à Véronique :

– Alessandra est la fille du signor Ferrari, directeur du théâtre. Nous travaillons ensemble : elle est ma *public relations*.

– Enchantée, dit la jeune femme.

– Enchantée, dit Véronique, en écho.

Elles se regardaient, s'observaient, un mince sourire aux lèvres.

– On pourrait déjeuner ensemble, tous les trois, suggéra Bruno.

Alessandra marqua un temps – son regard n'avait pas quitté Véronique –, puis elle dit que non, que ce n'était pas possible, qu'elle avait déjà un engagement.

– Dommage, dit Bruno.

Véronique ne dit rien.

A son réveil, Constance Dussault s'émerveilla d'avoir si bien dormi et de voir à son chevet le plaisant visage de sa fidèle Sophie. Elle déchanta en apprenant que sa petite-fille et son gendre avaient quitté la villa ensemble et prévenu Erminia qu'ils ne rentreraient pas déjeuner.

C'était trop fort! En enfilant son saut-de-lit, elle n'arrêtait pas de fulminer. Mais comme c'était prévisible, elle cessa bientôt de récriminer pour passer à l'action. Elle s'habilla en un temps record et fit prévenir Michel qu'on partait pour Bergame. Ah! Il ferait beau voir que Bruno embobinât Véronique comme il avait embobiné Jacqueline.

Elle emmena Sophie, et c'est cette dernière qu'elle dépêcha à l'intérieur du théâtre lorsque Michel eut arrêté la Jaguar devant l'édifice.

Le portier intercepta la jeune femme et, à sa question, répondit que M. Steinberg n'était pas là : il était sorti un quart d'heure avant en compagnie de sa fille; sans doute serait-il de retour après le déjeuner.

– Je reviendrai, dit Sophie avant de faire demi-tour.

Revenant vers la voiture, elle vit qu'un homme parlait avec sa patronne, à demi penché vers la vitre baissée de la portière. Comme il lui tournait le dos, elle ne pouvait pas voir les traits de son visage, seulement ses cheveux blancs, mais il paraissait de belle prestance. Ne sachant quelle contenance adopter, ne sachant si Mme Dussault désirait ou non sa présence, elle revint à pas lents vers le véhicule, en tendant l'oreille.

— Je n'ai rien à te dire et je ne veux rien savoir, disait la femme.

— Mais alors, Constance, pourquoi es-tu venue?

— Je cherche Véronique, ma petite-fille.

— Bruno l'a emmenée déjeuner. Ils ne seront pas longs. Veux-tu l'attendre dans mon bureau?

— Non, Giovanni. Laisse-moi, je t'en prie.

Sophie, arrivée à hauteur de l'homme aux cheveux blancs, qui s'était redressé et prenait congé, pensa que sa patronne avait pris sa voix d'impératrice offensée; et elle se demanda en quoi pouvait bien consister l'offense. Le dialogue qu'elle venait de surprendre était des plus bizarres, et tout aussi insolite le tutoiement réciproque. Qui donc était cet individu qui appelait Mme Dussault Constance, lui donnait du « tu » et parlait de Steinberg comme d'une connaissance intime? Il serait intéressant de le savoir, pensa encore la jeune femme. Quand on veut faire son chemin dans la vie, plus on en sait, mieux ça vaut.

Elle reprit sa place auprès de sa patronne et lui dit qu'elle ne pouvait que répéter ce que venait de dire « le monsieur ». Mme Dussault la remercia d'une brève inclinaison de tête, et ce fut tout. Sophie n'en saurait pas plus ce jour-là.

7

Bruno avait choisi un restaurant où il était à peu près sûr de ne rencontrer personne de connaissance afin d'être tout entier à Véronique. Malgré ses tracas et son chagrin obsédant, il était heureux, s'émerveillait du bonheur d'être père et de la facilité de ses rapports avec sa fille. Manifestement, depuis le matin, elle était sous le charme, détendue et contente.

Depuis un moment, pourtant, très exactement depuis qu'ils étaient dans le restaurant, l'adolescente s'était rembrunie. Elle l'écoutait toujours disserter sur Mozart et les particularités de sa vie privée, mais elle paraissait moins gaie, moins attentive. Elle avait chipoté son jambon de San Daniele, pourtant exquis, et maintenant, elle regardait sans l'entamer sa roulade d'escalope au jambon.

— A quoi penses-tu, Véronique?

— A maman.

— Bien sûr...

— Ce n'est pas ce que tu crois, papa. Je suis bien avec toi. Tu me racontes formidablement bien des choses formidables. Grâce à toi, je me sens en prise directe avec le monde et c'est merveilleux. Alors, maman, pourquoi tu ne lui parlais pas comme à moi maintenant?

— Mais je le faisais, Véronique! Ta mère et moi, nous n'arrêtions pas de parler, d'échanger nos pensées, nos impressions...

— Ce n'est pas ce qu'elle prétendait, dit lentement la jeune fille. A l'en croire, tu ne lui parlais jamais.

— Elle avait oublié. Depuis sa maladie...

— Sa maladie? Tu veux dire sa dépression?

— Elle *était* malade, dit Bruno. La dépression *est* une maladie.

L'enchantement était dissipé maintenant, il le craignait. Véronique le regardait avec des yeux tristes et interrogateurs. Il reprit :

— Ta mère et moi, nous nous aimions, nous nous parlions, nous étions très heureux, jusqu'au jour où... où elle est tombée malade. Voilà, Véronique. Un jour, elle a cessé de m'écouter, de m'aimer et d'être heureuse, parce qu'elle était névrosée. Elle a cessé d'être en prise avec le monde, pour employer ton expression.

— Ouais, fit Véronique, méditative. Je crois que je comprends... Cette dame, Alessandra... c'est qui, au juste?

Steinberg fronça les sourcils. La question était venue comme un cheveu sur la soupe... à moins que ce ne fût comme un pavé dans la mare? Il soupira imperceptiblement.

— Elle s'appelle Alessandra Thesis. C'est la fille du directeur, Ferrari.

— Et elle est ta *public relations*, je sais. Elle est aussi ta maîtresse?

Le maestro prit un temps. La minute qu'il vivait était lourde de sens, lourde d'avenir.

— Si je te réponds oui..., commença-t-il.

— Je dirai amen. Nous, les jeunes, nous sommes pour la libération sexuelle, tu dois savoir ça...

— Oui, dit il, la voix légèrement étranglée.

— Je ne me permettrai pas de te juger, dit-elle.

Il devrait se contenter de cette réponse, pensa-t-il, et être encore heureux qu'elle soit si raisonnable.

— Je sais ce que tu ressens, dit-il. J'ai beaucoup de chagrin pour ta mère, tu sais...

Elle ne répondit pas. Elle avait trop à faire pour retenir ses larmes.

Giovanni Ferrari arrêta sa voiture devant le palais de justice de Côme. La convocation de son vieil ami Gravina l'intriguait, bien qu'il sût que le procureur était chargé de l'affaire Steinberg et qu'il eût déjà été interrogé sur cette affaire.

D'une certaine manière, il était heureux de cette convocation : il avait la certitude qu'il convaincrait plus aisément de l'innocence de Bruno un homme de son âge, et employant le même langage que lui, que ce technocrate envieux de Bonetti.

Mais, à sa surprise, ce n'était pas pour savoir ce qu'il pensait de Steinberg que Gravina l'avait fait venir. Certes, il l'écouta prendre la défense de Bruno, mais il ne s'attarda pas à cela.

— Giovanni, dit-il, c'est de ta fille que je veux te parler.

— Alessandra?

— Alessandra. Je trouve qu'elle a encore embelli depuis la dernière fois.

— Tu l'as vue récemment?

— Pas plus tard qu'hier. C'est elle qui a demandé à me voir. Elle voulait me dire que Bruno Steinberg avait passé avec elle la nuit où sa femme a trouvé la mort.

— Elle ne m'a rien dit de ça! dit le père, stupéfait.

— Sans doute parce qu'elle l'a inventé à mon intention.

— Tu t'es aperçu que c'était un mensonge! dit Ferrari, le visage tout plissé d'inquiétude.

— Oui, fit Gravina. Elle voulait tout simplement fournir un alibi à Steinberg.

— Mais c'est un faux témoignage! Ça va l'entraîner loin!

— C'est resté entre nous, rassure-toi. Mais mets-la en garde : n'importe qui d'autre que moi ne l'aurait pas loupée!

— J'imagine, dit Ferrari, avec un soupir de soulagement.

Il allait se lever pour partir quand le procureur lui posa une autre question :

— Jacqueline Steinberg, tu la connaissais?

— Très peu. Mais je sais que c'était une malade, une névrosée. Pratiquement en état de dépression continue depuis plusieurs années.

— C'est Steinberg qui te l'avait dit?

— Pas seulement lui, mais des musiciens qui l'ont bien connue, et mon ami Müller, qui est son médecin.

— Susceptible de s'être suicidée?

— Je pense que oui, dit Ferrari après un court silence.

Il regarda son ami et crut lire sur son visage qu'il partageait son opinion. Il s'en réjouit et se prit à espérer que Bruno serait bientôt lavé de tout soupçon.

116

A Bergame, pourtant, au Grand Hôtel, Bruno se trouvait de nouveau aux prises avec Bonetti.

Il était comme un chien qui ne lâcherait son os pour rien au monde, le commissaire Bonetti. Tapi dans un recoin du hall, il avait attendu patiemment que le maestro revienne de sa répétition, fatigué et déconcentré, vulnérable.

A sa surprise, ce n'est pas la belle poule aux cheveux noirs, la Thesis, qui l'accompagnait, mais une fille encore plus jeune, à peine majeure, si toutefois elle l'était. Quand le commissaire était monté et s'était fait recevoir dans sa suite, Steinberg l'avait présentée avec une nuance de défi :

— Ma fille, Véronique, commissaire...

— Enchanté, dit le policier.

La jeune fille le regardait fixement, affolée, semblait-il, et se demandant évidemment ce qu'il venait faire.

— J'aimerais parler seul à seul avec votre papa.

— Va dans ma chambre, ma chérie. Le commissaire n'en a pas pour longtemps, il doit juste me faire signer des papiers.

Et Véronique avait quitté le salon.

Bonetti attaqua tout de suite.

— Le médecin légiste a livré son rapport d'autopsie. Votre femme est décédée par noyade. Ce qui signifie qu'elle vivait encore au moment de sa chute dans l'eau.

— Vous voulez dire qu'elle s'est noyée? demanda Bruno.

— C'est ça, dit calmement le commissaire, qui ajouta, après un temps : Elle s'est noyée ou on l'a noyée.

— Mais pourquoi l'aurait-on noyée? Et qui? s'écria Bruno. Votre enquête vous a fourni des éléments?

— Non, dit le commissaire, mais l'expérience m'a appris à me méfier des apparences. Ça fait partie de mon métier. Il y a des hypothèses que je ne peux pas écarter sans les vérifier.

En d'autres circonstances, Bruno se fût diverti du charabia du commissaire, mais, en l'occurrence, il sentit un frisson lui parcourir l'échine.

— Quelles hypothèses? demanda-t-il d'un ton qui se voulait dégagé.

— Celle-ci, par exemple : y a-t-il des personnes à qui profite la mort de Jacqueline Steinberg? J'en ai trouvé une : vous, maestro! Une grosse assurance-vie. Sans doute un héritage. Et la liberté de vous remarier!

— Ne m'avez-vous pas dit que vous vous méfiiez des apparences?

— Ce n'est pas une raison pour ne pas en tenir compte. Dans votre cas, vous n'avez pas d'alibi. Rien ne pourra m'empêcher de penser que vous êtes parti du théâtre pour rejoindre votre femme, la tuer et rentrer ensuite tranquillement à Lugano.

— C'est absurde, commissaire. Je croyais ma femme en route pour La Chaux-de-Fonds.

— Vous êtes le seul à l'affirmer. Ce peut être une pure invention de votre part.

— Ça va, dit Bruno. Arrêtez-moi! On verra bien qui se couvrira de ridicule...

La porte de la chambre s'ouvrit avec fracas, et Véronique fit irruption.

— Monsieur le commissaire, dit-elle d'une voix haletante, maman s'est suicidée. Je le sais. J'en suis sûre.

— Mais, Véronique..., commença Bruno.

— Oh papa! dit-elle d'une voix brisée par les sanglots. Papa, je ne te l'ai jamais dit, mais maman avait déjà tenté une fois de se suicider. A Davos, quand nous y étions seules toutes les deux l'hiver dernier. Elle a avalé un tube entier de barbituriques. Je m'en suis aperçue à temps et le médecin a réussi à la sauver. Quand elle s'est réveillée, avant même d'avoir repris complètement ses esprits, elle a dit : « Je recommencerai. » Mais plus tard, mes cajoleries aidant, elle a paru heureuse de se retrouver en vie. Elle m'a fait promettre de ne rien dire à personne, et j'ai tenu ma promesse jusqu'à maintenant. Je... j'avais peur d'y penser... J'ai peut-être eu tort.

— Elle avait dit qu'elle recommencerait? demanda le commissaire, visiblement troublé.

Véronique fit oui de la tête, le visage ruisselant de larmes, puis, avec effort :

— Le médecin de Davos était présent, dit-elle. Vous pourriez sûrement l'interroger. Je suis sûre qu'elle s'est suicidée. Je le sens, je le sais, je l'ai toujours craint...

Le commissaire eut un air indéfinissable, comme s'il était déçu.

— J'aviserai, dit-il seulement.

Il sortit de la pièce sans ajouter un mot, ayant seulement levé deux doigts en guise de salut.

Toujours sanglotante, Véronique se jeta dans les bras de son père.

Le surlendemain, le procureur Gravina réunit dans son bureau Claval, Mme Dussault et Bruno Steinberg. Il leur annonça que l'enquête était close, le médecin légiste ayant rapporté que la mort de Jacqueline était survenue par noyade et tous les éléments de l'enquête – les témoignages du docteur Müller, de Lugano, et du docteur Bertrand, de Davos, notamment – accréditant la thèse d'un suicide.

Au mot « suicide », Constance Dussault sursauta. Arrêtant d'un geste le procureur qui se préparait à passer à un autre point de sa communication, elle dit :

– Monsieur le Procureur, serait-il possible d'inscrire sur l'acte de décès les termes « mort accidentelle » plutôt que « suicide »?

– Ça ne me paraît pas régulier, madame.

– Comment ça! dit Constance. Comment pouvez-vous être tellement affirmatif, monsieur le Procureur? Vous dites que ma fille s'est suicidée. Mais qui peut prouver qu'elle n'est pas tombée *accidentellement* dans le lac? Qui?

« Jacqueline nageait comme un poisson et sa mère le sait », se dit Bruno Steinberg dans son for intérieur; mais il se garda bien d'en faire mention. Il était lavé de tout soupçon, ça lui paraissait l'essentiel, et il se garderait bien de mettre l'accent sur la lubie de sa belle-mère – car, pour lui, il ne pouvait s'agir que d'une lubie, d'un souci ridicule d'appliquer une morale des apparences. Suicide, aux yeux de Constance, signifiait déshonneur, il ne fallait donc pas qu'une trace écrite donnât à penser que Jacqueline s'était suicidée. La vie de la pauvre défunte se terminait dans le même climat qui avait commencé à la faire dévier : dans l'hypocrisie. C'était triste à pleurer.

Carlo Gravina, finalement, accéda au désir de la vieille dame, non sans réticence d'ailleurs, après quoi il sortit les objets qu'on avait retrouvés sur le cadavre : quelques bijoux, un mouchoir, un tube dans lequel les pilules avaient fondu...

– Et son étui à cigarettes? demanda Bruno. Un étui en or. C'est moi qui le lui avais offert, ses initiales y étaient gravées. Elle ne s'en séparait jamais. Elle le gardait constamment dans sa poche. Je pense qu'elle n'avait que des vêtements à poches, afin de pouvoir garder cet étui sur elle.

Mme Dussault jeta un regard ironique à son gendre. C'était bien de lui d'attirer l'attention sur ce fétichisme!

— Il a pu couler dans le lac, dit le procureur. Je prends note. Soyez sûr que, si on le retrouve, on vous en avisera.

— Quand nous nous sommes séparés pour la dernière fois, dit Bruno, de l'air de quelqu'un à qui un souvenir revient, je l'ai vu qui dépassait de sa poche.

— Raison de plus pour qu'il ait glissé dans le lac au moment de la noyade, dit le procureur.

— Oui, admit Bruno, pas entièrement convaincu.

Jacqueline fut inhumée dans le caveau de la famille, à un jet de pierre du château des Monts, en présence des siens, des amis intimes et de la population du village.

Bruno et Véronique se tenaient un peu à l'écart des autres, et ils s'esquivèrent, sans attendre les condoléances, dès que la cérémonie fut terminée. Une connivence s'était établie entre eux depuis la journée passée tête à tête, et surtout depuis que la jeune fille avait mis, en quelque sorte, un point final à l'enquête de l'insidieux Bonetti.

A la grille du cimetière, Bruno dit :

— Alors, tu es tout à fait décidée?

— Tout à fait.

— On s'en va tout de suite?

— On s'en va tout de suite.

La voiture du chef d'orchestre était garée dehors, près de l'entrée du cimetière. Ils y grimpèrent et s'en allèrent sans un au revoir à personne.

Mme Dussault, qui serrait des mains près du caveau encore ouvert, entendit le bruit de la voiture qui démarrait. Cependant que ses lèvres murmuraient des mercis machinaux, son regard vif se porta à droite et à gauche afin de voir qui manquait. Quand elle fut certaine que Véronique n'était plus dans les parages, elle crut que le cœur allait lui manquer; mais elle se ressaisit et, cachant ses souffrances sous un sourire ténu, continua d'accepter les embrassades et les paroles compatissantes.

Une femme, cependant, n'était pas venue défiler avec les

autres. Elle avait des allures paysannes, un visage rond et des cheveux ramassés sur le dessus de la tête en un drôle de petit chignon. Des larmes incoercibles coulaient sur ses joues pleines, cependant que, de loin, elle observait les rites funèbres, et elle s'en fut discrètement avant que les intimes se missent en branle pour accompagner chez elle la mère éplorée.

Celle-ci éprouva un nouveau choc lorsque, sur le point d'entrer dans sa chère vieille maison, elle vit l'inconnue qui l'attendait. Prestement, confiant à Nicole le soin de faire les honneurs, elle entraîna la femme à l'intérieur en disant, sur un ton de reproche :

— Marianne!... Tu n'aurais pas dû!

— Oh! Madame, ça a été plus fort que moi : je n'aurais pas pu laisser partir mademoiselle Jacqueline sans lui dire adieu. Pauvre, pauvre mademoiselle Jacqueline!

— Tu te rends compte, Marianne, tu te rends compte de ce qui nous arrive?

Les deux femmes se trouvaient maintenant dans un petit salon, à l'écart des pièces de réception d'où parvenait un murmure confus, et elles s'étreignaient en pleurant — deux femmes pleurant sur leur jeunesse enfuie en même temps que sur la défunte.

— Elle était si mignonne, Madame, si confiante... C'est moi qui l'ai élevée, n'est-ce pas, elle avait une telle confiance en moi...

— Tais-toi, dit l'autre, sourdement.

Dans le grand salon, deux domestiques circulaient, offrant des rafraîchissements, et les familiers de Mme Dussault se groupaient, comme ils s'étaient groupés naguère, à La Chaux-de-Fonds, le jour glorieux de la présentation de la collection. Qui eût imaginé, ce jour-là, que tant de catastrophes se préparaient!

C'est ce que disait justement le joaillier Galli au banquier Fussli. Galli était sincèrement peiné pour sa vieille amie et associée.

— Oh! J'ai peur, dit-il pensivement, j'ai bien peur que cette épreuve ne soit trop lourde pour Mme Dussault. Je ne sais pas si elle s'en remettra.

Le banquier but une gorgée de whisky.

— Il le faudrait bien, pourtant, dit-il. L'avenir de l'entreprise...

— ... Dépend d'elle, dit Galli. Je le sais.

— Remarquez, dit Fussli, pour ce qui est de l'immédiat, le prestige de la maison Dussault-Pontin lui sert de moteur, mais le prestige ne peut suffire longtemps. Si Mme Dussault n'est plus en état d'assumer la direction de l'entreprise, M. Fontaine fera tout pour l'en évincer, et alors...

— Je sais, dit Galli. Et croyez bien que cette perspective ne compte pas peu dans le souci que je me fais pour elle.

— Je me l'imagine, dit distraitement Fussli, dont la préoccupation immédiate devenait maintenant d'aborder Jean-Claude et de le sonder sur ses intentions.

Il avait engagé beaucoup de capitaux, il avait besoin de savoir, d'avoir des certitudes. On ne fait pas des affaires avec des sentiments et de la compassion.

— C'était une petite fille toujours prête à rire, gémit Marianne. Elle faisait des farces, elle se déguisait. Vous vous souvenez comme elle était gaie?

— Tais-toi, répéta Constance Dussault.

Dans sa tête, les images d'une adolescente tourmentée et morose avaient effacé celles de la petite fille rieuse. Pourquoi fallait-il que Marianne fût venue raviver des souvenirs importuns et faire mal? Elle dit encore :

— Tu n'aurais pas dû venir, Marianne! Tu avais fait le serment de ne jamais revenir ici, ni à La Chaux-de-Fonds.

— Il ne faut pas m'en vouloir, Madame. C'est parce que je l'aimais tellement. Comme j'aurais aimé ma propre fille.

Constance renonça, au prix d'un grand effort, à faire taire la femme. Elle se borna à dire :

— Je sais que tes sentiments sont honnêtes, Marianne. Mais il faut que tu partes, maintenant. Personne ne t'a vue. Je préfère que personne ne te voie... Sors par-derrière.

Du regard, Nicole Fontaine s'assura que chaque assistant avait quelque chose à boire. Elle était à bout et écœurée parce qu'ils étaient tous à parler de leurs affaires et qu'elle était probablement la seule de l'assemblée à pleurer la jeune morte qu'on venait d'enterrer. Pour une fois – car elle n'était pas sans éprouver souvent une vague jalousie à son égard –, elle se réjouit de la présence de Sophie : la demoiselle de compagnie faisait les honneurs avec autant de compétence que de plaisir. Elle s'évada dans le parc.

Pierre Savagnier s'y trouvait, fumant une cigarette.

– Madame Fontaine, dit-il, permettez-moi de vous dire que je suis sincèrement désolé pour vous. Perdre sa sœur doit être une terrible épreuve.

– Merci, monsieur Savagnier, vos paroles me font du bien.

– Si ma présence vous importune, n'hésitez pas à me le dire. J'ai des scrupules à être ici. Je ne connaissais même pas votre sœur. C'est votre mari qui...

– Je suis heureuse de votre présence, monsieur. Nos « vieux amis » ne parlent que de leurs intérêts...

– Je sais, je les ai entendus. Et c'est pourquoi j'ai désiré venir respirer un peu d'air frais, dit Pierre.

Nicole se tourna vers lui et lui sourit avec reconnaissance. Sans s'être concertés, ils se mirent à marcher et s'éloignèrent de la maison.

Sophie était à son affaire. Elle jouait à la maîtresse de maison et estimait qu'elle s'en tirait à merveille. C'était bien d'être riche. C'était le seul bien. Et le meilleur jeu dans la vie consistait à dépouiller ses ennemis et à jouir de leurs dépouilles. Un jour, à ce jeu-là, elle gagnerait.

Elle sortit du salon pour donner un ordre aux serveurs... et tomba dans les bras de Marcel, qui la guettait et lui avait fait un croc-en-jambe.

– Tu es fou! dit-elle en le repoussant.

– Je me languis de toi, ma jolie, tu ne me dis rien...

– Sans doute n'ai-je rien à te dire, fit-elle en lui tapant sur les doigts pour l'obliger à lâcher prise.

Elle s'en alla vers la cuisine, remplit de café une tasse, qu'elle disposa sur un plateau. Au moment où elle était entrée dans la pièce, quelqu'un en sortait par une porte donnant sur le parc. C'était une femme qu'elle ne connaissait pas, l'air d'une paysanne, avec un drôle de chignon sur l'arrière du crâne. Une femme du village? Plus probablement une parente d'un des serveurs venue grappiller quelques sandwiches. Ces choses-là arrivent fréquemment, et Sophie cessa d'y penser dans la seconde qui suivit.

Le plateau à la main, elle se dirigea vers le petit salon, presque sûre d'y trouver Madame, dont c'était la pièce favorite.

Effectivement, sur un guéridon se trouvaient son sac, le chapeau et les gants noirs qu'elle portait à l'enterrement. Mais de patronne, point. Sophie, dépitée, allait sortir de la pièce quand elle vit, entre le guéridon et le canapé, Constance Dussault étendue sur le sol, inanimée.

Elle eut un frémissement intérieur à l'idée qu'une nouvelle catastrophe frappait la famille, puis, posant son plateau, se mit à crier à la cantonade :

– Au secours... Au secours!... Madame...!

Pierre Savagnier et Nicole Fontaine répondirent les premiers à l'appel de Sophie, et ensuite Jean-Claude. Ils accoururent et aidèrent la jeune femme à porter Mme Dussault dans son lit. A peine s'y trouvait-elle qu'elle reprit ses esprits.

– Maman, que s'est-il passé? demanda Nicole.

– Mais je n'en sais rien! Pourquoi suis-je ici?

– Vous avez eu un malaise, belle-maman, dit Jean-Claude. Sophie vous a trouvée évanouie. Vous avez appelé le médecin, Sophie?

– Tout de suite, dit la jeune fille.

Elle passa dans la pièce voisine, où il y avait un appareil et d'où elle appela le docteur Canivet, un vieil ami de la famille.

– Enfin, je te coince, dit Marcel quand elle eut terminé.

Elle ne l'avait pas entendu entrer et elle sursauta quand il se colla à elle.

– Bas les pattes, dit-elle. La vieille ne va pas bien. Elle est tombée en syncope.

– C'est pas une raison pour me fuir. Que se passe-t-il, Sophie?

– Je viens de te le dire. J'ai appelé le docteur.

– Je veux parler des diamants. Où sont-ils?

– En lieu sûr, Marcel. Et plus brillants que jamais.

– J'ai besoin de savoir, Sophie.

– Tu choisis bien le moment et le lieu! Retourne au salon. Tu as un devoir de présence à remplir.

Marcel s'éloigna en bougonnant. Il avait peur, tout le temps peur. Il ne se relaxait un peu que près, tout près de Sophie. Elle était son recours et sa force, bien qu'elle l'effrayât quelquefois, elle aussi.

En pénétrant dans le salon où s'épaississait la fumée des cigares, il vit Jean-Claude en grande conversation avec Carlo Galli, et il sentit la peau de son torse se hérisser : il éprouvait une crainte maladive de Galli plus que de tout autre. Aussi lentement qu'il le put, il s'approcha des deux hommes. Son frère l'apostropha :

– Écoute ce que vient de me dire M. Galli, Marcel. C'est inespéré. On aurait des renseignements précis sur la collection volée. Tu entends?

– Oui, dit Marcel, le visage figé. Et ces renseignements proviennent d'une source sûre?

– Oui, dit Galli. « Parallèle », mais ultra-sûre. En fait, je crois pouvoir affirmer que les montres devraient être récupérées sans trop de difficulté.

– Ça alors, dit Marcel d'une voix grêle, vous m'épatez, Galli!

– Tu ne sautes pas de joie? dit Jean-Claude. Tu vas pouvoir recontacter tes princes d'Orient! Mais, parole, on dirait que ça ne te fait pas plaisir!...

– Bien sûr que ça me fait plaisir, articula Marcel. Mais, excusez-moi... Je viens d'apprendre que Mme Dussault a eu un malaise... Je suis encore sous le coup...

– Je la quitte, elle va bien, dit Jean-Claude. Et la nouvelle de Galli...

Mais son frère avait disparu.

Il était ressorti du salon en trombe et s'était remis en quête de Sophie.

Elle était encore près du téléphone, buvant sans hâte une tasse de café.

– Encore! dit-elle avec impatience. Tu tiens à ce que tout le monde se doute que nous couchons ensemble?

– Il faut que je te parle, haleta-t-il.

125

— Tu peux me parler sans me peloter, dit-elle en écartant le bras qu'il avait posé sur elle.

— Te toucher me réconforte.

— C'est gentil de le dire, mais imprudent de le faire. Raconte, plutôt.

Il rapporta ce qu'il venait d'apprendre. Il était terrorisé. Quand on s'apercevrait que les pierres étaient fausses, on remonterait sans peine jusqu'à lui, et il serait jeté dans un cul-de-basse-fosse.

— Il faut qu'on se taille, Sophie! Qu'on se taille tous les deux tout de suite.

— Ne t'emballe donc pas! Faut qu'on réfléchisse calmement. Voyons, voyons... Admettons qu'ils retrouvent les bijoux, c'est dans le domaine des choses possibles... Mais avant qu'ils découvrent que c'est toi qui as pris les vraies pierres, beaucoup d'eau aura passé sous les ponts, comme dirait Madame... A propos de Madame, faut que je retourne près d'elle. Toi, va près des autres et garde ton sang-froid, pour l'amour du ciel!

— Oui, Sophie, dit-il, l'air penaud.

Avant de le quitter, elle lui colla un petit baiser sur la joue, et il eut le regard heureux d'un chien à qui on vient de donner un sucre.

Sophie, pour sa part, retourna au chevet de sa patronne. Le docteur Canivet était auprès d'elle, en train de lui dégager le bras de son tensiomètre. Il eut une petite moue.

— Vous avez fait une brusque chute de tension, madame. Elle est remontée maintenant, mais pas encore bien fameuse. Je vais vous faire une ordonnance. Il faudra la suivre rigoureusement, éviter les excès, les fatigues, les chocs émotionnels et les coups de colère.

— Sophie y veillera, docteur. C'est une jeune fille sur qui on peut compter en toute circonstance.

Nicole ne put s'empêcher de se mordre les lèvres. Si sa mère avait été avec ses filles moitié aussi gentille qu'elle l'était avec Sophie, qui sait si Jacqueline ne serait pas toujours en vie!... Mais, à sa surprise, elle sentit la main de Constance s'approcher de la sienne et la serrer avec force.

— Ça va, maman? demanda-t-elle.

— Ça va. J'ai de la chance de t'avoir auprès de moi.

Pour un peu, Nicole aurait éclaté en sanglots. Les gens

avares de tendresse, le moindre mot gentil venant d'eux est tout bonnement chavirant. Elle vit que les yeux maternels étaient remplis de larmes, et elle sut que Constance aussi avait un cœur, même s'il était cuirassé de préjugés, de raideur morale et d'orgueil.

Bruno et Véronique venaient de dépasser Neuchâtel lorsque la jeune fille se mit à sangloter. Bruno ralentit, tout en posant sa main sur son épaule.

— Ça ne va pas? demanda-t-il.

— Je crois que je fais une bêtise, dit-elle. Pas vraiment une bêtise... disons : une méchanceté.

Bruno rangea sa voiture sur le bas-côté de la route.

— Explique-toi!

— C'est méchant d'être partie ainsi, sans réfléchir et sans même le dire. Je... c'est quand même ma grand-mère, non?

Bruno demeura muet. Il ne voulait pas peser sur le jugement de sa fille... et lui-même avait réfléchi en chemin : était-il assez mûr, assez disponible pour assumer au mieux sa paternité? Il en doutait, maintenant, et ressentait avec acuité que son désir de l'avoir auprès de lui n'avait d'égal que son appréhension.

— Je crois, dit lentement Véronique, que grand-mère a plus besoin de moi que toi. Elle a perdu sa fille, peut-être que je peux être pour elle une fille de remplacement, non?

Bruno se demanda si cela signifiait que lui, s'il avait perdu une épouse, en avait déjà une de remplacement, mais un coup d'œil lancé à Véronique le convainquit qu'elle n'avait pas tant de malice, qu'elle voulait simplement faire pour le mieux.

— Tu veux que je te ramène là-bas? demanda-t-il.

— Si ça ne te fait rien, papa.

— Ça me fait quelque chose, dit-il, mais je te comprends.

Il remit sa voiture en marche et lui fit faire demi-tour.

Le retour de sa petite-fille et sa présence affectueuse furent sans doute plus efficaces que les drogues du docteur Canivet dans le rétablissement de la santé de Mme Dussault.

Ce qui fut aussi bien, car l'ouverture du testament de Jacqueline, quelques jours plus tard, en présence du mari de la défunte revenu en Suisse pour la circonstance, provoqua chez elle une crise de fureur mémorable, sans pour autant la faire tomber en pâmoison.

Le testament était simple. Jacqueline avait légué à Bruno toute la part disponible de ses biens, et donné au même Bruno l'administration de la part de Véronique. Comme une bonne partie de cette fortune consistait en actions de Dussault-Pontin (très exactement un tiers de la totalité de ces actions), Bruno devenait d'une certaine façon maître des destinées de la firme; et étant donné la piètre opinion qu'elle avait du chef d'orchestre, Constance ne pouvait que craindre le pire.

Elle avait tort. Bruno ne songeait pas à lui nuire, au contraire. Son héritage l'embarrassait plus qu'il ne l'enchantait. Il n'avait ni don ni goût pour les affaires. Et il avait mauvaise conscience. S'il contestait à sa belle-mère le droit de prétendre qu'il n'avait pas aimé sa femme et ne l'avait épousée que par intérêt, il continuait de se reprocher de l'avoir laissée partir seule le jour de sa mort. De cela, il se sentait coupable, et c'était bien suffisant pour qu'il se sentît également redevable envers sa belle-mère d'une quelconque compensation morale.

Mais elle était trop entière, trop braquée contre lui pour percevoir cette disposition et essayer d'en tirer avantage. Quand la réunion fut terminée, elle quitta la salle de conseil où elle s'était tenue, en ignorant ostensiblement le chef d'orchestre.

Cela n'échappa pas à Jean-Claude. Il prit son beau-frère par l'épaule et l'entraîna dans son bureau.

— Tu as l'air contrarié, dit-il. Pour un héritier, tu tires une drôle de tête. A ta place, moi je...

Bruno se laissa tomber sur un siège.

— Je n'y tenais pas, à cet héritage. Je ne saurai pas le gérer, et ma belle-mère a l'air de penser que je l'ai capté.

— Ça t'étonne d'elle? Elle est mauvaise et voit le mal partout. Toi et moi, elle nous déteste, dit sarcastiquement Jean-Claude. Elle n'est pas facile, je te le jure. Tellement intransigeante!

— Je me mets à sa place, dit Bruno en secouant la tête. Elle vient de perdre sa fille. Elle me croit responsable de sa mort et elle m'en veut! Elle ne sait pas que moi aussi, je m'en veux. Vis-à-vis de Jacqueline, et vis-à-vis d'elle. Ah! si seulement je pouvais réparer d'une manière ou d'une autre...!

128

Jean-Claude posa sa main avec compassion sur l'épaule de son beau-frère. Il venait de se rendre compte à temps que la tactique qu'il avait prévue n'était pas la bonne.

— Tu as tort de culpabiliser, dit-il doucement. Jusqu'à nouvel ordre, les suicidés sont quand même responsables de leur suicide! Mais je te comprends : on ne commande pas à ses sentiments.

Bruno sourit mélancoliquement. Dans l'état où il se trouvait, la sympathie témoignée par Jean-Claude lui était précieuse.

— Merci, dit-il. J'aimerais que belle-maman me comprenne aussi bien que toi et cesse de m'en vouloir.

Fontaine se redressa et dit rêveusement :

— D'une certaine façon, ça ne tient qu'à toi. Notre belle-mère a l'esprit troublé par tous les malheurs qui viennent de l'accabler, et son caractère sans nuances fait le reste. Elle ne s'aperçoit pas qu'elle court à la ruine.

— Elle court à la ruine? Vraiment? Mais c'est consternant!

— Moi, j'ai une solution à ses embarras financiers, reprit Jean-Claude avec plus de vivacité. J'ai un plan de restructuration pour la maison. J'ai tout pensé, de A à Z. J'ai des associés, un ingénieur top niveau : de quoi régénérer Dussault-Pontin, l'empêcher de sombrer et l'emmener vers de nouvelles hautes destinées.

Jean-Claude parlait maintenant avec fougue. Certes, un de ses désirs était de l'emporter sur Constance Dussault; mais il avait également la conviction absolue de l'excellence de son plan. Bruno fut impressionné par son ton enthousiaste.

— Mais alors, demanda-t-il, que se passe-t-il?

— Notre belle-mère, à cause de ses chagrins récents, comme je viens de te le dire, veut se cramponner au passé et récuse mon plan. Elle ne l'admettra que quand je l'aurai mené à bien malgré elle.

— Pauvre femme, murmura Bruno.

Jean-Claude le regarda un moment pensivement avant de frapper son grand coup.

— J'aimerais t'exposer ça plus en détail, dit-il. Je suis sûr que tu partagerais mes vues.

— J'en suis sûr aussi! dit le musicien, précipitamment, tant était grande son horreur des discussions d'affaires.

– C'est que, dit Jean-Claude, j'ai besoin de ton appui et je ne voudrais pas que tu me reproches...

– Je te le donne sans réserve si tu crois qu'il bénéficiera à notre belle-mère.

– Bruno, nous allons faire son bonheur, je te le jure! Il suffit que tu me signes cette procuration...

Avec un sourire, Bruno prit le stylo que lui tendait l'autre.

Le surlendemain, flanqué de son adjoint Pierre Savagnier, Jean-Claude rencontra Herr Shurer.

Savagnier exposa dans ses grandes lignes l'aspect technique du problème : il pouvait mettre rapidement en opération la nouvelle ligne de production grâce à laquelle seraient fabriqués deux millions de mouvements par an, quatre millions si on doublait l'horaire, six millions si l'usine tournait vingt-quatre heures sur vingt-quatre.

Quand il eut terminé, Jean-Claude prit la parole. Il était optimiste, bien que la situation de Dussault-Pontin ne fût pas très brillante. Il suffirait à Shurer de garantir les dettes de l'entreprise – sans décaisser un centime d'argent frais – pour que la nouvelle fabrication démarre à la date prévue, en échange de quoi les Allemands participeraient de façon substantielle aux bénéfices. Des rapports détaillés établissaient cela noir sur blanc, et Shurer en prit connaissance.

– Fort bien, conclut-il, voilà enfin un tableau complet de la situation. Je pense que nous pourrions signer la semaine prochaine... Mais dites-moi... J'ai cru comprendre, lors de précédentes conversations, que le conseil d'administration pourrait ne pas faire l'unanimité sur notre projet commun...

– C'était avant, dit Jean-Claude. Désormais, j'aurai une majorité confortable, très confortable.

Il fit un large sourire à l'Allemand.

Dans sa poche, il tâtait avec satisfaction la procuration de Bruno. Il y avait longtemps qu'il n'avait pas éprouvé un tel sentiment de liberté.

Sophie n'entendait pas demeurer inactive. Munie de la recommandation d'un ami, elle prit contact avec le banquier

Kruger, homme qui ne fut sans doute pas insensible à son charme discret et à son air d'honnêteté modeste.

Elle expliqua qu'elle venait d'hériter d'une vieille tante décédée en Belgique. Elle désirait convertir l'argent de ce legs.

— En argent suisse? demanda le banquier.

— Non, dit Sophie. J'ai pensé à des actions au porteur.

— C'est tout à fait possible, dit le banquier. Quel est le montant de la somme que vous désirez investir.

— Un million, dit Sophie.

— De francs belges?

— Non, de dollars! Enfin, approximativement...

Kruger eut un fin sourire, destiné à masquer sa surprise.

— Toutes les transactions sont possibles, mademoiselle. Mon confrère, le directeur de notre filiale à Anvers, se fera un plaisir de régler cela au mieux. Il s'appelle Pauwels. Il téléphonera quand il sera en mesure de vous soumettre un pro...

— Inutile, c'est moi qui l'appellerai quand je serai arrivée à Anvers. Je vous remercie infiniment, monsieur Kruger.

Le lendemain, elle se rendit chez Marcel avec le kangourou en peluche. Elle fit deux tas avec les pierres qui se trouvaient dedans : les diamants d'une part, les pierres de couleur de l'autre. Elle ramassa les diamants et les mit dans un sac en peau de chamois.

— Moi, je m'occupe de ça, dit-elle. Et toi du reste. Je pars pour Anvers ce soir, j'ai trouvé un acheteur. Tu vas bien te débrouiller pour fourguer les émeraudes et les rubis?

Marcel la regarda, interloqué.

— Ben quoi? dit-elle. Tu as peur. Tu prétends qu'on pourrait te soupçonner. Alors, je prends le plus délicat! Il y aura des frontières à passer. Faudra faire attention à ne pas se faire rouler par les plus fameux diamantaires du monde!

— Je sais, dit-il. Tu te débrouilleras mieux que moi. Tu es formidable. Je ne sais pas ce que je ferais sans toi.

— Tu en trouverais une autre, fit Sophie avec un léger rire.

— Une autre comme toi, ça n'existe pas. Tu es si...

— ...particulière, je sais.

— Particulière, oui. Mais je dirais plutôt... mystérieuse.

131

La jeune fille eut un rire plus sonore.
— Bon. Va pour mystérieuse, dit-elle.

Dans le même temps, l'enquête de Carlo Galli progressait si bien qu'il contacta Heinz Perrig, l'homme des assurances. Ce qu'il lui apprit le remplit d'euphorie, bien qu'il ne fût pas homme à se réjouir facilement. Ils décidèrent de travailler de concert. La pensée qu'on pût retrouver les montres, même s'il fallait y laisser quelques plumes, les enchantait également tous les deux.

8

Retrouver Bergame, le théâtre et son orchestre causa un bonheur certain à Bruno Steinberg. A la première répétition à laquelle il participa, il sentit chez ses musiciens une sympathie chaleureuse qui lui alla droit au cœur. Le premier violon, au nom de tous les autres, présenta sobrement ses condoléances, et cet acte, qui eût pu seulement être conventionnel, dégagea une réelle émotion.

Puis, après quelques instants de silence, le chef tapota son pupitre de sa baguette et les musiciens saisirent leurs instruments. La musique, émanation et synthèse des émotions des hommes, prit le pas sur le quotidien.

A la façon dont les artistes jouaient, il devint patent pour le maestro que Walter, durant son absence, avait pris bien des libertés avec les indications qu'il lui avait laissées; mais il attendit le moment de la pause pour le faire remarquer, dans l'intimité de sa loge, à son assistant.

Celui-ci regimba avec violence. Il était visiblement excédé par le travail auquel il était contraint, et il le dit. C'était un travail idiot, voué d'avance à l'échec. En vérité, il était ulcéré parce que Bruno ne lui demandait jamais son avis sur rien, et qu'il se bornait à imposer sa propre interprétation des œuvres.

Ce n'était pas la première fois que cette querelle avait lieu, elle revenait périodiquement, mais cette fois, le ras-le-bol de l'assistant paraissait particulièrement virulent. Quand Bruno, après la pause, reprit le cours de la répétition, Walter ne revint pas auprès de l'orchestre. Le maestro n'en fit pas un drame; il pensa que l'accès de cafard de l'autre passerait comme d'habitude et se donna tout entier à son travail.

Sophie avait l'impression d'être entrée dans le tableau d'un peintre flamand d'intérieurs. La lumière, l'ameublement, et même les hommes, abstraction faite de leurs vêtements et de leur coupe de cheveux, tout rappelait qu'on était à Anvers dans le bureau d'un expert en diamants.

Elle avait pris ses contacts en Suisse. Depuis que Marcel avait commis son coup, elle organisait et préparait l'avenir, s'efforçant de ne rien laisser au hasard, d'éviter les pièges. Elle avait un peu peur, néanmoins, devant les deux hommes à l'air sérieux auxquels elle faisait face et dont la séparait une table de bois luisante et nue, à l'exception d'une balance, d'une loupe et d'un carreau en tissu sombre.

Elle sortit de sa besace le sac en peau de chamois et le tendit à l'homme roux assis en face d'elle. Il en vida le contenu sur le carreau et les examina un à un avec la loupe, imité par son voisin, qui ne s'exprimait que par des hochements de tête.

Le silence était opaque, et Sophie pensait que ces messieurs entendaient sûrement son cœur battre tant il cognait avec force dans sa poitrine. Mais elle essayait – avec succès – de garder son calme et d'être souriante.

– Ces diamants sont superbes, madame. Nous pouvons vous en offrir 800 000 dollars, dit l'homme roux après avoir consulté l'autre du regard.

– 1 million, dit-elle. J'en veux 1 million.

Son interlocuteur secoua la tête.

– Non, madame. Nous pouvons aller jusqu'à 900 000, en trois versements échelonnés de...

– Inutile. Je veux de l'argent liquide, et tout de suite.

– Alors, 800 000.

– D'accord, dit la jeune femme, si vous payez vous-même la commission de monsieur, dit-elle en se tournant vers un troisième homme, un jeune qui n'avait rien fait d'autre que de l'amener dans ce lieu secret.

Les deux autres se consultèrent de nouveau du regard.

– Ça va, dit l'homme roux.

Sophie cilla. Maintenant que l'affaire était faite, elle se sentait sur le point de craquer. Tant d'argent...!

134

C'est l'homme qui ne parlait pas qui compta les billets, les mettant à mesure dans une mallette qu'il poussa vers elle lorsqu'il eut fini. Sophie recompta calmement les billets, remercia, salua gracieusement et sortit, avec le sentiment qu'elle agissait en somnambule – mais rien, dans son attitude, n'en transparaissait.

Dans la rue, elle redevint vivante. Elle alla droit vers la grand-poste et, d'une cabine téléphonique, appela le banquier Pauwels. Elle avait tant relu le numéro qu'elle le connaissait par cœur.

Marcel Fontaine, presque au même moment, buvait un whisky au bar d'un hôtel de Neuchâtel, en constatant avec ennui que ses mains étaient moites. Pourquoi Sophie ne s'était-elle pas occupée *aussi* des pierres de couleur? Elle était tellement plus douée que lui!

Il sursauta. Un homme arrivé dans son dos venait de lui toucher l'épaule.

– Le boss vous attend, dit-il.

Sophie l'avait prévenu que ça commencerait ainsi, mais maintenant, c'était à lui de jouer. A lui seul. La sueur commença à sourdre de son dos.

Il suivit l'homme qui l'avait accosté. Ensemble, ils prirent l'ascenseur, montèrent au troisième étage. L'homme frappa au 333 et attendit. La clé tourna dans la serrure, la porte s'ouvrit. Celui qui avait ouvert avait une figure ronde et des yeux globuleux au regard froid. Un regard de serpent, pensa Marcel en le regardant fermer la porte et mettre la clé dans sa poche.

Il se rassit et lui désigna un siège.

– Les pierres, vite! dit-il.

– Je sortirai les pierres quand vous sortirez l'argent, dit Marcel, tentant d'être désinvolte.

– Faites pas le malin, donnez vos cailloux!

Le jeune Fontaine plongea la main dans la poche intérieure de sa veste, en sortit un sac de cuir qu'il posa sur la table. Sur un signe de son interlocuteur, il en défit le lacet et en versa le contenu entre eux deux. L'homme aux yeux froids y jeta un coup d'œil puis fit un signe à son acolyte.

Ce dernier puisa dans sa poche une liasse de dollars qu'il

déposa devant Marcel. Il y avait 20 000 dollars, pas un sou de plus.

— Mais c'est une plaisanterie! s'écria Marcel. Ces pierres valent bien davantage!

— C'est à prendre ou à laisser. Reprenez-les et filez, si vous n'êtes pas d'accord.

— C'est que, dit Marcel, dans le commerce, je...

— On n'est pas dans le commerce, ici. Décidez-vous, et vite, si vous tenez à votre peau.

Marcel le regarda porter sa main sous son aisselle droite. Ce devait être un gaucher!

— D'accord, dit-il presto.

Il prit les dollars. L'homme aux yeux froids lui jeta dédaigneusement la clé; il ouvrit la porte et fila sans qu'aucun autre mot eût été prononcé. Dans la rue, il put à grand-peine se retenir de courir à sa voiture.

A La Chaux-de-Fonds l'attendaient d'autres désagréments. Quand il arriva dans son bureau, il y trouva Jean-Claude, l'air goguenard.

— Ça fait deux heures que tu devrais être là! dit-il.

— On n'a jamais pointé, dans cette maison, jusqu'ici, dit Marcel d'une voix bourrue. J'avais un rendez-vous. A l'extérieur.

— Un rendez-vous de tennis, ou avec une nana?

— La barbe, Jean-Claude!

— Pendant que tu t'amuses, il se passe des choses, figure-toi : notre représentant aux Indes rompt son contrat avec nous.

— Première nouvelle! dit légèrement Marcel. Pourquoi est-ce que je ne le savais pas?

— C'est justement ce que j'aimerais connaître, tonna l'aîné. Tu es payé pour savoir ce genre de choses et éviter qu'elles n'arrivent. Mais en fait d'incapable et de parasite, je crois qu'on n'a pas encore fait mieux que toi! Tu es une vraie plaie pour nos finances.

— Puisque je suis à la commission, je ne suis jamais payé que pour ce que je fais, non? Assez de baratin là-dessus et passons à l'ordre du jour.

Jean-Claude secoua la tête et soupira, tout en dévisageant son frère.

– L'ordre du jour, pauvre crétin, c'est que tout ce qui concerne la fabrication et les ventes, c'est désormais moi – et il y a quelques personnes dont je songe à me débarrasser!

Marcel fanfaronna.

– Ah oui? Dans ces quelques personnes, il y a moi en particulier? Bravo, mon cher. Et les conditions de mon départ, tu y as pensé? Il y en a quelques-unes auxquelles je tiens particulièrement.

– C'est contractuel, ces choses-là. Ne crois pas que tu m'impressionnes.

– Et Mme Dussault, qu'est-ce qu'elle pense de tout ça?

– Ma belle-maman fait la grand-mère, et c'est très bien ainsi. C'est ce qui convient le mieux à son âge.

Marcel jeta un regard sournois à son aîné. Il se demandait si Jean-Claude ne sous-estimait pas sa belle-mère.

Constance Dussault faisait effectivement la grand-mère, mais avec le sérieux dévastateur qu'elle mettait le plus souvent à concevoir les rapports humains.

L'affection témoignée par Nicole et la volte-face spectaculaire de Véronique lui avaient donné pendant quelques jours une douceur et un air heureux assez inhabituels chez elle, mais ces jours étaient déjà révolus. Femme d'action, elle ne concevait réellement les sentiments qu'en termes d'influence et de devoirs. Si Véronique était revenue auprès d'elle après avoir d'abord préféré son père, ce n'était pas, à ses yeux, parce que l'adolescente avait ressenti un élan tout instinctif du cœur, mais parce qu'elle avait choisi sa raisonnable grand-mère plutôt que cet irresponsable de Bruno.

Les premiers temps, tout s'était bien passé, avec des caresses et des cajoleries, mais le jour où Véronique avait jugé bon de passer douze heures d'affilée avec sa tante Nicole, sans autre justification que leur bon plaisir à toutes deux, ça avait bardé. Constance n'avait pu s'empêcher de penser aigrement et de penser tout haut, ce qui incita la jeune Véronique à envisager un prochain départ vers Lugano et Bergame.

Ses idées prirent un tour plus précis le jour où elle rencontra par hasard un copain qu'elle savait désireux de coucher avec elle et qui possédait une moto. Elle se mit en devoir de le chambrer afin qu'il l'emmène là où elle avait envie d'aller, puis prépara son petit bagage. Quand le moment serait propice – autrement dit, quand elle estimerait que Constance Dussault aurait récupéré bec et ongles –, elle quitterait La Chaux-de-Fonds.

Et pour tester la vieille dame, elle imagina d'essayer devant elle le casque et les santiags qui composeraient, avec l'obligatoire blue-jean, sa tenue de voyage.

L'entrevue fut passablement orageuse. Mme Dussault s'étonna, s'indigna, menaça. Elle n'hésita pas à laisser entendre que Bruno avait bien d'autres chats à fouetter (voix lourde de sous-entendus) que de s'occuper de sa fille.

Véronique rétorqua du tac au tac à sa grand-mère qu'elle-même n'en faisait pas tant que ça pour elle.

C'était l'éternel conflit des générations, particulièrement aigu entre elles deux, et la conclusion de la jeune fille fut, ce jour-là, que, si elle songeait à prendre la fuite, c'était « pour ne pas se laisser bouffer par Constance ».

Ce qui, pour une fois, laissa la grand-mère sans voix.

Pourtant, à l'autre bout de la ligne, si l'on peut ainsi s'exprimer, Bruno Steinberg ne savait pas jusqu'à quel point il souhaitait récupérer Véronique.

A Bergame, à part le plaisir de la musique et les tracasseries de Walter, il avait retrouvé Alessandra, sa jeune beauté et sa tendresse – et elle était redevenue sa consolation. A travers les épreuves qu'il avait subies et qui avaient ricoché sur elle, elle avait acquis, sans pour autant cesser d'être très désirable, une sagesse et une maturité qui lui faisaient défaut naguère.

Un soir, après l'amour, il s'enhardit à lui parler de Véronique. C'était un sujet délicat à cause des événements récents. C'en était un aussi parce que, s'il adorait sa fille, il devait admettre qu'il avait eu bien peu d'occasions – et même d'envie – d'être un père pour elle.

– Mais Bruno, tu vas être formidable comme père, dit-elle lorsqu'il lui eut fait part de ses craintes.

– Tu crois?

– Mais j'en suis sûre. Tu es quelqu'un de formidable. Pourquoi ne serais-tu pas un père formidable?

« Parce que je n'ai pas toujours été un bon mari », pensa-t-il sans le dire. Mais peut-être qu'il allait changer, désormais,

138

qu'il serait meilleur, plus attentif aux autres. La confiance d'Alessandra et son enthousiasme l'encourageaient.

– Je serai à tes côtés, dit-elle. Et je t'aiderai. Ne sais-tu pas que pour toi je pourrai faire cela et encore bien plus?

Il serra son corps nu contre le sien, très fort.

– Je t'aime, dit-il, je t'aime, Alessandra.

C'était la première fois qu'avec elle ces mots jaillissaient du plus profond de son âme. Il commençait à se sentir moins coupable de la mort de Jacqueline et bien mieux dans sa peau. Depuis longtemps, il n'avait plus éprouvé autant de plaisir à vivre.

Le lendemain, il aborda la répétition avec des forces neuves. C'était exaltant de mettre en chantier un concerto pour piano et orchestre avec un ensemble maintenant bien accoutumé à lui et une soliste avec laquelle, en revanche, il n'avait jamais travaillé.

Elle s'appelait Alice Clementi. Il l'avait entendue à maintes reprises et savait qu'elle était remarquablement douée. Elle était également très belle, avec des cheveux lisses et un long cou distingué, ce qui n'était pas sans importance.

Ce qu'il ignorait, c'est qu'elle avait été courtisée par Walter naguère, et que l'assistant considérait comme une trahison qu'elle eût accepté de jouer sous la direction d'un homme que lui, Walter, haïssait. Mais quelle importance, les états d'âme de Walter, quelle importance lorsque la musique entre en scène, impalpablement mêlée aux sentiments et aux sensations, et que la vie devient frémissante?

A Milan, cependant, tout laissait présager un heureux dénouement.

Assis tous deux à la terrasse d'un café dans l'après-midi ensoleillé, Carlo Galli et Heinz Perrig échangeaient les dernières nouvelles. Le Professeur avait retrouvé la piste des montres, les ravisseurs étaient prêts à un compromis avec la compagnie d'assurances. En l'occurrence, c'était une solution admissible par Perrig, et les deux hommes étaient aussi excités que peuvent l'être des hommes d'affaires en complet bleu.

Ils se donnèrent un nouveau rendez-vous en fin de journée, et Galli prit le chemin du P.C. du Professeur.

Pour un peu, il aurait sifflotté de plaisir. Il ne l'aurait avoué à personne, mais ses relations avec ce qu'il appelait les « milieux parallèles » – la pègre, pour le commun des mortels – lui donnaient des satisfactions légèrement perverses. Son honnêteté ne pouvait pas être mise en doute, elle était entière; simplement, il avait le sentiment plutôt puéril de jouer à avoir une double vie.

Le P.C. du Professeur, c'était le Gatto Pazzo, une boîte de nuit à la lourde porte cloutée, fermée à cette heure. Accueilli par un homme qui avait l'air d'un barman mais était plus vraisemblablement un gorille, Galli fut mené jusqu'à une table de la salle vide, à proximité d'une porte ornée d'une plaque « Privé », porte qui livra bientôt passage à l'illustre Professeur en personne. C'était un homme maigre et distingué, qui pria courtoisement Galli de s'asseoir.

Le joaillier s'exécuta, plus tout à fait aussi guilleret, mais intimidé et assez mal à l'aise. Le sourire aimable du gangster suggérait une complicité tout à coup choquante. Puis ce sourire s'effaça, et ce fut pis.

– Comment avez-vous pu, disait le Professeur, comment avez-vous pu monter un coup aussi bidon et croire qu'il réussirait? Jamais je n'aurais cru qu'une entreprise comme Dussault-Pontin pût se conduire avec une telle naïveté!

– Je ne comprends pas, dit Galli. Que voulez-vous dire?

Le Professeur posa une montre sur la table.

– Vous connaissez cet objet?

– C'est une montre Dussault-Pontin de la dernière collection. Vous les avez... vraiment retrouvées? Vous avez les autres?

La voix de Galli tremblait d'émotion.

– Je les ai toutes, dit le Professeur. Mais j'aimerais que vous regardiez celle-ci plus attentivement.

– Pas besoin, monsieur. Je n'ai pas de doute sur sa provenance.

– Aimable à vous de le dire! fit ironiquement le Professeur. Mais regardez donc les pierres précieuses! Attentivement, vous ai-je dit!

Carlo Galli scruta avec inquiétude le visage de son interlocuteur puis, sortant sa loupe d'orfèvre de sa poche, examina la montre.

– Mais ces pierres sont fausses! s'exclama-t-il.

140

– Vous en convenez?

– Absolument. Mais expliquez-moi...

– Vous niez avoir été au courant?

– Au courant de quoi? J'ai vu ces montres et quinze personnes avec moi, dont l'assureur, au cours d'une présentation chez Mme Dussault. Toutes les pierres étaient vraies et d'une qualité splendide, je vous en donne ma parole. J'aurais fait moins d'efforts pour retrouver ces bijoux si j'avais su que les joyaux en étaient faux.

Le Professeur eut l'air pensif.

– En effet, dit-il. *Votre* intérêt, c'est que je possède les montres avec les vrais diamants; et je pense que je dois vous croire quand vous m'affirmez que vous n'êtes pour rien dans la substitution. Mais si je vous crois, il me faut admettre que les pierres ont été changées entre la présentation et le vol. Ce ne peut avoir été fait qu'à l'instigation d'un proche de l'entreprise, et par un artisan de génie.

– Seigneur! dit Galli. Seigneur!...

Il allait lui falloir un peu de temps pour encaisser ça.

Marcel Fontaine avait été une pauvre chose pendant l'absence de sa maîtresse. Quand elle n'était pas là, il avait l'impression de ne faire que des bêtises et d'être la proie des gens et des événements.

Mais elle était de retour, tellement heureuse de le revoir et si amoureuse que ses quelques jours d'absence étaient déjà oubliés.

– Ton voyage, ça a marché? demanda-t-il après l'avoir couverte de baisers.

– Au poil, dit-elle joyeusement. J'ai obtenu 800 000.

– 800 000 francs suisses?

– 800 000 dollars.

Il siffla d'admiration.

– Tu as l'argent?

– Pour quoi faire? Je l'ai laissé à Anvers. Dans un coffre. Je l'ai mis à ton nom. Il suffira que tu déclines ton identité et que tu montres tes papiers. Et toi, ça a marché?

– Comme ci, comme ça. Ces salauds ont essayé de me rouler.

Sophie se mit à rire.

– Ils ont essayé ou ils ont réussi?

– Réussi, dit piteusement Marcel.

Il s'attendait à être copieusement enguirlandé, mais la jeune femme se contenta de l'embrasser en l'appelant « Pauvre chéri ».

– Vois-tu, expliqua-t-il, c'était les pierres ou ma vie. Tu aurais préféré qu'ils me descendent?

– Sûrement pas, dit-elle, gentiment ironique. Mais j'aurais préféré qu'ils ne te roulent pas non plus.

– Tu es fâchée?

– Mais non, dit-elle.

Mais elle pensait qu'elle, elle ne se serait pas laissé faire.

Carlo Galli avait donné rendez-vous à Perrig dans son appartement. Un bel appartement meublé d'objets rares et d'œuvres d'art. L'appartement d'un commerçant cossu et honnête qui a pignon sur rue.

Perrig l'y attendait depuis quelques instants lorsqu'il arriva, et, en le saluant, l'orfèvre fut frappé comme jamais auparavant par ce que son visage avait de froid et de sec.

– Vous semblez essoufflé, dit Heinz.

– C'est que mes jambes ni mon cœur n'ont plus vingt ans, dit Galli, se cantonnant pour une seconde encore dans le cocon de la conversation mondaine.

Mais il craqua aussitôt et avoua qu'il se passait quelque chose de grave.

– Ils vous ont menacé?

– Non, haleta le joaillier.

– Ils demandent une somme impossible?

– Nous n'avons pas parlé d'argent.

– Mais encore? fit Perrig, l'air soudain aux aguets.

Carlo expliqua ce qu'il en était. Il n'avait pas besoin d'entendre la réaction pour la connaître. Les compagnies d'assurances, il connaissait leur tactique : de ces faits nouveaux, celle de Perrig tirerait des arguments pour ne rien rembourser à Dussault-Pontin.

C'était abominable, mais c'était comme ça. Perrig ne mit même pas de gants pour le confirmer à Galli.

Celui-ci usa d'un peu plus de délicatesse pour téléphoner les nouvelles à Mme Dussault. Il lui fit part de l'opinion du Professeur, que, après réflexion, il avait adoptée : le faussaire devait se trouver dans son entourage.

Constance avait récupéré tout son punch depuis son malaise, malgré les escarmouches continuelles entre elle et sa petite-fille. La surprise une fois passée, elle encaissa la nouvelle avec un sang-froid remarquable et engagea son vieil ami Carlo à poursuivre ses investigations.

Aux antipodes des cruelles et sordides histoires de bijoux volés et de batailles autour de gros sous, Bruno vivait dans l'univers enchanté d'un concerto de Mozart. Il s'était retrouvé tout entier avec, au centre de lui-même, son incoercible et totale dévotion à la musique. Alice Clementi était une inter-prète selon son cœur, diablement habile, intransigeante avec elle-même, infatigable et docile à sa direction. C'était un régal de travailler avec elle.

Alice, de son côté, s'abandonnait à un bonheur analogue. Elle avait toujours rêvé de jouer avec un maestro de la classe de Bruno. Elle était sûre de deviner ses moindres intentions, et c'est avec ivresse qu'elle répétait et répétait encore pour atteindre la perfection.

Tant de passion déplaisait souverainement à Walter Salieri, qui s'était mis à haïr franchement Bruno et abreuvait Alice de ses propos acerbes.

Alice tenait ces propos pour nuls et non avenus. Elle n'estimait pas devoir quoi que ce soit à Walter, et elle ne se privait pas de le lui dire avec brutalité.

Quant à Giovanni Ferrari, les échos des répétitions qui parvenaient à son bureau l'attiraient fréquemment dans la salle. Il était conscient de la qualité du travail qui s'effectuait et, en tant que directeur, il s'en réjouissait.

L'enthousiasme de Bruno lui plaisait et lui confirmait qu'il avait eu raison de l'engager. Les places du théâtre étaient intégralement vendues pour tous les concerts du festival. Il avait négocié de substantiels accords pour des retrans-missions télévisées, et deux firmes de disques se disputaient le privilège d'éditer le concerto n° 19 de Mozart dirigé par Steinberg, avec Clementi en soliste, qui serait enregistré en public dans la salle du théâtre de Bergame. Ce serait un disque prestigieux où tout le monde trouverait son bénéfice et qui ouvrirait de nouvelles perspectives pour l'avenir.

Comme il félicitait Bruno pour ces excellents résultats, le maestro lui répondit dans un sourire inspiré :

– Clementi est merveilleuse. C'est une femme fascinante. Je l'ai su tout de suite, dès qu'elle est arrivée parmi nous. Il y a autour d'elle une telle aura!

– Eh bien! dit Ferrari, qui ne s'attendait pas à tant de ferveur.

– Avec un tel nom, poursuivit Bruno, Clementi!... Clementi, *c'est* de la musique. Et Alice, n'est-ce pas un nom de musicienne?

Ferrari fronça les sourcils.

– Tu sais, il y a beaucoup de femmes qui s'appellent Alice, et elles continuent de s'appeler Alice, même si elles ne sont pas musiciennes! Elles ne font pas de musique, mais elles existent et elles s'appellent Alice.

Bruno ne perçut pas la nuance d'exaspération qui teintait la voix de son directeur. Il se contenta de sourire à sa véhémence et de poursuivre, avec véhémence également :

– Elle, elle est différente. Elle est *habitée* par la musique. On se doit d'encourager son talent, de le cultiver. Je suis prêt à me consacrer à elle de façon intensive.

Ferrari éclata enfin :

– Et Alessandra, qu'en pense-t-elle?

– Alessandra? Mais Alessandra m'aime, Giovanni! Elle m'est très dévouée!

Giovanni ouvrit la bouche pour émettre un commentaire, mais il se retint. Il commençait à comprendre certaines choses, l'histoire de Jacqueline Steinberg, par exemple.

Pour annoncer de mauvaises nouvelles, les messagers n'épargnent jamais leur peine. Heinz Perrig en personne se déplaça à La Chaux-de-Fonds pour s'entretenir avec Mme Dussault et son gendre.

Son argument pour refuser tout paiement était qu'il avait assuré une collection qui n'existait plus, puisque les montres retrouvées n'étaient pas conformes au descriptif établi par l'expert.

Jean-Claude fulmina :

– Vous êtes ridicule, Perrig.

– Pas ridicule, monsieur Fontaine. Logique.

– De la logique propre aux compagnies d'assurances!

– Monsieur Perrig, intervint Constance Dussault, vous formulez une hypothèse, j'entends bien. Mais nous aimerions que vous l'étayiez.

– Soyez sans crainte, madame. Nous sommes en train de réunir les éléments nécessaires.

– Ça, c'est une dérobade, Perrig, dit Jean-Claude, en tapant sur la table.

– C'est la procédure habituelle aux compagnies d'assurances, dit Perrig, avec une douceur que démentait son rictus.

– Je traduis : dérobade. Les compagnies d'assurances, on ne peut pas leur faire confiance. Elles sont tout miel quand tout va bien et qu'il s'agit d'encaisser de grosses primes, mais quand il leur faut payer, c'est une autre paire de manches.

La violence de Jean-Claude avait fini par impressionner Perrig.

– Je vais en référer à ma compagnie, dit-il, et revoir toute cette affaire avec ma direction. Mais je vous préviens...

– Faites toujours, vous préviendrez ensuite, dit Mme Dussault, en se levant pour signifier à l'homme que l'entretien, quant à elle, était terminé.

Perrig ne se le fit pas suggérer deux fois. Il se leva et battit en retraite.

Par la porte ouverte de son bureau, Marcel vit Heinz Perrig quitter la maison. Il sentait que quelque chose se passait. Il sortit dans le couloir et vit Sophie sur le palier du premier étage. Ils échangèrent quelques signes dont ils semblaient avoir grande habitude et, quinze minutes plus tard, ils se retrouvaient dans le loft de Marcel.

C'était toujours le même logis clair, avec la même décoration moderne et pimpante, mais quelque chose de négligé, de désordonné dans la disposition des meubles indiquait que son occupant était mal dans sa peau.

Pour la énième fois, Sophie entreprit de le raisonner.

– Cesse de te ronger comme ça! A quoi ça sert?

– Je te dis que Perrig est venu. Il a vu la vieille et mon

frère... Et mon frère, il m'a soupçonné dès le premier jour!

— Et alors? dit Sophie en retapant les coussins d'un sofa. Soupçonner n'est pas prouver! Garde tes nerfs, mon vieux.

— Oh! toi, ce que tu peux être forte! dit-il. A moins que ce ne soit de l'inconscience...

— Il en faut un zeste, Marcel. Sinon, on n'entreprendrait jamais rien.

— Tu dois avoir raison, dit-il, en tendant la main vers elle. Elle la prit et y déposa un baiser.

— Mon petit Marcel, fit-elle. Mon Marcel à moi... Courage!... Pense à l'avenir qui s'ouvre devant nous... Les beaux jours... Les belles nuits....

Elle le força à s'allonger sur le sofa, la tête dans son giron à elle, comme un enfant blotti contre sa mère; et elle se mit à le bercer de ses contes, l'entretenant, comme elle faisait depuis des mois, de la merveilleuse vie qu'ils allaient avoir, pleine de mers du Sud, de cocotiers, de palaces, de piscines géantes et de jardins féeriques.

Il ne se rassasiait pas de l'entendre, elle ne se rassasiait pas d'inventer des décors bleu et rose, pleins de volupté et de luxe — sans pouvoir pour autant s'empêcher de penser que l'infantilisme de son amant passait les bornes. Mais il était aussi son meilleur atout. Son meilleur atout à elle, bien sûr.

Quand elle eut bien chauffé son imagination, il lui fut facile de calmer ses appréhensions. Elle dit que Perrig ne savait rien — il ne pouvait tout simplement rien savoir —, qu'il était juste venu raconter des fariboles à Mme Dussault afin d'avoir un prétexte pour ne pas la payer.

Et Marcel s'apaisa avec ces paroles et la promesse que, dans deux ou trois jours, ce serait le grand départ. En attendant, il fallait vaquer comme d'habitude, afin de ne pas éveiller les soupçons.

Carlo Galli était plus pour Constance qu'une relation d'affaires : c'était un ami. En tant que tel, il avait estimé qu'il devait venir en personne lui exposer plus en détail ce qui s'était passé, ce à quoi il pensait, ce qu'on pouvait craindre ou espérer. Il était donc venu à La Chaux-de-Fonds et lui avait parlé à cœur ouvert.

Il l'avait mise au courant de ses soupçons, et elle était

atterrée par sa conviction que le délit n'avait pu être commis que par quelqu'un de son entourage.

— Je sais, Constance, c'est une vérité dure à regarder en face. Mais vous m'avez dit vous-même, il y a des années de ça, qu'on ne gagnait rien à biaiser avec la réalité.

— Oui, Carlo, vous avez raison, mais...

Mme Dussault ne put achever sa phrase. Son gendre venait de faire irruption dans son bureau, la mine farouche. En voyant Galli, il s'excusa très brièvement :

— Pardon, je ne savais pas que vous étiez là.

— Oh! Je m'en vais, dit le joaillier. J'étais sur le point de le faire.

Il se leva, mais Mme Dussault le retint du geste.

— Restez, Carlo! Vous êtes *chez moi*. Et je n'ai pas de secrets pour vous, vous le savez.

A son ton, Galli sentit qu'elle désirait sa présence, d'une part pour démontrer qu'elle était maîtresse chez elle, d'autre part pour avoir un garant et peut-être une protection.

Mais Jean-Claude ne parut pas mécontent non plus. D'ailleurs, il le dit :

— Oui, restez, Galli! Ainsi, vous pourrez témoigner en ma faveur.

— Témoigner en votre faveur? Vous avez quelque chose sur les cornes? ironisa Constance.

— Vous savez très bien que non, belle-maman. Je n'ai rien sur les cornes, si j'en ai parfois gros sur le cœur. Il est urgent — je dis ur-gent — de prendre des dispositions pour sauver notre affaire. Nos caisses sont à sec. Votre seul espoir et la seule solution que vous envisagiez, c'est que la compagnie d'assurances vous dédommage pour le vol des montres; or la compagnie renâcle et va tirer les choses en longueur pendant des mois, sinon des années.

— Et vous, vous détenez la solution miracle?

— Je n'aime pas ce mot. J'ai une solution raisonnable qui a le mérite d'aller dans le sens des exigences d'aujourd'hui.

— Et vous voudriez que je vous approuve?

— Vous ne pouvez pas faire autrement. Comprenez-moi. Ce n'est pas pour vous nuire ni vous faire enrager. C'est pour survivre. Belle-maman, il faut que vous regardiez la vérité en face...

— Vous aussi! Parole, c'est mon jour!

— Belle-maman, je vous en prie!

Mme Dussault fixa son regard sur un point dans le vide, comme quelqu'un qui veut s'abstraire de la discussion. Jean-Claude haussa les épaules, l'air malheureux, et conclut :

— Je suis déterminé à mener cette affaire à son terme. Je voulais simplement vous tenir au courant.

Il se leva et sortit.

Mme Dussault garda le silence un moment. Quand elle se retourna vers Galli, elle avait les traits ravagés.

— Je suis finie, Carlo, dit-elle. Non seulement ruinée, mais détrônée, vous avez entendu? Je n'ai plus qu'à quitter la scène.

— Voyons, chère amie, il y a une autre issue! Nous attrapons le voleur. Sans doute a-t-il encore les pierres. Nous les récupérons et nous voilà sauvés!

— S'il a encore les pierres, dit Mme Dussault, désabusée.

— C'est pourquoi il faudrait lui tomber sur le râble avant qu'il ne se doute de quoi que ce soit. Constance, faites-moi confiance. Je voulais votre aval, mais sachez que j'ai une idée, une très bonne idée. Je retourne à Milan, maintenant. Je vous tiendrai au courant.

A Milan, Carlo Galli ne perdit pas de temps. Pour se conforter et aussi pour obtenir des résultats plus rapidement, il demanda à Heinz Perrig de bien vouloir l'accompagner. Son projet était d'aller surprendre le seul sertisseur connu, sur la place de Milan, pour travailler à une vitesse stupéfiante et ne pas répugner à se mettre au service de la pègre.

On racontait de lui qu'il avait un gros magot de côté qui lui permettrait une retraite précoce et dorée, mais son atelier, dans la banlieue de la ville, était celui d'un modeste artisan.

Averti comme il l'était de toutes les astuces du commerce des bijoux, Carlo Galli savait beaucoup de choses sur l'homme, en particulier son adresse – qu'il avait mentionnée un jour devant Marcel Fontaine, mais cela, il l'avait oublié.

Quoi qu'il en soit, il ne barguigna pas et, avec Perrig en renfort, alla littéralement forcer la porte de l'atelier du sertisseur. Celui-ci se montra d'abord peu coopératif, c'est le moins qu'on puisse dire. Ce n'est que lorsque allusion eut été faite au Professeur, et que ce dernier eut, par téléphone, donné le feu vert, qu'il avoua être l'auteur de la substitution des pierres précieuses sur la commande d'un homme qui s'était bien gardé de donner son nom.

— Mais vous le reconnaîtriez, si vous le voyiez!

— Bien sûr, dit l'artisan, en haussant les épaules.

— Alors, on vous kidnappe, dit Galli. N'ayez crainte : vous serez de retour dans vingt-quatre heures et vous n'aurez en rien affaire à la police.

L'homme obtempéra. La référence au Professeur avait suffi pour lui ôter toute résistance.

C'est à la fin de cette même journée qu'il reconnut Marcel, alors que celui-ci rentrait dans son loft. Avec Perrig et Galli, ils étaient tapis dans une Volkswagen, comme il en roule des milliers en Suisse et de par le monde.

L'homme fut formel. C'était bien Marcel qui était venu. Les montres étaient dans une mallette de cuir grenat, celle-là même dont se souvenaient Perrig et Galli depuis le jour de la présentation.

Une heure plus tard, les mêmes Perrig et Galli se trouvaient dans le bureau de Jean-Claude Fontaine, qui accueillit la nouvelle de la culpabilité de son frère avec des sentiments mitigés : contrariété en raison du bon renom de sa famille; fureur que ce crétin se fût fait piéger; et satisfaction de voir publiquement étalée l'opinion qu'il avait du bonhomme, à savoir que c'était un crétin.

— J'appelle la police, dit-il d'un ton souverain.

— Minute! dirent ensemble Galli et Perrig, qui poursuivit : Nous avons un plan pour récupérer les pierres volées. Nous partons de l'hypothèse qu'il les a encore. Nous allons lui faire peur et lui faire dégorger les cailloux.

Jean-Claude ne trouva rien à redire à cette manière de procéder. Il objecta seulement qu'il voulait avertir sa belle-mère.

— Je le ferai, dit Galli. Nous sommes de vieux amis, vous le savez. Je le ferai demain matin.

Ça faisait deux nuits que Constance Dussault dormait à peine. L'un après l'autre, elle examinait le cas de ses proches, cherchant lequel d'entre eux pourrait être le coupable. Petit à petit, elle les avait tous éliminés, à l'exception de sa chère Sophie et de Marcel Fontaine.

Elle se leva fatiguée et tendue, mais fidèle à sa maxime qu'en toutes circonstances il faut respecter les disciplines quotidiennes, elle alla à divers rendez-vous, notamment chez son agent de change et chez son coiffeur.

Quand elle rentra, vers midi, Sophie l'informa que Carlo Galli l'attendait dans le salon. D'un coup, elle fut reprise d'angoisse et évita le regard de sa demoiselle de compagnie.

— Alors? demanda-t-elle, dès qu'elle fut entrée dans la pièce et en eut refermé la porte sur elle.

— On a découvert le coupable, dit Galli.

— Son nom?

— Marcel Fontaine.

Constance ferma les yeux. Elle était consternée, épouvantée. Mais tellement soulagée d'entendre le nom de Marcel, plutôt que celui de Sophie, qu'elle absorba le choc.

9

— Aucun doute ne subsiste? demanda Mme Dussault.

— Non, dit Carlo Galli.

Ils se trouvaient dans le grand salon du rez-de-chaussée, celui-là même, à proximité des bureaux, où s'était déroulée la présentation de la collection.

Galli expliqua comment Marcel avait été confondu et décrivit le plan prévu pour le coincer sans mêler la police à l'affaire. Chaque jour, ledit Marcel déjeunait dans le même restaurant. Il avait donc été convenu que lorsqu'il serait installé à sa table habituelle, le sertisseur viendrait le surprendre, l'air amical, et lui proposerait un acheteur très intéressant pour les pierres précieuses dérobées. De cette façon, on saurait d'emblée s'il les avait encore en sa possession. S'il les avait encore, il serait alléché et dirait forcément où elles étaient cachées; dans le cas contraire, du moins serait-il démasqué, et on aviserait. Deux privés, feignant de manger à deux tables de la sienne, se chargeraient de l'arrêter discrètement. Jean-Claude et Heinz Perrig, assis de manière à ne pas être vus par lui, participeraient aussi à l'opération.

— Vous pensez que ça marchera? demanda Constance.

— Il ne devrait pas nous échapper, dit Galli. En ce moment même, il doit approcher du restaurant. Tout le dispositif est en place.

— Un whisky, Carlo?

Le joaillier refusa d'un geste, et tous deux demeurèrent là, muets, mais dans un état de tension extrême – en sorte que, lorsque le téléphone sonna, des secondes ou des minutes plus tard, ils sursautèrent tous deux comme s'il se fût agi d'un coup de canon.

— Allô! dit Mme Dussault. Allô! Constance Dussault à l'appareil... C'est vous, Jean-Claude?

A l'autre bout du fil, personne ne répondait, et Constance raccrocha à regret. La seconde d'après, Sophie fit irruption dans le salon.

— Martine voudrait savoir, dit-elle, s'il faut mettre un couvert pour M. Galli.

— Sophie, dit nerveusement sa patronne, épargnez-moi donc les futilités. J'ai d'autres chats à fouetter, vous ne le sentez pas?

— Oh si, Madame! dit la demoiselle de compagnie.

Les sens mis en alerte par l'impatience inhabituelle de sa patronne, elle demeura aux aguets dans le couloir.

Ainsi vit-elle arriver Jean-Claude Fontaine, haletant, suivi de ce Perrig, l'assureur qu'elle avait déjà vu maintes fois dans ces lieux. Elle les aiguilla vers le salon et demeura sur ses gardes.

— Il nous a échappé! s'exclama Jean-Claude, si fort que Sophie l'entendit malgré la porte refermée.

Elle ne douta plus qu'il y avait du drame dans l'air, et quand le téléphone sonna à nouveau, elle décrocha le poste du couloir, à peine avait-il tinté.

— Maison Dussault, dit-elle. Sophie à l'appareil.

— Dieu soit loué, c'est toi, dit Marcel. Je suis au musée de l'Horlogerie. *Ils* sont à mes trousses. Prends ma bagnole et viens me chercher.

Sophie n'hésita qu'une seconde. Au point où ils en étaient, elle devait aider son amant.

— J'arrive, dit-elle. Je ferai aussi vite que possible.

Dans le salon, ça discutait ferme, et des éclats de voix arrivaient par intermittence. Il était moins cinq!

Il n'y avait pas une seconde à perdre, pensait Sophie en quittant la maison. Il fallait qu'elle soit hors de vue si jamais les autres s'avisaient de sortir.

La voiture de Marcel était garée à la même place que de coutume — il allait toujours déjeuner à pied —, et la jeune femme bénit la mauvaise habitude qu'il avait de laisser les clés sur le tableau de bord.

Dix minutes plus tard, elle s'arrêtait devant la porte du

musée et cueillait Marcel au vol. Il tremblait comme une feuille.

Sophie aussi était nerveuse, mais ce n'était pas le moment de perdre son sang-froid. Elle interrogea son amant, qui lui raconta succinctement ce qui s'était passé : en entrant dans le restaurant, il avait vu à une table Perrig et Jean-Claude, à une autre le sertisseur, et à une troisième deux types qui puaient le flic à plein nez. Une chance qu'il les ait repérés au premier coup d'œil et qu'il ait flairé le piège.

— Les flics, c'était des privés ou bien la police?

— Des privés, il me semble. Ils ont hésité à me poursuivre, je l'ai bien senti, c'est ce qui m'a sauvé.

— Momentanément, dit Sophie. Écoute-moi bien. Je te conduis à la gare. Tu prends le premier train en partance pour n'importe où. Arrange-toi pour gagner Anvers. Voilà un indicateur des chemins de fer, la clé du coffre et le nom de la banque, et 1 000 francs suisses... Je n'ai pas plus.

— J'ai un peu d'argent aussi, dit-il, ça ira.

Il était paniqué, mais éperdu d'admiration et de reconnaissance pour sa maîtresse.

Elle ajouta qu'elle le rejoindrait plus tard, avec un regard coulé qui lui promettait mille délices. Elle le déposa devant l'entrée de la gare sans arrêter son moteur et se perdit aussitôt dans le flot des voitures.

A la maison Dussault, la maîtresse de maison, son gendre, Perrig et Galli ne tombèrent pas d'accord tout de suite. Mme Dussault, par souci de respectabilité et parce que Marcel était le frère de Jean-Claude, était d'avis de ne pas prévenir la police. Mais Heinz Perrig n'avait que faire de cette délicatesse, et comme il était l'homme qui, d'une certaine manière, tenait leur fortune entre ses mains, c'est lui qui fut écouté. Jean-Claude et lui allèrent faire leur déposition et porter plainte au commissariat.

Comme si la vie n'était pas assez mouvementée, Fussli, le banquier, choisit ce moment pour convoquer Mme Dussault et Jean-Claude à son bureau. A vrai dire, il le choisit justement dans la mesure où il ne voulait pas être mis dans le pétrin, à l'exemple et à la suite de l'entreprise Dussault-Pontin.

Il fut extrêmement net et particulièrement dur. Dussault-Pontin devait à sa banque 3,5 millions de francs suisses. Il en exigeait le remboursement dans les quinze jours, sans quoi il se verrait contraint de demander le règlement judiciaire.

Pendant les trois quarts de la conversation, c'est Jean-Claude qui avait parlé, cependant que sa belle-mère se contentait d'écouter en triturant nerveusement son stylo. Mais à la fin, c'est elle qui prit la parole, de son ton « grande dame ».

– Fort bien, Fussli, nous tiendrons nos engagements. Sans votre aide. Les Pontin, les Dussault ont toujours tenu parole et réglé leurs dettes.

Elle se leva, très pâle mais droite comme un I, et... s'effondra de tout son long à côté de sa chaise.

Fussli appela une ambulance, c'est bien le moins qu'il pouvait faire.

Dès que Jean-Claude fut assuré que sa belle-mère s'en tirerait – il n'en avait jamais douté, la jugeant bien trop coriace pour se laisser mourir –, il fit ses préparatifs pour aller à Genève avec Pierre Savagnier. Pour lui, c'était la carte de la dernière chance, mais c'était aussi sa victoire. Mme Dussault avait mis l'entreprise dans la mélasse par son esprit borné et rétrograde ; il allait lui faire perdre sa superbe en renflouant la maison, grâce aux méthodes qu'il préconisait depuis longtemps. Quand il prit la route avec son jeune adjoint, il était très excité.

Excitée, Mme Dussault ne l'était pas moins. Son évanouissement n'avait été qu'un intermède. Elle s'était fait tancer plus ou moins vertement par Nicole, Véronique et Sophie, mais elle s'était refusé à se considérer comme malade.

Dès le lendemain, elle s'était levée à l'heure habituelle, s'était habillée avec soin et s'était fait mener en ville par Michel. Elle ignorait que son gendre, au même moment, s'apprêtait à effectuer sa grande opération de redressement. Elle suivait sa propre idée et ne doutait pas qu'elle le coifferait au poteau en ce qui concernait le renflouement de son affaire.

L'homme qu'elle allait voir et avec qui elle avait pris rendez-vous s'appelait Roland Fernay. C'était un ami de jeunesse avec qui elle avait toujours entretenu les meilleures relations et qui l'assurait souvent de son dévouement.

Il la reçut dans sa bibliothèque et lui dit mille propos aimables sur sa bonne mine, sa jeunesse persistante et son élégance, cependant qu'elle s'installait vis-à-vis de lui dans un coin propice aux causeries.

— Tu me vois ravie de tes compliments, Roland, dit-elle, parce que, si mon aspect était conforme aux circonstances, j'aurais l'air d'un cadavre.

— Vraiment?

— Vraiment, mon vieux.

Elle lui conta le hold-up dont elle avait été victime, ce qu'il cachait en réalité et la trahison de Marcel.

— Mon Dieu, Constance! Tu dois être bouleversée! fit-il avec compassion.

— Je suis bouleversée, Roland, c'est la vérité, mais ce qui est pis, c'est que je suis ruinée et menacée de liquidation judiciaire par notre ami commun Fussli, dit-elle.

Elle donna les détails, le montant de sa dette, le maigre délai consenti par le banquier. Elle avait toute confiance en Fernay et aurait jugé indigne d'elle de le bluffer.

— Vois-tu, Roland, dit-elle en conclusion, je voudrais que tu m'aides.

— Je peux te faire un prêt.

— Je n'en veux pas. J'ai déjà trop de dettes. J'ai une autre idée. Ma villa de Lugano, tu y es venu, n'est-ce pas?

— J'y suis venu. Elle est plaisante.

— Elle n'est pas *plaisante*. Elle est superbe. Vaste, impeccable, bien entretenue, avec une vue imprenable et un bel accès au lac.

— Oui, admit Fernay.

— Je veux la vendre. J'y tiens beaucoup, mais je veux la vendre pour la raison que tu devines. Je préférerais que ce soit un ami qui l'achète, et j'ai pensé à toi. J'en veux 2 millions.

— 2 millions! Comme tu y vas! On dirait que tu ne sais pas que l'immobilier est en crise!

— 2 millions, ce n'est pas cher pour une villa aussi merveilleuse.

Fernay était d'avis contraire. Il offrait 1 million comptant, c'est tout ce qu'il pouvait faire. Il avait plein d'explications à donner, mais Constance refusa de les entendre.

Cette fois, elle attendit d'être chez elle pour s'écrouler – et encore, car elle ne s'évanouit pas.

Jean-Claude, dans un salon privé de l'hôtel des Bergues à Genève, plastronnait devant Shurer. L'Allemand s'étant déclaré prêt à une association avec la maison Dussault-Pontin, il estimait avoir atteint son but.

Certes, il y avait des conditions – par exemple, changer radicalement les structures financières et commerciales de la vénérable entreprise, et les aligner sur celles du partenaire. Shurer n'entendait pas être un associé passif : il avait déjà fixé les futures normes de production et fait exécuter des diagrammes.

Derrière l'épaisse chevelure qui lui retombait sur le front, Savagnier paraissait cogiter ferme et noter mentalement chaque détail. Un type de premier ordre, Savagnier, se disait Jean-Claude. Avec lui, un jour, on mettrait ces Allemands dans sa poche après en avoir pris le meilleur de ce qu'ils pouvaient donner. Grisante perspective.

De retour dans sa maison, Mme Dussault s'effondra dans un fauteuil du hall dès la porte franchie. Elle était désespérée et éreintée, éreintée surtout, avec la sensation physique d'avoir été rouée de coups.

Elle le dit à Sophie, et ajouta :

– Nous allons partir, mon petit. Partir pour Lugano. Il faut que je me repose. Et je voudrais profiter de ma maison une dernière fois.

Sa voix était haletante, et Sophie se demanda quel coup elle venait encore de recevoir sur la tête. C'était un spectacle de haut goût de voir cette fière dame vieillissante être assaillie de tous les côtés et ramer désespérément pour ne pas être engloutie.

– Prépare une valise pour toi, Sophie, et une pour moi ! Au fait, prépare aussi celle de Véronique : nous l'emmènerons avec nous.

C'est à ce moment précis que la porte d'entrée s'ouvrit avec bruit, poussée par ladite Véronique, bottée et blousonnée comme l'autre fois, le coude enfilé dans la jugulaire d'un casque. Derrière elle se profilait un garçon accoutré de façon identique.

— Coucou, grand-mère, dit la jeune fille, tu fais salon dans le hall? Je suis venue te dire que je partais rejoindre papa. François-Éric m'emmène. François-Éric, c'est lui, ajouta-t-elle, découvrant plus largement le garçon.

Il salua Mme Dussault avec un mélange de gaucherie et de désinvolture, et dit qu'il était temps, qu'il y avait de la route à faire.

— Vous pouvez partir, jeune homme. Ma petite-fille, c'est moi qui l'emmène. Il se fait que je vais justement dans la bonne direction.

— Non mais, dis donc! s'écria Véronique à l'adresse de sa grand-mère, quand cesseras-tu de décider pour moi? Je sais ce que j'ai à faire!

Constance toisa le garçon avec une insistance voulue.

— Non, dit-elle, tu ne le sais pas. Sinon, tu ne partirais pas avec ce genre d'individu.

Avec une gentillesse surprenante, François-Éric demanda:

— Vous me trouvez trop jeune? Vous avez un préjugé contre la jeunesse?

— Pas contre la jeunesse! Contre les abrutis!

— Oh! fit Véronique, ulcérée.

— Eh bien, oui! dit la grand-mère. Je trouve que ton ami a l'air d'un abruti.

— Tu es *méchante*. Oui, tu es méchante. C'est pour ça que je m'ennuie tellement ici. Pour ça que je veux partir. Parce que tu es un monstre d'égoïsme.

Mme Dussault se leva d'un bond et envoya en guise de réponse une gifle retentissante à Véronique. Celle-ci leva le bras, le détendit; sûrement en seraient-elles venues aux mains si Sophie et François-Éric ne s'étaient interposés.

Véronique grimpa à l'étage et en redescendit prestement avec un sac à dos bourré. La porte claqua sur les jeunes gens et, trente secondes plus tard, Constance, le regard sec et comme figé, écouta le bruit de la moto enfler puis décroître.

— Ne fais pas de valises, Sophie, nous resterons ici. Sans cette petite peste, j'y trouverai suffisamment de repos.

Plus tard, alors qu'elle lisait – ou feignait de lire –, tête à tête avec la jeune femme, elle dit :

– Je regrette de l'avoir giflée. Je n'aurais pas dû. Elle est exactement comme j'étais à son âge, têtue, rebelle. Parce que nous avons la même obstination, la même force de caractère. C'est pour ça que nous nous entendons mal. Pourvu que je ne la perde pas, Sophie!

– Quand elle avancera en âge, elle saura combien vous l'aimez.

– Toi, tu es bonne. Tu me comprends et tu me dis toujours des paroles apaisantes...

Actives, épuisantes, les répétitions se passaient dans une atmosphère artistiquement survoltée, et Bruno passait ses journées dans une exaltation permanente. Le soir, à son hôtel, dans son salon, il buvait quelques whiskies en rêvassant, paisible, au côté d'Alessandra qui, souvent, levait l'œil de son livre pour le regarder.

Ce soir-là, le téléphone sonna, et il sembla dégringoler d'un nuage avant de décrocher distraitement.

– *Pronto*, dit-il. Qui ça?... Véronique? Comment vas-tu?... Tu t'ennuies avec grand-mère? Elle est casse-pieds, je sais... Et autoritaire?... Mais que puis-je y faire?... Te recevoir? Je n'y suis pas préparé, ma chérie! Il faut que je prenne des dispositions pour ça! Mais mes répétitions sont super-absorbantes, et, le soir, je m'écroule de fatigue, tu comprends...

Dans une cabine téléphonique de Chiasso, à la frontière helvéto-italienne, Véronique, le casque à la main, fixait distraitement François-Éric qui, à cinq mètres, suçait une glace auprès de sa moto. Elle eut un soupir étranglé. Ses yeux étaient noyés de larmes, mais elle dit, crâneuse :

– Mais, papa, si je te dérange, tu n'as qu'à me le dire, tout simplement! Pas besoin de gants entre nous! Si tu as honte qu'on te voie avec ta fille, c'est ton affaire, mais tu pourrais au moins avoir le courage de tes sentiments!... Mais non, je ne suis pas en colère. Je suis seulement un peu déçue... Après mon engueulade avec grand-mère, j'espérais... Mais je vais me débrouiller autrement, ne t'inquiète pas... On se rappelle dans quelques jours, c'est ça. *Ciao*, papa.

Bruno se tourna vers Alessandra, le sourcil levé, avant de raccrocher.

— C'était Véronique, dit-il. Elle voulait venir me rejoindre. Je lui ai expliqué...

— Je sais, dit la belle Italienne, j'ai entendu. Elle a été contente de ta réponse?

— Bof!... fit Bruno. Je me demande si je l'ai convaincue!

La jeune femme émit un petit rire.

— Tu n'avais pas l'air trop convaincu toi-même, tu sais. Et ta fille, qui est loin d'être une idiote, a bien dû comprendre, si ce n'est déjà fait, la valeur de tes promesses.

— Tu penses vraiment ce que tu dis?

Alessandra se leva et alla se servir un verre.

— Véronique t'aime, Bruno. Avec moi, nous sommes deux dans ce cas-là, et tu es ravi, dit-elle en reprenant sa place sur son canapé. Mais nous n'avons surtout pas à te demander quoi que ce soit! Nous devons seulement rester à ta disposition. Tu ne veux pas vivre ouvertement avec moi, parce que tu dois d'abord résoudre tes problèmes avec elle; et elle ne peut pas venir te rejoindre parce que tu n'as pas de statut officiel avec moi! En fait, tu ne supportes aucune de nous deux. Tu ferais mieux de vivre seul!

— Mais je ne peux pas vivre seul! s'exclama le maestro avec une sincérité puérile mais évidente.

— Oh! Je le sais. Tu as besoin de tout : du pouvoir, du succès, des conquêtes. Tu ne veux pas être seul, mais tu ne veux pas être encombré. Tu...

Il était rare qu'Alessandra présentât des revendications – et c'est pourquoi il la trouvait si reposante, si réconfortante, après Jacqueline –, mais elle paraissait en avoir gros sur le cœur, et on aurait dit que les réponses évasives de Bruno à sa fille l'avaient davantage peinée que les avanies qu'il avait pu lui infliger à elle, l'incitant à vider son sac. Il la regardait avec étonnement, comme s'il ne l'avait jamais vue.

— Alessandra, tu te trompes, dit-il. L'homme que tu décris n'existe plus. J'ai beaucoup changé depuis la mort de Jacqueline.

La jeune femme hocha la tête, pas très convaincue.

– Hors de la musique, rien ne compte pour toi. Ton assurance et ton égoïsme sont faramineux.

– Tu me fais beaucoup de peine. Tu ne vois pas que je doute tout le temps de moi? Même pour la musique?... Avant, elle était toute ma vie, ma certitude. Maintenant, je doute même de cette certitude.

Bruno était pathétique. Peut-être n'était-il que pure hypocrisie. Mais comment risquer de blesser son âme d'artiste et son génie? Ses sentiments faisant brusquement volte-face, Alessandra vint à son amant, l'entoura de ses bras.

– Oh! Bruno, je t'en prie, ne doute pas de ton art! Tout le monde croit en toi, je crois en toi... Tu es fatigué, c'est pourquoi ton moral te lâche. Mais je t'en prie, Bruno, je t'en prie... Je t'aime!

Malgré les avis de recherche lancés contre lui, Marcel Fontaine gagna Anvers sans encombre. Une fois de plus, Sophie avait eu du génie en l'obligeant à ne pas perdre une seconde. Une petite fée précieuse, voilà ce qu'elle était. Quand il serait entré en possession de son argent, il lui en donnerait la moitié, au moins la moitié! Elle méritait ça.

Marchant d'un pas pressé dans la belle ville flamande, il supputait le moment où il serait en présence des dollars, il croyait en sentir la caresse sous ses doigts.

Une employée le conduisit à la salle des coffres et déverrouilla le n° 705 pour lui, avec la clé que Sophie lui avait remise. Elle entrebâilla à peine la porte et le laissa; et il attendit d'être seul dans la pièce blindée pour ouvrir en grand.

Un frisson glacé lui parcourut l'échine : à l'exception d'une mince enveloppe et d'un minuscule lecteur de cassettes, le coffre n° 705 était vide. N'en croyant pas ses yeux, il mit sa main à l'intérieur et fouilla, mais il n'y avait rien d'autre.

– Ce n'est pas possible! dit-il à mi-voix.

Il poussa la touche d'écoute de l'appareil et entendit la voix de Sophie :

« Mais si, c'est possible, mon cher Marcel. »

C'était diabolique. Il coupa le son, puis le remit :

« Comment as-tu pu être assez bête pour croire que je te

laisserais l'argent! Pauvre Marcel, comme tu as été crédule! Tu ne voyais donc pas que je mentais? Je t'ai toujours menti. Dès le début. Même en faisant l'amour, je mentais. Tu croyais que ton charme était irrésistible et ravageur, mais, pour moi, tu n'étais rien d'autre que l'instrument grâce auquel je mettrais la main sur l'argent. Je n'aime pas les hommes, je n'aime que l'argent. Je te laisse quelques sous dans l'enveloppe. Après tout, tu as travaillé pour moi, et tout travail mérite salaire. Même le travail qu'on fait en ayant la trouille. Et Dieu sait que tu l'as eue! Maintenant, réfléchis : tu ne seras pas idiot au point de revenir en arrière. Tu serais le premier à en payer les conséquences. A peine aurais-tu mis un pied en Suisse que tu irais tout droit en prison, tu dois bien le comprendre... »

Marcel se sentit défaillir. Il desserra sa cravate, ouvrit son col, il étouffait. Il fourra l'appareil et l'enveloppe dans sa poche, et sonna avec insistance pour qu'on vienne le délivrer de cette salle sinistre et de cet odieux cauchemar... Mais le cauchemar n'en était pas un, rien que la saumâtre vérité.

De temps à autre, Pierre Savagnier jetait un regard à l'homme qui l'avait engagé : Jean-Claude Fontaine. Il avait aimé travailler pour lui, car il partageait son point de vue sur la nécessité de restructurer la vieille entreprise d'horlogerie, et il avait apprécié la confiance que son patron avait mise en lui dès la première heure.

Dans cette entrevue de Genève, il était heureux de mettre sa compétence technique au service de leur but commun. En son for intérieur, il s'efforçait aussi de contrôler la démarche des entretiens et de veiller à ce que le nouveau partenaire ne fût pas trop gourmand.

Il était difficile de lui résister, au nouveau partenaire, quand on était dépourvu d'argent comme l'était pour l'heure Dussault-Pontin. Mais dans le cas de Jean-Claude, il était clair qu'il était prêt à toutes les concessions pour devenir président du conseil d'administration de la maison. Et l'Allemand Shurer, qui menait le bal, était parfaitement conscient de cet état d'esprit. Son programme était fixé : il obligerait Jean-Claude à l'entériner – ce qui attristait Pierre Savagnier et l'inquiétait.

Il n'était pourtant pas au bout de ses surprises. Peu de temps avant l'heure du déjeuner, alors que Jean-Claude était sorti pour prendre des documents supplémentaires dans sa chambre, un homme fit son entrée. C'était un Japonais, qui vint s'incliner avec courtoisie devant le jeune Suisse.

— Monsieur Savagnier, dit Shurer, je vous présente M. Takanawa. C'est un bon ami. En vérité, je ne fais rien sans le consulter.

Pierre salua et dit qu'il était enchanté.

— Monsieur, dit le Nippon, je ne sous-estime pas le fait que Dussault-Pontin soit un authentique symbole de l'horlogerie de prestige. Mais, d'un autre côté, vous ne devez pas oublier que notre apport sera déterminant pour une impulsion nouvelle sur un marché plus diversifié.

— Je sais, dit Pierre, il va nous falloir définir le calibre de nos futures créations, mais compte tenu des options prises, les tendances apparaissent assez clairement...

— Exactement, dit Shurer. Ce qui me plaît dans vos projets, c'est leur élégance, qui n'exclut pas la modernité. La ligne est jeune, sportive...

— Je vous remercie, dit Savagnier, en inclinant la tête.

Jean-Claude revint à ce moment, et Shurer lui présenta le Japonais.

— M. Savagnier vous expliquera, ajouta-t-il. M. Takanawa et moi avons besoin de nous concerter quelques instants. Excusez-nous.

Les deux hommes sortirent. C'est Shurer qui tint respectueusement la porte pour l'autre. Quand elle fut refermée, Jean-Claude regarda Pierre d'un air interrogatif.

— Qui est-ce? demanda-t-il. Un adjoint?

— Je crains bien que ce ne soit le contraire, dit Savagnier. Shurer ne fait rien sans le consulter, m'a-t-il dit. Ce qui signifierait que, au-dessus des Allemands, il y a des Japonais.

Il avait l'air consterné.

— Mais ce n'est pas un drame! L'essentiel pour nous, c'est la certitude que nos découverts bancaires seront garantis!

— Je n'en suis pas si sûr, Jean-Claude. Nous sommes en Suisse, ici. Par ailleurs, j'aimerais que ce Takanawa m'explique quelles sont les motivations de ses compatriotes pour venir à votre secours. Je ne vois pas pourquoi ils agiraient sans contrepartie.

162

– Quelle contrepartie? demanda Fontaine.

Savagnier se sentit mal à l'aise. Pas un instant son patron n'avait l'air d'envisager l'éventualité d'un piège.

– Et s'ils voulaient seulement nous utiliser pour se donner des ouvertures sur le marché européen? avança-t-il enfin.

– Bah! fit Jean-Claude, nous sommes garantis! Nous détenons l'intégralité du capital, n'est-ce pas?

– Oui, admit Pierre. N'empêche, j'aimerais bien avoir l'avis de Mme Dussault.

Jean-Claude éclata d'un gros rire.

– Ma belle-mère! s'exclama-t-il. Mais elle est complètement hors du coup!

Savagnier ne répondit rien. Fontaine était inconscient, pensait-il. Ou tout au moins léger. Il ne se méfiait pas. Or il faut toujours avoir de la méfiance. Takanawa était sûrement un homme dont il fallait se méfier. Shurer aussi, mais Shurer, en fin de compte, n'était que l'instrument du Japonais.

Une heure plus tard, Pierre en eut une preuve supplémentaire, s'il en était besoin. Avant de se mettre à table pour déjeuner dans le salon particulier, les quatre hommes prenaient l'apéritif en causant deux par deux. Takanawa parlait avec Jean-Claude, flattant sa vanité avec de belles formules. Shurer, dans le même temps, avait emmené Savagnier à l'écart pour le complimenter. A l'entendre parler et à l'observer, dit-il, il avait cru de bonne foi avoir affaire à un vieux collaborateur de Dussault-Pontin.

– Non, dit Pierre. Je ne suis entré que depuis peu de mois. M. Fontaine m'a engagé et m'a mis en main les données de la situation.

– Et vous l'avez analysée avec une clarté remarquable. Chacune de vos paroles témoigne d'une grande intelligence et de beaucoup de compétence.

– M. Fontaine a confiance en moi. Il m'a expliqué le moindre détail.

– Mais l'élève a déjà dépassé le maître, dit Shurer.

– Là n'est pas la question.

– Voyons, cher monsieur, vous êtes certainement ambitieux?

– Je pense que c'est une qualité, non?

– Mais certainement. Et vous en avez d'autres. Vous avez

l'étoffe d'un patron. Vous ne visez pas la direction de Dussault-Pontin?

— Ce serait malhonnête.

— Vos scrupules vous honorent, dit Shurer. Pourtant, il faut savoir être opportuniste. Une multinationale comme la nôtre recherche toujours des gens comme vous pour occuper des postes clés!

— J'y penserai si je cherche un emploi, fit Pierre sur le ton de la plaisanterie.

Mais le regard que lui envoya Shurer signifiait tout autre chose; Savagnier en eut froid dans le dos. Il signifiait que, le cas échéant, ni lui ni Takanawa n'hésiteraient à éliminer Jean-Claude Fontaine. Presque certainement, ils avaient déjà dessiné le schéma de cette élimination. Leur aparté de l'instant d'avant avait dû être consacré à cela. Mais qu'y faire? Fontaine était aveuglé, ébloui, par ce qu'il prenait pour sa réussite.

De fait, lorsqu'il rentra à La Chaux-de-Fonds, le gendre de Mme Dussault ne se tenait pas de contentement de soi.

— Je les ai mis dans ma poche, claironna-t-il aux oreilles de Nicole.

— Qui as-tu mis dans ta poche? demanda la jeune femme.

Elle était lasse et déprimée, ayant reçu dans l'après-midi les confidences et les plaintes de sa mère, qui avait été avisée par Fussli que le délai de grâce ne pouvait être prolongé et qui avait été désagréablement choquée en apprenant que son gendre était allé à Genève pour conclure un accord dont elle ignorait tout.

— J'ai mis dans ma poche non seulement les Allemands, mais les Japonais.

— Les Japonais? D'où sortent-ils, ceux-là?

— Ben! Du Japon! En fait, ils sont derrière les Allemands. Tu sais que les Japonais sont partout. Mais qu'est-ce que ça peut faire? L'essentiel, c'est de sauver l'entreprise, n'est-ce pas?

— Oui, dit Nicole. C'est ce que j'ai dit à maman.

— Tu as parlé à ta mère des Allemands? C'est dingue!

— Non, dit Nicole en se dirigeant vers la table où se trouvaient les verres et le whisky. Ça lui remonte le moral de savoir ce qui se passe, et j'essaie de la convaincre que tu agis pour le mieux.

164

Jean-Claude prit le verre que lui tendait sa femme et lui fit un sourire inattendu et amical.

– C'est gentil. Je te remercie, dit-il. Alors, tu feras encore quelque chose pour moi : au prochain conseil d'administration, tu me proposeras comme président, tu veux bien?

– Je le ferai, dit Nicole.

Elle alla se servir un porto, pensive. Est-ce que d'aider un peu plus Jean-Claude consoliderait leur couple sans amour? Son mari serait-il même sensible à ses efforts? Elle en doutait, hélas!

Après son coup de téléphone à son père et l'accueil décevant qu'il lui avait fait, Véronique suggéra à François-Eric de faire étape à Lugano, dans la villa de sa grand-mère. Elle savait qu'Erminia et Giuseppe seraient choqués, et sans doute aussi Bruno, mais elle n'en eut cure, au contraire. Choquer fait partie du langage des adolescents. Ça attire l'attention.

Erminia fut effectivement outrée, mais elle ne put faire moins que de préparer un souper pour la fille de son patron et son invité, et de leur faire des lits sans trop se poser de questions sur la façon dont ils les occuperaient. Au matin, la jeune fille repartit sur la moto de son ami, qui la déposa à Bergame, devant le théâtre, avant de poursuivre seul sa randonnée vers Venise.

Au théâtre, l'atmosphère était chaude et trouble. Une première algarade avait eu lieu entre Ferrari et Walter Salieri, qui prétendait n'être pas inscrit ce jour-là au tableau de service et ne pas vouloir commencer la répétition. Aussi bien, à quoi cela servait-il? A peine Steinberg arrivait-il qu'il défaisait tout le travail de son assistant. Le système était aberrant, il se tuait à le répéter.

Ferrari allait insister lorsque, par chance, le maestro arriva. Il sauta sur l'estrade, salua ses musiciens. Ils étaient tous présents, et Alice Clementi vint tout de suite s'asseoir devant son piano. Quelques minutes plus tard, la salle se mettait à résonner des accents du concerto, et Ferrari soupira de soulagement. Il pria Walter de le suivre dans son bureau pour s'y expliquer franchement et, au passage, alla embrasser sa fille, qui prenait des notes dans le fond du théâtre.

– Walter est à cran, lui dit-il à mi-voix. Je ne savais pas qu'il pouvait être aussi irascible.

– Walter? Il fait une crise de nerfs pour un oui, pour un non, dit Alessandra.

Elle ne dit pas que son état avait empiré depuis quelque temps, très exactement depuis qu'on répétait le concerto de Mozart. Elle ne dit pas qu'elle-même se sentait plus fragilisée depuis le même moment, pour des raisons qui lui paraissaient tantôt fondées, tantôt stupides, et qui se résumaient en un nom : Alice Clementi.

– Je vais essayer de le calmer, dit Giovanni, en reprenant le chemin de son bureau.

Walter Salieri l'y avait précédé, la mine toujours butée.

– Que veux-tu au juste? demanda Ferrari en s'asseyant derrière son bureau.

– Arrêter ce cirque, dit Walter. M'en aller d'ici. Je ne sers à rien, qu'à exaspérer le maître.

– On peut trouver un compromis. Je tiens à te garder, moi!

– Je suis désolé, monsieur Ferrari, mais telles que les choses se présentent, il n'y a pas de place en même temps dans ce théâtre pour Bruno Steinberg et Walter Salieri. Comme vous tenez quand même surtout à garder Steinberg, c'est Salieri qui part! L'avantage, c'est que Steinberg ne sentira plus de mauvais regards se poser sur lui.

– Quels regards? demanda le directeur.

– Oh! surtout les miens! J'avoue que je lui envoie de mauvais regards. Sur lui et sur son harem.

– Tu dis des bêtises, Walter, dit Ferrari sur un ton qui se voulait conciliant mais dénotait une certaine gêne.

– Ce ne sont pas des bêtises. Seriez-vous naïf, monsieur Ferrari?

– Naïf, moi?

– Seriez-vous naïf au point de croire que Steinberg veut épouser votre fille, maintenant qu'il est veuf?

– Salieri, je ne permets pas...

– Soyez réaliste, monsieur Ferrari! Steinberg laisse toujours traîner son regard ailleurs que sur la femme qui l'aime.

– Que veux-tu dire? demande Ferrari, nerveux.

– Ces jours-ci, c'est sur la soliste. Vous ne vous en êtes pas aperçu?

166

Giovanni se passa la main sur le front.

— Alice Clementi? Tu crois?

C'est à ce moment que Véronique passa la tête dans le bureau.

— Vous êtes là, monsieur Ferrari, demanda-t-elle. Est-ce que je peux aller écouter papa?

10

— Ça va, les enfants, dit Bruno. On reprendra tout ça demain. Je suis très content de vous. Nous faisons du bon travail ensemble.

Il déposa sa baguette, passa sa main dans son épaisse chevelure et se prépara à quitter la scène. Avec son jean et sa chemise rose, il avait l'air d'un jeune homme.

— Hello! dit quelqu'un derrière lui.

Il avait reconnu la voix de Véronique, et il se retourna, incrédule. Mais c'était bien sa fille qui était là.

— Qu'est-ce que tu fais ici? Je t'avais pourtant demandé de patienter un peu.

— En effet. Mais quand tu l'as demandé, j'étais déjà partie. J'étais à Chiasso.

— Comment étais-tu venue à Chiasso?

— Avec François-Éric, un garçon qui a une chouette moto.

— C'est ton flirt?

— Mon Dieu! dit-elle. Peut-être que c'est comme ça que ça s'appelait de ton temps...

Bruno la regarda et trouva qu'il y avait quelque chose de pathétique dans son regard et dans l'air provocant qu'elle prenait pour lui parler de son petit ami.

— Quand grand-mère l'a vu, j'ai cru que ça allait être l'infarctus. Je ne peux pas lui présenter mes amis. Je ne peux pas lui parler de ce qui m'intéresse.

— Bien sûr, dit-il affectueusement.

Il n'ajouta pas qu'elle avait bien fait de venir, parce qu'il ne savait pas au juste quoi faire d'elle, mais il n'était pas mécontent, finalement.

Constance Dussault n'était pas encore remise du départ de sa petite-fille lorsqu'elle eut à subir une nouvelle émotion : Marcel Fontaine l'appela au téléphone.

Où était-il? Elle ne le saurait jamais, car elle lui raccrocha au nez, horrifiée. Ça avait été plus fort qu'elle, une sorte de réflexe de son affectivité : venant de Marcel, pour qui elle avait toujours eu de la sympathie, la trahison lui faisait positivement horreur, et elle ne pouvait éjecter cette horreur qu'en éjectant l'homme de son esprit. Mais quand Sophie entra dans le bureau où elle avait reçu la communication, elle était encore bouleversée.

— Quelque chose qui ne va pas, Madame? demanda la jeune femme.

— Marcel Fontaine vient d'appeler.

Sophie se mordit la lèvre, consciente d'avoir pâli.

— Que voulait-il? demanda-t-elle d'une voix qu'elle eut peine à rendre audible.

— Tu penses bien que j'ai raccroché! s'exclama Constance. Comment a-t-il osé?

— Vous avez des réflexes admirables, dit Sophie. C'est exactement le sort qu'il mérite. Vous appeler, non mais, quel toupet! Je l'ai toujours trouvé insolent. Insolent et sournois.

— Ah oui? Moi, je l'aimais bien, avant.

— Parce qu'il est hypocrite! Et que vous êtes trop bonne. Cet homme s'est conduit envers vous avec une fausseté incroyable. Il a abusé de votre crédulité de façon ignoble. N'allez surtout pas, par gentillesse, vous intéresser encore à lui! Il ne faut plus que vous lui donniez la moindre possibilité de vous nuire!

De tout son entourage, Sophie était la seule personne à faire sans cesse compliment de sa bonté à Mme Dussault. D'être louée pour une qualité qui était loin d'être sa principale vertu amollissait singulièrement la vieille dame, et c'est de cette façon que la demoiselle de compagnie assurait son emprise sur elle. Et Sophie ne fut nullement surprise de l'entendre dire, une fois de plus :

— Tu parles d'or, mon petit. Plus j'y pense et plus j'ai

l'impression que tu es vraiment la seule autour de moi à être honnête et désintéressée.

Sophie remercia d'un sourire.

Au soir du jour où elle avait débarqué sans tambour ni trompette, Bruno Steinberg emmena Véronique à Lugano, faute d'une meilleure idée.

L'idée était d'ailleurs excellente et, après avoir dîné dans un restaurant du lac, ils passèrent une merveilleuse soirée. Le lendemain, la jeune fille vint surprendre son père au lit et le persuada de faire du jogging avec elle, ce qui l'enchanta, car il adorait que les jeunes femmes, y compris sa propre fille, le traitent en jeune homme.

Néanmoins, il demanda grâce au bout d'une demi-heure et, pour abréger un exercice qui tournait au supplice, prétexta un coup de téléphone urgent à donner. Il s'agissait de répondre à un journaliste de Milan, qui voulait faire un reportage sur lui. Il donna son accord mais le renvoya à Alessandra pour les détails d'intendance. Espérant que Véronique ne serait plus d'humeur sportive et se rendant compte qu'il avait une faim de loup, il sortit de son bureau et appela Erminia.

La gardienne avait un drôle d'air, un peu gêné, un peu sournois. Au lieu de se précipiter dans la cuisine, elle demeurait là, à se mordiller les lèvres d'un air perplexe.

— Monsieur, dit-elle enfin, il faut que je vous dise quelque chose... Mademoiselle, elle a couché ici l'autre nuit... Elle n'était pas seule... Il y avait un garçon avec elle...

— François-Éric?

Erminia demeura bouche bée. Le patron n'avait pas l'air de s'en faire une miette.

— François-Éric, oui... je crois, dit-elle. Ils... ils ont dormi dans le même lit et ils... ils ont pris un bain ensemble!

De toute évidence, Erminia était tout spécialement choquée par le bain en commun.

— Ça prouve au moins que ce garçon est propre, dit le chef d'orchestre. Merci, Erminia, vous avez bien fait de m'avertir.

La gardienne demeura perplexe.

A vrai dire, son patron lui en voulait et lui était reconnaissant en même temps. Pour un père, il est bouleversant de s'entendre dire pour la première fois que sa fille partage le lit d'un garçon. Par ailleurs, d'avoir été mis au courant allait lui permettre de parler à Véronique à cœur plus ouvert, sans l'hypocrisie qui semblait si chère à sa belle-mère, mais qui avait le don de rendre sa fille enragée.

Soudain, il se sentit très heureux, très détendu. Il était certain que tout allait bien se passer avec Véronique.

Mᵐᵉ Dussault avait pour principe que l'adversité ne peut être un frein, qu'au contraire c'est un aiguillon. A deux reprises, dans les semaines précédentes, son corps l'avait trahie, mais ce n'avait été que de brèves alertes dont son énergie avait eu raison, et elle commençait à se sentir pleine d'ardeur. Avec un certain amusement, elle comptait les coups récents : l'intransigeance de Fussli, la raideur de Fernay, les manigances de Jean-Claude et le départ de sa petite-fille avec un motocycliste – et elle se disait que ça commençait à bien faire, surtout après le coup de fil de Marcel qui ne lui rappelait que trop comme elle s'était bien fait posséder. Il était temps, grand temps, de trouver des parades, et elle en entrevoyait certaines.

Sa première démarche fut d'aller trouver Jean-Claude et de lui demander des éclaircissements sur ses agissements. Son gendre le prit de haut avec elle, mais au moins elle eut la satisfaction – mitigée – d'apprendre l'imminence d'un conseil d'administration convoqué par lui et l'existence de Takanawa.

Elle pensa qu'il allait y avoir du sport.

Il y en eut effectivement, mais pas celui qu'escomptait Jean-Claude. La manœuvre de celui-ci aurait pu réussir si sa belle-mère avait été moins expérimentée et moins subtile. Elle assista au conseil. Elle ne parut pas offusquée d'y voir un notaire et écouta sans broncher Jean-Claude énumérer ses prétentions : il entendait devenir président de l'affaire et pensait que c'était dans le sac, puisqu'il avait pour lui 66 pour 100 des suffrages, ceux de sa femme et des Steinberg.

Il avait négligé une chose, que Constance se chargea de lui rappeler : l'assemblée n'avait pas été convoquée dans les délais et les formes requis par la loi. Rien ne pouvait donc être décidé, et la séance fut levée.

Mᵐᵉ Dussault n'y gagnait, à première vue, pas grand-chose :

seulement l'avantage de connaître les intentions de son adversaire et un petit peu de temps. Mais on a vu des batailles être gagnées avec des atouts encore plus minimes.

Quoi qu'il en soit, Jean-Claude n'était pas content. Pour un peu, il aurait fait une scène à Nicole, parce qu'elle avait une mère aussi tordue.

Le soir, recevant Pierre Savagnier à dîner chez lui, il décoléra un peu grâce à sa tendance naturelle qui le portait à tenir sa belle-mère pour une incapable sans danger. Elle avait cru marquer un point sur lui, soit! Elle avait gagné du temps, soit! Mais pour quoi faire? Elle ne pouvait rien faire. Tandis que lui...!

— Il faudrait que j'aille à Londres, dit-il. Pierre, vous vous occuperez des Allemands pendant mon absence. Ils vous aiment bien. Vous dialoguez facilement avec eux.

— Si cela vous arrange, je le ferai, dit Savagnier.

Jean-Claude frappa la table de sa main, l'air satisfait, et se leva dans le même élan.

— Parfait! dit-il. Vous m'excusez une demi-heure? Je dois passer chez un ami pour le prochain dîner du Rotary. Tenez donc compagnie à ma femme, pendant ce temps-là.

— Si ça lui fait plaisir, très volontiers.

Quand Jean-Claude fut parti, Nicole resservit du café au jeune ingénieur, puis dit :

— Je ne voudrais pas vous retenir, Pierre. Peut-être que quelqu'un vous attend.

— Personne ne m'attend.

— Vous vivez seul?

— Oui, depuis deux ans. J'avais une compagne. Elle m'a quitté.

Nicole sourit. Son sourire avait toujours quelque chose de mélancolique, comme si elle avait acheté sa sagesse au prix d'une secrète tristesse.

— Je suis désolée si j'ai ravivé de mauvais souvenirs, dit-elle. On dit que les blessures d'amour ne cicatrisent jamais.

— On dit ça dans les livres, Nicole. A moins que... Ce n'était peut-être pas une blessure d'amour... Cette femme n'était peut-être pas faite pour moi, qui sait...?

Nicole se resservit de café pour se donner une contenance.

172

Elle n'aurait pas cru qu'une phrase si anodine pût faire autant de plaisir.

Alessandra avait réglé tous les détails avec le journaliste de Milan. Il ferait, pour une agence internationale, une longue interview du maestro, tandis qu'un photographe réaliserait un reportage au théâtre et dans les rues de Bergame.

A l'interviewer, Bruno réserva la primeur d'une grande nouvelle : après le festival, il allait partir en tournée avec l'orchestre du théâtre de Bergame. Une grande tournée : Japon, Australie, États-Unis, et, hors programme, bientôt deux concerts à Moscou. Le programme serait celui du Festival, avec en plus de Beethoven, du Stravinski et du Rachmaninov.

Le journaliste nota, puis demanda :

— Puis-je vous parler maintenant du drame récent qui a bouleversé votre vie?

— Je suis désolé, mais c'est non. Ça relève du domaine privé, et je déteste parler de ma vie privée.

— Je comprends, dit le journaliste.

Il revint au domaine musical et demanda si, outre l'orchestre, Bruno emmènerait des solistes.

Les solistes n'étaient pas encore choisis, dit le chef, mais à Moscou, Alice Clementi jouerait le concerto de Mozart.

Le journaliste nota : A Moscou, Alice Clementi.

Pendant ce temps, au théâtre, Alice Clementi et Walter Salieri avaient une nouvelle prise de bec. Les attentions de Bruno pour sa soliste sciaient littéralement Walter, et c'est la jeune femme qui prenait. Il la traitait de nymphomane, d'arriviste. Il l'accusait de vouloir faucher Steinberg à Alessandra!

Personne ne savait au juste ce qu'il y avait de vrai dans ces accusations. Il est certain qu'Alice fascinait Bruno, qui ne s'en cachait pas. Mais jusqu'à quel point avait-elle provoqué délibérément cette fascination, Walter en était mauvais juge, car il éprouvait toujours pour elle ce mélange de haine et d'amour qu'on voue à ceux et à celles qu'on a chéris un jour.

173

Mais il est certain qu'Alessandra, qui n'avait pas les yeux dans la poche, avait conscience de devoir veiller au grain. Elle se fit notamment confirmer dans ses fonctions d'attachée de presse auprès de Bruno par l'imprésario qui organisait la tournée, ce qui signifiait qu'elle serait du voyage à Moscou. Moscou était devenu l'enjeu d'une bataille de dames, sévère mais feutrée, à laquelle Véronique participait aussi.

A l'expérience, elle s'entendait bien avec son père. Leurs relations étaient cordiales, avec ce zeste d'inceste qui pimente les rapports père-fille, accentué dans leur cas par le fantôme de Jacqueline qui se manifestait parfois entre eux.

Pour l'instant, pour peu de temps peut-être, mais très fortement, c'est Véronique, dans sa nouveauté, qui accaparait l'attention du maestro. Et ce jour-là, celui où elle sut qu'elle irait à Moscou avec l'orchestre, Alessandra perçut cet état de choses. Comme elle avait acquis de la finesse, elle pensa que la bonne politique était de s'effacer le temps nécessaire.

Elle se trouvait avec Bruno dans la loge de ce dernier et, comme souvent, il était préoccupé par un problème musical. Alessandra avait déjà décelé que, dans de tels moments, cet homme à femmes détestait les femmes si elles essayaient de le distraire.

Elle allait se retirer quand Véronique entra, chargée de paquets : des babioles, des chaussures, une robe... En bonne ado des années 80, sans beaucoup d'usages ni de nuances, elle laissa choir le tout à ses pieds, se dépouilla de ses vêtements et s'empressa d'enfiler la robe neuve pour la montrer à son père.

Alessandra était tout yeux tout oreilles – et elle vit Bruno lâcher sa musique et regarder sa fille avec ravissement.

– Je vous laisse, dit-elle doucement.

– Mais non, dit Steinberg, nous allons prendre un café au bar tous les trois.

Il avait parlé machinalement, n'ayant d'yeux que pour Véronique.

– Je vous laisse, répéta Alessandra avant de s'esquiver.

Elle n'avait pas peur. La passion de Bruno pour sa fille s'userait quand leurs relations auraient perdu l'attrait de la nouveauté. Mais, pour l'instant, il lui fallait laisser son grand gamin d'amant jouer au papa.

Un peu plus tard, passant à proximité du bar du théâtre, elle les vit tous les deux. Véronique portait toujours sa robe neuve — une robe décolletée et sophistiquée achetée en vue du dernier concert du festival. Elle s'était fait les yeux et avait changé sa coiffure. Elle paraissait cinq ans de plus que son âge, elle était très attrayante. Alessandra se garda bien de les rejoindre.

Elle disait, Véronique, non sans malice :

— Alors, tu me trouves belle?

— Très belle, répondit Bruno.

— Tu me regardes comme si tu ne m'avais jamais vue, comme si j'étais quelqu'un de nouveau pour toi.

— Mais tu *es* quelqu'un de nouveau!

— Je vois, s'exclama Véronique, moqueuse.

— Dans ma tête, il y a l'image d'une petite fille.

— Mais, papa, je suis une petite fille!

— Oh! fit Bruno.

Véronique le regardait, sourire aux lèvres, et bien qu'elle eût encore peu d'expérience, elle pressentait soudain ce qu'il y avait de naïveté chez les hommes, chez son père en particulier. Elle ne put s'empêcher de le dire :

— Vous, les bonshommes, qu'est-ce que vous pouvez vous faire posséder!

— Posséder! fit Bruno, choqué.

— Oui, par les apparences. Une robe un peu olé! olé! un peu de rouge aux lèvres et de noir aux yeux, et vous fantasmez.

— Qu'est-ce que tu me chantes là?

— Oh! ce que j'en disais...!

Bruno sourit.

— Tu me fais beaucoup penser à ta mère en ce moment.

— Je lui ressemble? demanda Véronique, avec un mélange d'anxiété et d'agressivité.

— Ce n'est pas ce que je veux dire. Je pense qu'elle serait fière de te voir comme tu es. Avant, c'était une femme ouverte, expansive, spontanée. Comme toi... Ça a fini par la rendre fragile...

— Tu dis ça pour me mettre en garde?

— Peut-être, dit gravement Bruno.

— Je crois que tu n'as pas d'inquiétude à te faire. Je pense que je suis moins naïve que maman, moins vulnérable. Je crois savoir très bien, maintenant, ce qui s'est passé entre maman et toi. Et c'est vrai que je lui ressemble. Seulement, je pense que je suis plus prudente qu'elle. Plus réaliste. Courageuse, mais pas téméraire. Comme toi.

— Parce que tu me vois comme ça : courageux, mais pas téméraire?

— Et comment! dit-elle en éclatant de rire.

La veille, déjà, personne n'avait vu Mme Dussault. Après l'assemblée avortée, personne ne l'avait rencontrée. Personne non plus n'avait songé à s'en alarmer. Ces temps derniers, elle ne semblait pas pouvoir faire un pas sans Sophie, mais ce n'était pas une habitude immuable et, par le fait, la demoiselle de compagnie ne prit vraiment conscience de l'absence de sa patronne que lorsque le téléphone sonna.

Fidèle à une habitude qui remontait aux premiers temps de sa collusion avec Marcel Fontaine, elle décrocha en vitesse. Le banquier Fussli voulait parler à Mme Dussault. C'est alors qu'elle se rendit compte que Madame n'était ni dans sa chambre, ni dans son bureau, ni nulle part. Martine ne l'avait pas vue; la femme de ménage et l'homme de peine, non plus.

Jean-Claude, qui, dans son bureau, porte ouverte, classait des papiers en vue de son voyage à Londres, vint sur le seuil et demanda :

— Que se passe-t-il, Sophie?

— On demande Madame au téléphone, et elle n'est nulle part.

— Je peux prendre la communication!

— Non, monsieur Fontaine. C'est *Madame* qu'on veut, dit Sophie, non sans arrogance.

Jean-Claude haussa les épaules, rentra dans son bureau en grommelant. Sa belle-mère devait continuer à déconner, à essayer de se donner de l'importance. En vain, comme d'habitude!

Il était néanmoins agacé. Il sortit de la maison, se rendit dans le garage. Michel astiquait la Jaguar; il consacrait à cette occupation une bonne partie de ses journées.

— Madame est sortie, aujourd'hui?

— Pas avec moi, monsieur.

– Vous ne l'avez conduite nulle part ce matin?

– Non, monsieur.

Michel était trop onctueux pour être honnête, pensa Jean-Claude. Il dit quand même :

– Si elle vous demandait de la conduire quelque part, puis-je vous demander de m'avertir?

– Ça dépend, monsieur.

« Ça dépend de quoi, crétin? » hurla Jean-Claude, mais en son for intérieur. Michel était le chauffeur *personnel* de Constance Dussault. Peut-être était-ce maladroit de lui en demander tant.

Jean-Claude revint dans son bureau avec le sentiment que sa journée était gâchée. Mais Pierre Savagnier lui dit qu'il venait de parler au téléphone avec Shurer, et il se rasséréna. Son voyage imminent à Londres lui donnait un agréable sentiment d'efficacité.

Une seule personne de ses intimes savait où se trouvait Mme Dussault : Carlo Galli. Elle était à Bellagio, au bord du lac de Côme, dans un hôtel délicieux. Par télégramme, elle avait demandé à Galli de la rejoindre, pour un entretien urgent et important.

Galli s'empressa d'accourir. Il se faisait du souci pour sa vieille amie frappée à coups répétés par le sort; et il craignait toujours que le chagrin et l'amertume n'eussent raison de son courage.

Il trouva une Constance apparemment détendue, n'ayant pour seul souci que de se reposer dans la solitude et l'anonymat, et de jouir des beautés d'un lac universellement célèbre. Elle l'attendait sur la terrasse de l'hôtel, assise devant une tasse de thé, extrêmement soignée à son habitude.

Il lui baisa la main avec affection et s'enquit de sa santé.

– Ma santé est bonne, Carlo. Il faut faire confiance à son corps si on le veut amical et disposé à vous soutenir. J'ai de grands projets et j'ai besoin de toutes mes forces.

– De grands projets, voyez-vous ça! plaisanta Galli.

– Ne me parlez pas comme à une enfant. Il y a longtemps que j'ai appris à penser par moi-même et à résoudre mes problèmes. Je n'accepte pas la défaite. Tant pis pour ceux que ça dérange et qui me veulent gâteuse avant l'âge pour avoir les coudées franches.

Carlo Galli pensa que son amie avait un ton bien belliqueux et il s'en amusa, mais il se garda bien de l'interrompre.

— Voyez-vous, reprit-elle, je me suis toujours tirée seule des mauvais pas de ma vie; et je veux continuer. J'ai mûrement réfléchi et j'ai fait mon plan. Je vais rembourser mes créanciers et mettre en route une nouvelle collection. Réduite, certes. Je n'aurai pas les moyens de faire exécuter autant de modèles, mais ce sera quand même une collection.

— Voilà un plan admirable, Constance, mais où trouverez-vous l'argent?

— C'est là que j'ai besoin de vous, Carlo.

Elle s'arrêta et le regarda en souriant. Intérieurement, elle tremblait. Elle n'avait pas beaucoup de cartes dans son jeu, et le souvenir de son entrevue avec Fernay était cuisant. Elle avait cru pouvoir compter sur son amitié et son alliance, et elle s'était trouvée en face d'un requin qui ne pensait qu'à profiter de sa détresse momentanée pour s'approprier la villa de Lugano pour une bouchée de pain. Elle était tombée de haut, ce jour-là, et elle ne savait pas encore ce qui lui avait fait le plus de peine : la trahison de Marcel ou la défection sournoise de l'homme d'affaires. Si Carlo agissait de la même façon, elle savait que sa belle assurance s'évaporerait, peut-être pour toujours.

— Carlo, attaqua-t-elle, pensez-vous parfois à l'orangeraie que nos pères ont achetée en commun autrefois en Sicile? Je devais avoir vingt ans et vous un peu moins, je pense.

— Nos deux familles y sont allées une fois ensemble, dit Galli, avec une pointe d'émotion. Vous étiez sur le point de vous fiancer et j'étais amoureux de vous en secret. Vous souvenez-vous? Nous avons fait un merveilleux voyage dans toute l'île, pendant lequel j'étais le plus heureux et le plus malheureux des garçons.

— Je me souviens, dit Constance, un peu surprise de cet aveu tardif. Mais revenons donc à nos oranges.

— Elles sont excellentes et se vendent très bien, dit le bijoutier. Cette orangeraie est une affaire très rentable.

— C'est ce que je voulais vous faire dire. Je veux vous vendre ma part, Galli, pour avoir de l'argent frais.

— N'est-ce pas céder la proie pour l'ombre? Les revenus de cette exploitation...

— ... m'assureraient une retraite de petite vieille tranquille?

Je ne suis pas encore une petite vieille, Carlo. Votre réponse?

— J'ai besoin de vingt-quatre heures pour être sûr de pouvoir réunir les fonds, Constance, mais à part ça, je suis votre homme! (Il se mit à rire.) Je n'ai jamais pensé à vous comme à une petite vieille. Dieu me punirait pour ma sottise si je le faisais!

— Je vous trouve *super*, Carlo — est-ce comme ça que dirait ma petite-fille?... Voyez-vous, l'avantage de cette combinaison, c'est que tout le monde ignore l'existence de cette orangeraie et que je pourrai...

— J'ai compris : vous pourrez manœuvrer dans l'ombre comme votre faux cul de gendre! s'écria le joaillier.

Et ils piquèrent un fou rire tous les deux.

Revenant d'une promenade au bord du lac, Bruno entendit qu'on jouait du piano dans sa salle de musique. Ça lui parut plaisant. Depuis quelques années, on faisait rarement de la musique dans la villa de sa belle-mère. En s'approchant, il reconnut un classique : *Caravan*, de Duke Ellington.

C'était Véronique. Il ne savait pas qu'elle s'intéressait au jazz. Elle jouait juste, pensa-t-il, mais sa technique manquait de rythme.

Il entra à pas de loup dans la pièce et, debout derrière elle, joua les basses d'une main ferme.

— Oh! Je croyais que tu étais en ville, dit l'adolescente, confuse.

— Je suis rentré, tu vois, dit-il en riant. Ce n'est pas mal, ce que tu fais. Tu devrais persévérer.

— Tu t'intéresses au jazz, toi?

— Pourquoi pas? Vous êtes marrants, vous, dans votre génération : vous cloisonnez tout et vous mettez vos parents dans le coin des demeurés.

— C'est une question d'âge, papa. Tu as dû être pareil. Les jeunes découvrent tout en même temps, ils veulent tout, et ils croient que leurs aînés, au contraire, sont des spécialistes de toute éternité.

— Finement analysé, ma petite! Sais-tu que tu n'es pas bête? Si seulement tu consacrais un peu plus de temps à ton instruction!

Véronique poussa un grand soupir et regarda son père, l'air

de penser : « Lui aussi, comme grand-mère! » Elle attaqua :

— Minute! Je parie que tu ne sais même pas en quelle classe j'étais.

— Dernière année du second cycle, non?

— En troisième au collège, hélas!

— Il ne faudrait pas que tu y restes toute la vie!

— Je n'arrive pas à rattraper mon retard, papa! C'est pour ça que je n'aime pas les études, dit la fille d'une voix désabusée. C'est pas drôle, tu sais.

Mais Bruno ne se laissa pas impressionner.

— Il faut que tu fasses quelque chose, que tu choisisses une branche.

— D'accord, mais avant, tu m'emmènes en Russie!

— Moi, je t'emmène en Russie?

— Ben voyons! D'abord, tu l'as dit. Ensuite, faut que j'aie une occasion de mettre mes robes neuves. Et puis, qui sait si je ne vais pas m'intéresser à la langue russe?

— Je serais déjà content que tu t'intéresses de plus près à l'orthographe de ta langue maternelle! dit Bruno avec une grimace. Mais je reconnais, ajouta-t-il en riant, que tu es une séductrice d'une espèce rare!

Véronique fronça les sourcils, regardant son père du coin de l'œil.

— Si je n'étais pas ta fille, toi, tu me ferais la cour! s'exclama-t-elle. Ah, papa! Je me demande si je pourrai dégoter un type aussi bien que toi!

Elle était sincère. Et elle se disait que, dès le lendemain, elle irait s'inscrire dans une école. Elle désirait tellement lui plaire.

Nicole commençait à se faire sérieusement du souci : sa mère n'était pas rentrée, ne donnait pas signe de vie. C'était le troisième jour, maintenant, si on comptait celui où on ignorait si elle était ou non à La Chaux-de-Fonds.

Elle était venue aux nouvelles, mais Sophie n'en avait pas. Au bureau, Pierre Savagnier n'en avait pas non plus.

— Elle fait souvent des fugues, comme ça? demanda-t-il.

— Jamais!

— Mais elle a le droit de changer, dit Pierre en souriant. Nicole, je voulais vous demander : êtes-vous libre ce soir?

— Je ne sais pas si Jean-Claude...

L'ingénieur lui coupa la parole : Jean-Claude prolongeait son séjour de vingt-quatre heures, il venait de téléphoner. Pour le reste, la soirée où il voulait l'emmener serait tout ce qu'il y a de sympa... une petite fête chez un sculpteur. Ça lui changerait les idées.

— Mais il y a maman..., dit Nicole, l'air tellement petite fille, soudain.

C'est ce moment que choisit Mme Dussault pour faire son entrée, superbe et souriante. Elle se moqua de l'air paniqué de sa fille et demanda sans désemparer s'il y avait des messages pour elle.

Giorgio Thesis était dans la panade. C'était un homme qui avait beaucoup de vices et qui avait toujours vécu d'expédients : le jeu, les courses, les petits commerces à la frange de la légalité. Son mariage avait fait partie de ces expédients : Alessandra avait payé l'appartement, et elle faisait bouillir la marmite quotidienne, c'était déjà quelque chose.

Mais ce n'est pas ce qui épongeait les dettes de jeu quand elles survenaient, et il y avait des moments difficiles. Ces jours-ci, c'était Salmon qui lui faisait des misères. Salmon était un jeune et joli garçon, sans doute homosexuel, plus sûrement minet à l'usage des deux sexes, qui avait éprouvé pour Giorgio et son genre de vie « cool » une admiration éperdue, jusqu'au jour où il s'était mis à la drogue.

Souvent utilisé par lui pour ses trafics parallèles et rémunéré plus ou moins régulièrement, il prétendait maintenant que le mari d'Alessandra lui devait une forte somme, et il formulait de plus en plus agressivement ses exigences depuis que ses besoins en héroïne s'étaient accrus.

Une fois de plus, il était venu chez Thesis réclamer son fric, 2 millions de lires tout de suite, disait-il, mais Thesis ne possédait pas cette somme, et il eut fort à faire pour se dépêtrer de l'importun. Il venait d'y arriver à grand-peine lorsque Alessandra rentra.

Distante, comme d'habitude, elle prit immédiatement le chemin de sa chambre. Mais son mari l'arrêta.

— Alessandra, dit-il gentiment, si on causait un peu tous les deux ?

– Pour quoi faire? demanda-t-elle sèchement.

– J'ai eu une idée, pour nous deux. Et j'aimerais te faire une proposition amicale.

– Une proposition amicale! Le ciel va nous tomber sur la tête!

– Voyons, chérie, pour une fois que je suis gentil...

– Soit! C'est quoi, ta proposition?

– Je pense qu'on devrait divorcer. Au point où nous en sommes...

– Moi, il y a longtemps que je le pense. Et je ne suis pas assez butée pour refuser sous prétexte que c'est toi qui le proposes!

– Je vois que tu es compréhensive, dit Thesis avec aménité. Alors, tu comprendras aussi...

– Quoi?

– Je n'ai pas fait une très bonne affaire, en me mariant avec toi, tu ne trouves pas?

– Une affaire?

– Je veux dire : sur le plan sentimental.

Alessandra fit entendre un clappement.

– Et tu voudrais que je convertisse les dommages sentimentaux en bonnes lires italiennes?

Giorgio vint à sa femme et lui prit la main comme pour la baiser.

– Je savais que tu étais intelligente, dit-il.

Elle lui reprit sa main en un geste brusque.

– Assez intelligente pour refuser ta combine, dit-elle sarcastiquement. Je comprends que tu veuilles reprendre ta liberté, puisque tu ne m'aimes plus et que je ne t'aime plus. Mais moi, notre situation ne me dérange pas tellement et je ne paierai pas un sou juste pour un divorce *consigné dans des registres*!

– Ça veut dire quoi?

– Ça veut dire que, si tu n'es pas content, tu quittes cette maison. C'est la mienne. C'est moi qui l'ai payée. Pour le reste, je n'aurai plus à te nourrir, c'est encore ça que je gagnerai.

– Tu es une garce, Alessandra, tu t'en repentiras!

Pierre avait raison : la soirée chez le sculpteur était très sympa. Les invités, pour la plupart des artistes, étaient de ces gens avec qui Nicole pouvait se sentir à l'aise, et elle avait eu avec eux d'intéressantes conversations.

Mais l'heure s'avançant, l'atmosphère avait changé : maintenant, on parlait moins qu'on ne dansait et, dans cette assemblée où dominaient les jeunes quadragénaires, il y avait des danseurs de rock remarquables. Nicole les regardait avec nostalgie et envie, quand Pierre vint la tirer par la main et l'entraîner vers la piste.

— Mais je ne sais pas danser, je ne sais plus! dit-elle avec une vivacité affolée.

— C'est comme la bicyclette, chère Nicole! Je vous ordonne de me suivre.

Pendant ce temps, Mme Dussault parlait avec son ami – son ex-ami, pensait-elle – Fernay. L'heure était tardive, mais il avait énormément insisté pour venir.

Elle l'avait reçu dans son bureau, sans doute pour lui marquer que, pour elle, il ne pouvait plus être – et encore! – qu'une relation d'affaires, et son ton était extrêmement acerbe.

Fernay, pourtant – il insistait beaucoup là-dessus – ne lui apportait que de bonnes nouvelles : Fussli voulait bien consentir un nouveau délai, et lui-même avait un acheteur qui offrait 2 millions pour la villa de Lugano.

— Trop tard, dit Mme Dussault. Je me la garde, ma villa de Lugano. Il fallait vous déclarer plus tôt : mon affaire a trouvé d'autres amoureux que vous.

— D'autres amoureux?

— Oui, des Japonais.

— Mais quels Japonais, Constance?

— Roland, tu ne sais pas que les Japonais s'intéressent à l'horlogerie? Tu n'as jamais vu de montres japonaises?

— Qu'est-ce que les montres japonaises viennent faire là-dedans?

— Dans mon usine, tu veux dire?

— Des montres japonaises dans ton usine?

Constance Dussault était calme, narquoise, sûre d'elle. Elle pensait que sa détermination commençait à porter ses fruits.

— Hé! fit-elle en écartant les mains, l'air de dire : fallait bien!

— Tu dis : *dans ton usine!* Tu as vendu ton usine à des Japonais? Mais, Constance, tu ne *nous* as pas fait ça!

11

Pierre ramena Nicole jusqu'à la porte de son immeuble. Au moment de se séparer, Nicole dit :

— Merci, Pierre, de m'avoir invitée. C'était une soirée merveilleuse.

— C'est moi qui te remercie, dit-il.

— Parce qu'on se tutoie? fit-elle joyeusement en se tournant vers lui.

— C'est mieux, non? On danse si bien ensemble!

Il la prit par les coudes et déposa un léger baiser sur ses lèvres. Nicole se mit à rire sans autre raison que le contentement. Ç'avait été bon de danser pendant des heures, de rire ingénument et de boire du fendant frais entre chaque danse. C'était bon de ne pas se contraindre à être une personne détachée, sans douleurs ni plaisirs. Instinctivement, elle lui posa les mains sur les épaules et lui rendit son baiser.

Il resserra son étreinte.

Depuis qu'elle occupait ses fonctions auprès de Mme Dussault, Sophie, chaque matin, guettait le facteur et prenait le courrier. Ça correspondait sinon à ses attributions, du moins à son désir forcené d'être au courant de tout, d'être au centre de tout et, si possible, de tirer malignement les ficelles.

Ce jour-là, elle remarqua dans les lettres de sa patronne une enveloppe de papier bon marché dont l'adresse semblait avoir été rédigée par une main enfantine. Comme nom d'expéditeur : Marianne Didier. Ça lui parut intéressant.

Ça lui parut plus intéressant encore, lorsqu'elle vit Mme Dussault tressaillir, contrariée, en prenant cette enveloppe. La patronne ayant refusé que sa demoiselle de compagnie lui lût ses lettres, comme elle le faisait fréquemment, Sophie ne douta plus que celle-là était liée à un secret quelconque, et elle se jura bien de percer ce secret.

Mme Dussault, cependant, lisait le mot de Marianne. Elle lui annonçait sa visite pour l'après-midi même, parce qu'elle avait des choses importantes à lui dire. Qu'est-ce que ça pouvait bien être? Mme Dussault se mit à rêvasser : Marianne était liée à tant de souvenirs, des bons, des mauvais, et aussi ceux qu'on avait enterrés à jamais... Mieux valait être seule pour la recevoir.

Quand Sophie revint pour lui préparer ses vêtements de la journée, elle lui annonça qu'elle allait lui confier une mission. Elle l'envoyait à Lugano pour quarante-huit heures.

— Et que devrai-je y faire? demanda la jeune fille.

— Tu y prendras des nouvelles de Véronique.

— Madame, puis-je vous rappeler respectueusement que le téléphone a été inventé?

— Je ne l'ai pas oublié, Sophie, mais je ne suis pas folle du téléphone. Et j'aimerais que tu constates de tes propres yeux comment vit ma petite-fille. En second lieu, tu iras à l'agence immobilière voir comment ils se débrouillent pour vendre ma villa. Eux aussi racontent n'importe quoi au téléphone.

Tout ça se tenait à peu près, mais Sophie conservait nettement l'impression que sa patronne voulait l'éloigner d'elle pour un autre motif, lié sans doute à la lettre. Elle en trouva l'enveloppe dans la corbeille à papier et nota soigneusement l'adresse de Marianne Didier avant de se préparer à partir.

En l'absence de Jean-Claude Fontaine, c'est Pierre Savagnier qui fit les honneurs des ateliers de Dussault-Pontin à M. Takanawa.

Guillaume n'en revint pas de voir un « étranger » jouant un rôle qui revenait de droit à la patronne. Il en revint encore moins de voir un Japonais dans *son* atelier. Il l'entendit demander au nouvel ingénieur si le système d'aération était conforme aux normes.

— Absolument conforme, assura Savagnier.

— Ce que j'en dis, fit le Nippon, c'est pour vos ouvriers, n'est-ce pas! Encore que vous en aurez beaucoup moins avec les nouvelles chaînes. Ceux qui resteront seront les bons, croyez-moi. Il faudra vérifier s'ils ont les mains fines. Chez nous, on prend des jeunes filles. La chaîne robotisée et les mains fines des jeunes filles, c'est l'avenir de l'industrie horlogère.

— Une industrie dans laquelle la Suisse a quand même fait ses preuves! dit Pierre, assez choqué.

— Oh oui! Vous avez fabriqué de jolis coucous, ironisa Takanawa. Mais l'avenir, c'est autre chose.

— Un chant d'oiseau technologique? fit Savagnier, persifleur.

— Jolie formule, dit le Japonais sans rire. Je vais la noter.

Sophie venait juste de partir pour Lugano quand Jean-Claude se pointa à la maison Dussault. Étant revenu de Londres le matin même, il ne s'était pas encore dépouillé du style *british* qu'il avait emprunté pour son bref déplacement. Avant d'entrer dans son propre bureau, il toqua à la porte de celui de Mme Dussault, l'entrouvrit et dit :

— Belle-maman, puis-je me permettre?

L'instant d'après, il baisait la main de la vieille dame, qui en tomba des nues.

— Qu'avez-vous donc à me demander, Jean-Claude?

— Rien du tout. Je viens juste vous informer.

— M'informer? Voilà qui est nouveau.

Jean-Claude hocha la tête avant de poursuivre :

— Je reviens de Londres à l'instant. Ce que j'ai appris là-bas devrait vous intéresser. Il paraît que nos confrères horlogers d'ici, au courant des difficultés de notre entreprise, ont décidé de tout mettre en œuvre pour récupérer notre marque. Un consortium de banques contrôlé par Fussli et Fernay a été créé tout exprès dans cette intention. Qu'est-ce que vous en dites?

— Je le savais. Fernay est venu me mettre au courant hier soir.

— Et vous avez trouvé une solution?

— Mais non.

Ébahi, Jean-Claude demeura un moment sans voix. Il ne s'était pas attendu à cette réponse.

— Moi, j'aurais bien une solution à vous proposer, dit-il, mais il faudrait que vous acceptiez de jouer le jeu.

– Essayons voir!

– D'abord, il faut que je vous dise. Je crois que je me suis un peu trop avancé avec les Allemands...

– Et avec les Japonais!

– Avec les Japonais aussi.

Ce fut au tour de Constance de marquer un temps.

– Vous ne pouvez pas signer votre contrat avec eux parce que vous n'avez pas été élu P.-D.G. à la réunion que vous aviez convoquée?

– Tout juste... Or, nous avons un énorme besoin de trésorerie. Un besoin que nous ne pouvons combler que grâce à ce contrat. Donc, il faudrait que vous me donniez votre aval pour que je puisse signer.

– C'est votre solution?

– C'est ça.

– Aval accordé, mon petit Jean-Claude.

Était-elle gâteuse, amoindrie? se demanda Fontaine, éberlué par sa prompte victoire. Il devait avouer qu'elle n'avait l'air ni gâteuse ni amoindrie. Gagnée à sa cause? Devenue raisonnable? Qu'importait après tout. La réalité, c'était la paix retrouvée.

– Je suis vraiment heureux, dit-il, sincère, que la hache de guerre soit enterrée entre nous.

– Eh bien! tant mieux, mon cher Jean-Claude, tant mieux!

Bruno Steinberg était un être dont on n'avait jamais fini de faire le tour. Au moment où on croyait le mieux le tenir, il s'évadait et n'en faisait qu'à sa tête.

Finalement, pas plus qu'Alessandra, Véronique n'avait reçu son blanc-seing pour Moscou. L'adolescente en avait pris son parti avec assez d'indifférence : demeurer à Lugano comme seule maîtresse de maison, c'était presque aussi excitant qu'un voyage. Alessandra, de son côté, s'était bien gardée d'afficher sa déception. Elle avait appris, grâce à la triste histoire de Jacqueline, qu'on ne devait pas s'accrocher à Bruno Steinberg, pas essayer de prendre barre sur lui, si on voulait garder un espoir de demeurer sa préférée.

Mais ce n'était pas toujours facile, il fallait l'avouer, pas toujours facile de garder son sang-froid, lorsque des punaises comme Walter Salieri venaient vous corner aux oreilles des âneries telles que : « Je vous aime bien, Alessandra, c'est pourquoi ça me fait de la peine de vous voir évincée du voyage à Moscou, alors que Steinberg y fait le joli cœur avec sa soliste ! »

Walter, c'était un brave type ; elle l'avait toujours soutenu. Mais là, il exagérait. Son ressentiment contre Bruno lui faisait passer les bornes de la décence. Les raisons pour lesquelles elle n'était pas allée à Moscou étaient évidentes aux yeux de la jeune femme : les Soviétiques ne se fiaient qu'à eux-mêmes pour les relations avec la presse. Mais quand Walter s'amenait avec ses insinuations, elle en arrivait à douter. Il était ignoble, Walter, carrément ignoble.

La raison pour laquelle Marianne avait voulu voir Mme Dussault était d'ordre financier. La femme avait besoin d'argent, et si grande était son horreur de mendier qu'elle n'avait osé en parler ni par lettre ni au téléphone.

Il était entendu une fois pour toutes qu'elle devait s'en tirer avec la rente que lui faisait Mme Dussault, et, sur ce plan-là, elle n'avait jamais rien trouvé à redire. Elle trouvait Madame très généreuse de l'avoir, en quelque sorte, pensionnée si jeune.

Mais la vie est pleine d'aléas. C'en était un, et épouvantable, que l'unique nièce de Marianne eût été atteinte de leucémie. Elle allait mourir. Sa dernière chance : un traitement récemment mis au point à Paris, encore aléatoire, certes, mais ne fallait-il pas tout tenter lorsque la mort menace un être à la fleur de l'âge ? Voilà pourquoi Marianne s'était enhardie à se tourner vers son ancienne patronne et à enfreindre la promesse qu'elle avait faite de ne jamais remettre les pieds dans la maison Dussault.

Constance fut très bouleversée. Elle ne gronda pas Marianne, elle lui donna de l'argent, tout l'argent qu'elle avait dans son sac, et lui en promit d'autre pour bientôt. Depuis la mort de Jacqueline, une partie d'elle-même était plus vulnérable, moins rigide, et elle éprouvait pour Marianne une affection accrue et beaucoup de pitié.

Depuis que son père était parti pour l'Union soviétique, Véronique jouissait de la vie à Lugano. Elle était enchantée d'avoir choisi de vivre avec son père, tout en se rendant compte que, pour garder son propre équilibre, il ne fallait pas pratiquer Bruno à trop fortes doses. Il fallait lui plaire, le charmer, mais aussi savoir s'esquiver au bon moment.

Pour ce qui était de l'esquive, c'est lui qui l'avait provoquée. Pour ce qui était de lui plaire, Véronique était allée, en catimini, s'inscrire à l'école des Beaux-Arts de la ville – ou tout au moins avait fait une tentative, car elle n'avait pas les diplômes requis, et elle n'était pas certaine que sa candidature serait retenue.

Elle ne se faisait pas trop de mouron pour ça; l'instant présent était plaisant, avec le soleil qui faisait miroiter l'eau du lac et chauffait agréablement la peau bronzée de son corps presque nu étalé sur un matelas.

– Coucou, Véronique, vous vous la coulez douce, à ce que je vois, fit une voix tout près d'elle.

Elle sursauta, se retourna d'un coup de reins.

– Sophie! s'exclama-t-elle. Qu'est-ce que tu fais ici?

– Mission d'inspection, dit la demoiselle de compagnie. Envoyée par dame Dussault pour m'assurer que vous employez bien vos journées.

– Le rapport?

– Que vous les employez au mieux : à ne rien faire!

Les deux jeunes personnes éclatèrent de rire, encore que Véronique, toujours soupçonneuse quand il s'agissait de sa grand-mère et, dans une moindre mesure, de sa femme de confiance, se demandât si le rire de Sophie était sans arrière-pensée.

– C'est juste pour ça que tu es venue? insista-t-elle. Elle aurait pu me téléphoner!

– C'est ce que j'ai dit, mais elle est parfois entêtée, n'est-ce pas? Et elle m'a chargée d'une autre mission auprès de l'agent immobilier.

– Elle veut toujours vendre? C'était pas une lubie? interrogea Véronique, le visage rembruni.

– Eh non! dit Sophie, presque joyeusement.

Surprise par ce ton, l'adolescente la regarda du coin de l'œil, se demandant si le ton satisfait de l'employée ne dissimulait pas quelque sentiment trouble, mais son attention fut brusquement détournée par un spectacle sur le lac, celui d'un jeune homme à qui sa planche à voile donnait du fil à retordre. Prenant ses jumelles, elle observa que le garçon était beau et apparemment peu expérimenté, avant de le voir s'engloutir proprement dans les eaux, planche retournée.

— Merde! dit-elle. C'est qu'il a l'air mal en point!

Elle se leva d'un bond, courut vers le canot amarré au ponton, sauta dedans et, ayant détaché l'amarre, fit force de rames vers la planche.

Sophie, qui avait pris les jumelles et regardait la scène, grommela pour elle-même : « Dans mon rapport, je pourrai mettre aussi qu'on organise des séances de sauvetage? »

Elle remonta vers la maison.

Le garçon était dans la barque maintenant, et Véronique disait :

— Remerciez-moi donc! Je vous ai sauvé la vie!

— C'est sûrement faux, mais je suis prêt à le croire.

— Vous avez eu peur, je lis ça dans vos yeux. Venez à la maison, vous boirez quelque chose pour vous remonter.

— Vous habitez ici?

— Cette villa-là, dit-elle fièrement en la montrant du geste — oubliant que, peut-être, elle n'y serait plus d'ici peu.

A Bergame, Giorgio Thesis était allé trouver son beau-père. Là où il avait échoué avec Alessandra, il lui semblait avoir plus de chances avec un sexagénaire respectable, doublé d'un père très aimant. Et il avait bu pour se donner du cran.

Mais il était tombé sur un bec. Giovanni Ferrari était effectivement homme notable et père affectionné, mais il avait aussi de l'expérience et de la fermeté d'âme.

— De l'argent en compensation? Pour quoi faire? Les sévices corporels, c'est vous qui les infligiez!

— Pour les souffrances morales que m'a fait endurer votre fille.

— Voyez-vous ça! dit sarcastiquement Ferrari. Mais le tribunal appréciera!

— Le tribunal!

— Quand on veut obtenir le divorce, un jugement est rendu, vous ne le saviez pas?

– Vous n'allez pas me faire croire que vous préférez que je raconte au tribunal pourquoi je demande le divorce?

– Pourquoi pas? Vous direz ce que vous voudrez.

– Même la liaison de votre fille avec Bruno Steinberg?

– J'aurais dû m'attendre à ce chantage venant de toi. Tu veux combien?

– 300 millions de lires, beau-père! dit Thesis dans un hoquet.

– 300 millions, hein? Fous-moi le camp d'ici. Dégage, et vite!

– A vos ordres, beau-père. Je file à Lugano. Si, d'aventure, il m'arrivait de prendre une photo suggestive de votre oie blanche avec son musicien, je rappellerais, d'accord?

– J'ai dit : dégage! fit Ferrari en portant une main à son cœur.

Il sentait que la respiration allait lui faire défaut. Sa main fouilla nerveusement la poche de son veston en quête de ses pilules.

Sur la pelouse de la villa Dussault à Lugano, là où Véronique, un quart d'heure avant, prenait son bain de soleil, il y avait maintenant deux matelas côte à côte, supportant la jeune fille et son « noyé ».

– Ça me botte, notre rencontre, dit Véronique. J'aime les événements qui surviennent à l'improviste.

– C'est comme moi, dit le garçon.

Il s'appelait Marco, il venait de se présenter. Il avait l'air très jeune, plus vieux que François-Éric, mais sûrement moins de vingt-cinq ans.

– Vous faites quoi dans la vie? demanda Véronique.

– Je suis prof. Histoire de l'art à l'école des Beaux-Arts.

– Aux Beaux-Arts, sans blague! Je vais y entrer comme élève... Enfin, j'espère... Je n'ai pas mon bac. Et je n'ai pas encore rempli les formulaires.

– Je vous donnerai un coup de main... et j'essaierai de vous donner un coup de pouce!...

Ils se mirent à rire sans raison, puis se regardèrent dans les yeux...

191

En revenant de l'agence immobilière, Sophie constata que Véronique folâtrait toujours sur la pelouse avec son rescapé. Elle alla se servir un whisky dans le salon, puis décrocha le téléphone. Elle se sentait en forme, jolie, libre de ses mouvements. C'était chouette.

— Allô! Allô, madame Dussault? dit-elle lorsqu'elle eut sa patronne en ligne. Bonjour, c'est Sophie. J'appelle pour dire que tout va bien. Véronique est en super-forme, bien bronzée, musclée, de bonne humeur...

— Tout ça est fort joli, dit Constance, mais s'est-elle inscrite dans une école sérieuse?

— Oh! je ne sais pas, Madame. Nous n'avons pas encore parlé de ça. M. Steinberg est absent. Il donne deux concerts à Moscou.

— Mais alors, Véronique est seule!

— Elle n'est pas seule, puisque je suis là. Le directeur de l'agence immobilière était absent, mais j'ai rendez-vous avec lui demain. Je vous retéléphonerai dès que j'aurai du nouveau.

Ayant ainsi conclu, Sophie raccrocha, s'étira, but une longue gorgée de whisky. La vieille était sur le point de s'énerver, elle s'en était rendu compte. Ça la débectait que Véronique prenne du bon temps, surtout si *elle* n'avait pas la possibilité d'en prendre.

Sophie se resservait un autre verre lorsqu'un homme entra dans la pièce. Elle se retourna. Elle n'avait pas entendu de voiture s'arrêter, ni de bruits de pas sur le gravier de l'allée. Aussi sursauta-t-elle. L'arrivant était beau et jeune, avec une chevelure bouclée. Vraiment un joli garçon.

— Vous cherchez quelqu'un? demanda-t-elle. Je suis la secrétaire de la propriétaire, Mme Dussault.

— Je m'appelle Giorgio Thesis. Je viens voir le maestro Steinberg.

— M. Steinberg n'est pas là. Il dirige actuellement à Moscou. Mme Dussault est absente également. Vous êtes un ami de la maison?

— En quelque sorte, oui. Mais j'ignorais l'absence de Bruno, dit Thesis avec aisance.

Sophie lui sourit.

— Désolée que vous vous soyez dérangé pour rien. Voulez-vous vous asseoir un moment? Boire quelque chose?

— Avec plaisir, dit Giorgio, prenant un siège auprès du sien.

Elle lui prépara un whisky, le lui apporta et se rassit. Elle avait un exquis sentiment de puissance, comme le jour de l'enterrement de Jacqueline, quand les dames de la maison étaient trop bouleversées pour tenir leur place. Giorgio Thesis lui plaisait assez. Dans tous les cas, il l'intriguait, avec ses façons d'entrer chez les gens comme un rat d'hôtel, et d'avoir un regard qui furetait partout.

En ce moment, il examinait avec la plus grande attention des photos rassemblées en un grand pêle-mêle, des photos vieilles d'au moins un quart de siècle.

— C'est Madame et ses filles quand elles étaient petites, dit aimablement Sophie. Ça, c'est Jacqueline, l'épouse défunte du maestro... Mais vous avez dû la connaître.

— En effet, je l'ai connue, dit Thesis. Elle était très belle, dites, votre patronne! C'est encore elle, ici, n'est-ce pas?

Il était passé d'une photo à une autre, où figuraient de jeunes adultes des années 50, en tenue d'après-ski, élégants et très gais. Il désignait une superbe blonde au sourire éclatant.

— Oui, c'est ma patronne. Ça doit avoir été pris à Davos.

— L'homme qui la regarde, c'est Giovanni Ferrari, mon beau-père. J'en mettrais ma main à couper. Ma femme a une photo de lui, jeune homme, sur sa table de chevet.

— Jamais elle ne m'a parlé d'un Giovanni Ferrari, dit Sophie.

— Je suppose qu'elle ne vous a pas raconté toute sa vie?

— Bien sûr que non, fit Sophie.

Elle regarda de nouveau la photo et pensa que l'homme en question avait l'air amoureux fou de la superbe blonde.

Dehors, Bruno Steinberg arrêta sa voiture auprès de celle de Thesis. Giuseppe se précipita.

— Tu t'occupes des bagages et de l'auto, s'il te plaît, Giuseppe, dit le musicien.

— Vous avez fait bon voyage, Monsieur?

— Oui, mais je suis éreinté. A qui est cette voiture? Une visite?

— Oui, Monsieur. Un M. Giorgio Thesis.

Bruno fronça les sourcils et monta rapidement l'escalier bordé de fleurs.

En voyant Nicole Fontaine assise sur un banc, Pierre Savagnier pensa qu'un petit dieu malin avait guidé ses pas, car jamais, au grand jamais, il ne fréquentait le jardin public.

Elle lisait – ou elle feignait de lire, car, bien qu'elle eût un livre dans les mains, elle avait le regard perdu dans le vague. Il fit un détour pour venir la surprendre.

– Nicole! dit-il quand il fut tout près d'elle, la faisant sursauter. Je ne pensais pas te trouver ici. J'ai pensé à toi toute la nuit.

– Mais il ne fallait pas! dit-elle vivement.

– Toi, tu n'as pas pensé à moi?

Elle secoua la tête, l'air affolé.

– Pierre, il ne faut pas. Ce qui s'est passé hier soir, il faut l'oublier. Je n'étais pas moi-même.

– Mais pourquoi, Nicole? dit-il en essayant de lui prendre la main.

– Nous deux... c'est impossible, balbutia-t-elle.

– Pourquoi? A cause de ton mari?

Le jeune homme s'était assis à côté de la jeune femme et il parlait d'un ton passionné. Elle, elle s'efforçait d'être distante, comme pour faire croire qu'elle ne connaissait pas cet homme qui se permettait de lui adresser la parole.

– A cause de moi, dit-elle, regardant droit devant elle. J'ai peur.

– Peur de quoi?

– De ce qui arriverait si nous continuions.

– Que peut-il arriver? Rien que de bons moments. Du bonheur...

– Il n'y a que dans les livres qu'on est heureux!

– Ton mariage est raté, n'est-ce pas? demanda l'ingénieur, très tendrement.

– Oui, mais...

– Je t'aime, Nicole, dit-il, et il eut la surprise de lui voir les yeux pleins de larmes.

– Tu dis ça... Tu ne sais pas... Qu'est-ce que tu voudrais? Devenir mon amant? dit la jeune femme d'une voix étouffée. Que nous nous voyions clandestinement?

194

– Pourquoi clandestinement?

– Parce que nous sommes dans une ville de province, dit-elle tristement. Nos réputations...

– Qui parle de réputation? Moi, je te parle d'amour. Je t'aime, j'en suis sûr. A mon âge, on ne dit plus « Je t'aime » si on n'est pas sûr... Nicole!

Insoucieux des promeneurs et des enfants qui jouaient, il l'avait prise dans ses bras. Il lui répétait qu'il l'aimait, il lui volait des baisers; elle continuait à pleurer et à faire non de la tête.

Giovanni Ferrari n'avait pas encore vu Steinberg, mais par les musiciens et certains échos, il savait que les concerts de Moscou avaient été triomphaux. Il avait cependant hâte d'entendre les détails de la bouche du maestro.

Mais le Bruno qui arriva, assez tard dans la matinée, au théâtre de Bergame, n'affichait pas la mine glorieuse à laquelle on eût pu s'attendre. Véronique lui causait des soucis, dit-il. La veille, elle avait failli se noyer en repêchant un type qui avait des ennuis avec sa planche à voile. Le garçon avait été si reconnaissant, si accroché par sa fille, que lorsque lui, Bruno, était rentré le soir, il les avait trouvés au lit ensemble.

– Ça t'a contrarié? demanda Ferrari.

– C'est que je ne sais pas ce que doit faire un père dans ces cas-là! Si encore elle ne s'emballait pas si vite et ne changeait pas de partenaire comme de chemise!

– Hé! elle te ressemble, dit Giovanni.

– Qu'est-ce que tu insinues?

Alors c'est Giovanni qui se mit à parler de sa fille, de la déception de celle-ci de n'être pas allée à Moscou et des idées qu'on pouvait se faire sur l'intimité du chef et de sa soliste.

– Mais n'as-tu pas compris que c'est pour ça que j'ai éloigné Alessandra? Parce que je ne voulais pas d'un climat sentimental et jaloux qui risquait de me déconcentrer! Ces drames qui n'en sont pas, ces rivalités mesquines!... Hier soir, Thesis m'attendait chez moi. Je n'ai rien compris à ce qu'il me voulait, sauf qu'il n'a pas trouvé ce qu'il cherchait.

– Il essaie de me faire chanter. Il exige 300 millions de lires pour divorcer de ma fille à l'amiable.

– 300 millions! C'est beaucoup d'argent! Tu veux que je t'aide!

– Non, dit Giovanni. Cette affaire, c'est moi que ça concerne.

Il souriait. Il pensait que Bruno ne changerait jamais, qu'il ne serait jamais entièrement au fait de la portée de ses actes.

Pour rien au monde Sophie n'aurait laissé partir Thesis sans obtenir de lui ses coordonnées. Elle avait reconnu en lui quelqu'un qui lui ressemblait par certains côtés : âme de démon sous visage d'ange, fouineur invétéré à la recherche de secrets qui rapportent. Avec Marcel Fontaine, c'est comme ça que ça avait commencé : elle l'avait vu rêvassant au mauvais coup à faire pour se débarrasser de ses soucis, elle s'était insinuée dans l'action et n'avait eu qu'à retirer les marrons du feu. De même, ce Thesis était bourré d'intentions malveillantes grosses d'escroqueries, et elle était sûre que son intérêt à elle était de le connaître un peu mieux.

Le lendemain du jour où elle l'avait rencontré, elle lui téléphona et convint d'une rencontre avec lui dans le bar d'un hôtel de Varèse. Il y avait quelque chose de mystérieux et de piquant dans ce rendez-vous.

Ils commencèrent leur entretien par les banalités d'usage et le continuèrent en dissimulant sous le marivaudage l'envie que chacun avait de tirer les vers du nez à l'autre.

Sophie était la plus forte à ce petit jeu. Elle ne tarda pas à apprendre que Thesis était dans une mauvaise passe, avec de très gros besoins d'argent et pas trop de moyens de s'en procurer.

Quand ils se quittèrent, ils étaient apparemment bons amis et Sophie avait fait à l'homme un curieux cadeau : une reproduction de la photo qu'ils avaient remarquée au mur du salon de Lugano. Elle avait payé un peu cher le photographe, qui avait accepté de faire le travail en moins d'une heure, mais son intuition lui soufflait que c'était de l'argent bien placé.

Le procureur Gravina avait raconté, trois semaines plus tôt, au commissaire Bonetti qui revenait de vacances, comment s'était terminée l'enquête sur la noyade de Jacqueline Steinberg.

Bonetti avait été outré. Il n'avait jamais cru que l'épouse du maestro s'était suicidée et, avec la mentalité qui le caractérisait – il détestait les truands, mais, encore plus qu'eux, les bourgeois respectables qui commettent des actions viles –, il soupçonnait le procureur d'avoir classé l'affaire sans plus creuser, par esprit de caste et affinité naturelle avec les riches. Il ne disait rien, mais il brûlait de rouvrir le dossier pour peu que Bruno Steinberg fît un faux pas, et, en attendant, il plongeait son filet dans toutes sortes d'eaux troubles, dans l'espoir de pêcher un poisson pilote.

De toute manière, Giorgio Thesis, marié à la maîtresse du mari de la « victime », ne lui paraissait pas avoir le nez propre, et, si cette piste ne le menait pas au chef d'orchestre, elle le mènerait peut-être à tout autre chose, d'inattendu, mais de hautement intéressant pour un policier que son métier passionne.

C'est ainsi qu'il avait questionné Salmon, ramassé avec d'autres dans un cabaret où venaient d'être commis un vol et un crime crapuleux. Le petit Salmon était une relation de Thesis, ça, il en était sûr. Il était sûr aussi que c'était un homosexuel, joueur et drogué, qui évoluait dans des milieux louches après avoir dilapidé le maigre héritage de son père.

Ainsi était-ce, de toute façon, un gibier intéressant pour Bonetti, qui l'interrogea sans mettre de gants, et notamment sur Thesis.

Salmon crevait de peur, et aussi d'envie de se venger de Thesis, qui ne lui payait pas ce qu'il lui devait; mais, par ailleurs, charger Thesis, ce pouvait être tuer la poule aux œufs d'or et mettre le gendre de Ferrari dans l'impossibilité de lui donner encore ne serait-ce que 1 000 lires.

En définitive, Bonetti ne tira rien de concluant de cette lavette, sinon la conviction encore renforcée que la société dite « dorée » regorgeait de pourris.

Salmon retourna donc une fois de plus chez Thesis pour lui réclamer son argent.

Giorgio était sous pression, parce que Alessandra était tout à fait réfractaire au chantage qu'il exerçait sur elle et sur son père. Salmon lui fit sa scène sempiternelle, alternant menaces et marchandages, mais Thesis finit par s'en débarrasser en lui promettant 600 000 lires pour le lendemain à la même heure.

Dieu seul savait où il pourrait bien trouver cet argent! Mais, au point où il en était, mieux valait compter sur le diable que sur Dieu, et, ma foi, il était tenté de croire que le diable l'avait pris en charge.

12

Sophie n'avait pas apprécié la façon dont sa patronne l'avait éloignée de La Chaux-de-Fonds, en prévision de la visite de Marianne Didier, mais, à la réflexion, elle n'était plus fâchée. Si Mme Dussault n'avait pas fait tout ce cinéma, elle n'aurait pas eu la puce à l'oreille et elle serait passée à côté d'une affaire juteuse.

Sans encore préjuger de l'avenir, elle avait noté l'adresse de Marianne Didier; ça ne lui coûterait qu'un peu de temps d'aller la voir de près. Après mûre réflexion, elle était arrivée à la quasi-certitude que cette Marianne était la femme au petit chignon qu'elle avait vue sortir par la cuisine du château des Monts le jour de l'enterrement de Jacqueline. Elle habitait dans un village du canton de Neuchâtel, et Sophie décida d'aller lui rendre visite en revenant de Lugano.

Sa maisonnette était un peu à l'écart du bourg, et la jeune intrigante dut demander son chemin à diverses reprises. La dernière personne qu'elle interrogea lui montra avec précision la maison de Marianne, mais ajouta que celle-ci ne s'y trouvait pas. La pauvre femme avait fait une chute. Elle était tombée d'un escabeau en lessivant sa cuisine et elle s'était cassé la jambe. La veille au soir, ça s'était passé. Une ambulance était venue et l'avait emmenée à l'hôpital de Neuchâtel.

— Mais quel malheur! dit Sophie. Je viens exprès de Genève pour la voir! Est-ce grave?

— Je ne sais pas, dit l'homme. Elle pleurait comme une Madeleine quand on l'a sortie de sa maison. C'est à cause de sa nièce, vous comprenez. Elle se fait du souci parce que la pauvre a la leucémie.

— Je sais, dit Sophie. Avez-vous l'adresse?

— L'adresse de l'hôpital?

— Oui. Je voudrais aller la voir.

— Ça tombe bien : elle me l'a donnée avant de partir. Je vais vous la chercher.

Quatre minutes plus tard, Sophie reprenait la route et fonçait vers Neuchâtel, le sourire aux lèvres. Tout se passait pour le mieux.

A son âge — il approchait de la cinquantaine —, Bruno Steinberg avait l'impression d'être redevenu un petit garçon ignorant tout de la vie et de ses problèmes. Et ça, à cause de Véronique. Le fossé des générations, il ne s'était jamais rendu si bien compte de son existence, mais il lui semblait que Véronique était l'adulte et lui le moutard.

Avec une simplicité entière et désinvolte, elle lui avait fait part de la surprise qu'avait été sa nuit d'amour avec Marco. L'extase. Le septième ciel. Plus généralement, elle disait : le pied — avec une note émerveillée et attendrie dans la voix. Bruno en était tout attendri lui aussi, et il se réjouissait que sa fille, si tôt déniaisée et se prétendant si avertie, eût encore du bonheur et des plaisirs à découvrir. Mais pour ce qui était de lui répondre, de lui faire quelque morale ou de la conseiller, il était complètement dans le cirage.

Elle était allée chez le jeune homme, dans son trois-pièces de garçon seul, et il lui avait demandé de rester quelque temps. Mais, Bon Dieu! qu'est-ce que ça veut dire, « quelque temps »? Et quel commentaire doit faire un père lorsque sa fille lui rapporte un tel propos, ingénument et sur un ton de camaraderie?

En désespoir de cause, le maestro provoqua une rencontre informelle, qui se termina par un goûter dans le jardin de la villa et une partie de canotage sur le lac. Alessandra aussi était présente.

Ni la promenade ni le goûter n'apprirent grand-chose à Bruno, si ce n'est que sa fille semblait très heureuse, et que Marco était très sympathique. Ils riaient beaucoup, s'embrassaient encore plus, sans vergogne.

Alessandra, de son côté, était plutôt nerveuse, complètement hors du coup. La vie n'est pas simple.

Sophie ne mit pas plus d'une heure pour arriver à l'hôpital de Neuchâtel. A la réception, où elle se présenta comme une parente de la femme, on lui donna le numéro de la chambre de Marianne Didier, et elle s'y rendit, arborant le sourire attentif spécialement étudié pour le service de Mme Dussault.

Elle se présenta comme étant la gouvernante de cette dernière.

— Je vous ai vue, ajouta-t-elle, à l'enterrement de Mme Jacqueline.

— Je crois bien vous avoir vue aussi, dit Marianne, d'une voix pleine de respect, ajoutant tout de suite, bouleversée : Il n'est rien arrivé à Madame, au moins!

— Non, dit Sophie. Non, non. Je peux m'asseoir?

— Bien sûr.

La jeune fille s'assit tout près de l'alitée, le visage en face du sien.

— Ainsi, vous vous êtes cassé la jambe? dit-elle.

— Oui, dit la femme. Ils m'ont mis un plâtre. Le médecin dit que ce n'est pas grave. Mais c'est pour ma nièce que je m'inquiète. Le temps presse et je n'ai pas encore réuni tout l'argent. Madame a dit qu'elle m'en enverrait...

— Si elle y pense! fit Sophie, saisissant la balle au bond.

Elle s'émerveillait de ce que Marianne ne posât pas plus de questions sur la raison de sa présence. Mais elle avait tablé là-dessus. L'écriture de cette femme, sa silhouette paysanne entrevue lors de l'enterrement, tout indiquait que c'était une personne simple. Son accident et ses inquiétudes à propos de sa nièce la rendaient toute préoccupée d'elle-même et très vulnérable. De bonnes paroles suffisaient à répondre à ses éventuelles curiosités, et, pour le reste, elle fournissait elle-même les données du dialogue. Ce qu'elle venait de dire était extra. Il allait suffire d'appuyer sur une certaine pédale.

— Madame m'a promis, dit Marianne.

— Encore faut-il qu'elle tienne sa promesse! Elle est comme tous les riches : oublieuse. Tout sourire et toute charité tant que vous êtes là, et après, *pftt!* elle vous oublie...!

– Des fois, je pense ça aussi. Mais pourtant, Madame n'est pas comme ça...

– Madame est comme les autres, croyez-moi. Je vis assez avec elle pour le savoir. Et en vieillissant, elle devient de plus en plus égoïste. Quand je pense que vous êtes là, avec votre jambe cassée, et que vous vous rongez en vous demandant si elle vous enverra l'argent... Elle devrait avoir honte...!

– Et pourtant, mademoiselle, je me suis joliment dévouée pour elle.

– Pauvre Marianne! fit Sophie. Si ça vous soulage de parler, racontez-moi! Et prenez ça pour votre nièce, poursuivit-elle en tendant quelques gros billets. Si, prenez-les! insista-t-elle. Je suis à 100 pour 100 pour vous. Votre histoire m'a touchée, et je ne comprends pas que Mme Dussault ne vous ait pas plus de reconnaissance.

Marianne allait protester, au lieu de quoi elle poussa un gros soupir. Sa chute et la solitude dans une chambre d'hôpital, alors que sa nièce avait tant besoin d'elle, lui avaient donné un amer sentiment d'injustice. Et cette fille, Sophie, était bonne avec elle. C'est comme si le Ciel la lui avait envoyée.

– Elle disait que j'étais son réconfort, quand elle a été si malheureuse. Faut dire qu'avant elle nageait dans le bonheur. L'amour, n'est-ce pas...

– Ça s'était passé à Davos? hasarda Sophie.

– Tout juste. Madame y a passé tout un hiver, presque tout le temps seule avec moi, vu que les filles allaient à l'école et que Monsieur avait à faire à La Chaux-de-Fonds. Elle avait eu une pleurésie, et c'était sa convalescence. Une nuit, elle est revenue d'une réception toute... toute transfigurée. Et après, elle était tout le temps joyeuse et elle ne se plaignait plus jamais que Monsieur ne soit pas venu un seul week-end depuis qu'elle avait quitté sa maison... Quand elle a dû repartir, à Pâques, elle était bien triste, je dirais même désespérée.

– Elle avait rencontré un homme et connu quelques mois de bonheur, dit rêveusement Sophie.

– Oui, fit Marianne sur le même ton.

La demoiselle de compagnie profita de cette ambiance pour jouer son va-tout:

– Et cet homme s'appelait?

– Oh! Ça, je ne peux pas le dire! s'exclama Marianne.

– Il s'appelait Giovanni Ferrari.

— Comment le savez-vous?

— Je vous ai dit que j'en savais beaucoup. Continuez, Marianne.

Sophie regarda dans son sac grand ouvert et vérifia que son petit magnétophone fonctionnait — c'était le même modèle que celui du coffre-fort d'Anvers, et elle en avait poussé le bouton en prenant les billets de banque dans son portefeuille.

MM. Fussli et Fernay s'étaient dérangés jusqu'à son bureau pour venir le voir! Jean-Claude Fontaine en déduisit qu'il était devenu quelqu'un de très important; et ces messieurs le confirmèrent dans cette certitude :

— Nous avons appris de Mme Dussault que, désormais, c'est avec vous qu'il vaut mieux traiter, dit Fernay.

— Nous en sommes très honorés, renchérit Fussli.

— Cependant, enchaîna Fernay, un tel revirement de sa part nous a surpris.

— Vous avez eu tort, dit Jean-Claude avec bonhomie. Notre entreprise est une affaire de famille et les querelles de famille sont comme les brouillards : passagères.

Fernay jeta un coup d'œil à son acolyte, comme pour le prendre à témoin qu'il y a des vérités invraisemblables, et enchaîna :

— Maintenant que le brouillard est dissipé, vous êtes en mesure d'y voir clair.

— Absolument. Je vous écoute, dit Jean-Claude, tout oreilles.

— Voilà : nous avons des propositions à vous faire.

— Tiens, tiens! Étrange! Quand ma belle-mère vous a rencontrés, vous n'aviez rien à lui dire.

— C'est elle qui a mal compris! Il y a parfois des malentendus dans la vie. Et puis, nous avons dû nous concerter, ça a pris du temps.

Jean-Claude toussota, puis s'éclaircit la voix.

— C'est vraiment malheureux, dit-il.

— Malheureux? Pourquoi? s'écrièrent les deux hommes en même temps.

— Parce que vos propositions viennent trop tard... que nous nous sommes, comme qui dirait, vendus à l'étranger...

La mine des deux hommes d'affaires était par trop comique, pensait Jean-Claude, qui pensait aussi, oublieux de ses propres sarcasmes, qu'ils avaient eu tort d'enterrer trop tôt sa belle-mère.

Tandis qu'elle revenait à La Chaux-de-Fonds, Sophie vérifia dans sa voiture que son magnétocassette avait bien enregistré tout le récit de Marianne.

C'était une histoire époustouflante, quand, comme elle, on ne connaissait que la Constance Dussault veuve austère et la grand-mère rigide qu'elle était devenue. Sinon, c'était une aventure banale. Aux approches de la quarantaine, Constance Dussault était tombée amoureuse d'un bel Italien épris d'art et de musique. Ils s'étaient aimés tout un hiver sur fond de Tessin enneigé. La séparation au printemps apportait une touche d'originalité – et sa part de drame, car Constance était non seulement malheureuse, mais également enceinte. Une autre aurait pensé à tricher. Pas elle. Elle avait tout avoué à son mari, attendant de lui le verdict.

Verdict sévère : elle avait accouché à l'étranger et l'enfant lui avait été enlevé dès la naissance. La condition de sa réintégration dans la famille avait été ça : qu'elle ne voie jamais son enfant. Elle était redevenue l'épouse (et par la suite la respectable veuve) de Gustave Dussault – et la mère sans tache de Nicole et de Jacqueline – au prix de ce déchirement et de ce secret lourd à porter.

Très peu de personnes partageaient ce secret, mais maintenant, Sophie aussi en était la dépositaire.

Constance Dussault, cependant, était à cent lieues de se douter que quelqu'un préparait dans l'ombre des manigances contre elle : son horizon, si bouché depuis longtemps, se dégageait de tous les côtés.

D'abord, c'est Bruno qui l'appela. Elle lui donna du « monsieur Steinberg », comme d'habitude, puis resta sans voix : Bruno lui proposait de mettre à sa disposition le montant de l'assurance-vie de Jacqueline, qu'il venait de toucher. C'est Véronique qui avait eu l'idée d'aider financièrement sa grand-mère, et lui qui avait trouvé le moyen de réaliser cette idée.

Tant de générosité de la part de personnes qu'elle prenait

pour des ennemis, cela paraissait inimaginable. C'était pourtant vrai, et à peine avait-elle raccroché le téléphone qu'il sonna de nouveau.

La communication venait cette fois de Milan, et c'est Galli qui appelait.

— Une bonne nouvelle, Constance. J'ai 2 millions de francs suisses pour vous : l'orangeraie est vendue.

— Carlo! C'est formidable! s'écria-t-elle. Je veux parler tout de suite à Jean-Claude, puis je vous rappelle. Aujourd'hui, c'est mon jour, Galli. Je vous raconterai...

Trois minutes plus tard, son gendre, averti par la ligne intérieure, faisait irruption dans son bureau.

— Belle-maman, de quelle bonne nouvelle s'agit-il? demanda-t-il avant même de s'asseoir.

— Je vais pouvoir rembourser Fussli.

— Vous avez l'argent?

— Oui.

Jean-Claude parut interloqué et marqua un temps.

— Eh bien, c'est parfait! dit-il enfin. Et ensuite?

— Quoi, ensuite?

— Qu'arrivera-t-il ensuite?

— Je mets en route une nouvelle collection.

Jean-Claude n'avait posé la question que par principe, connaissant la réponse — puisque connaissant l'entêtement de sa belle-mère!

— Vous ne parlez pas sérieusement, dit-il néanmoins.

Et voilà : ça recommençait. L'union sacrée entre belle-mère et gendre n'avait pas fait long feu, chacun entendant poursuivre son idée et sa ligne de conduite. L'atout de Mme Dussault : elle possédait de l'argent frais. Celui de Fontaine : l'avancement de ses travaux. La chaîne robotisée serait mise en place dans la semaine; dans peu de temps, elle serait opérationnelle. Les carnets de commandes se remplissaient. Quant à l'argent, la caution des associés allemands était déjà déposée en banque. Chouette, non?

— A votre place, je me méfierais, dit Constance. Il faut toujours avoir ses associés à l'œil, surtout quand il s'agit d'un groupe étranger cent fois plus puissant que vous.

Jean-Claude haussa les épaules. Sa belle-mère ne lui reconnaissait jamais de supériorité. Mais il ne se laisserait plus prendre : Bruno n'était pas revenu sur sa procuration; le prochain P.-D.G. de Dussault-Pontin s'appellerait Jean-Claude Fontaine.

— Mais ce n'est pas encore fait, et je suis toujours maîtresse du jeu, dit Constance.

Son gendre lui jeta un regard noir. Oui, l'union sacrée, c'était bien fini.

A Bergame, Alessandra n'était pas parfaitement heureuse. Bruno avait des états d'âme et elle n'était pas entièrement sûre que la place qu'elle tenait dans son cœur et dans son esprit était celle qu'elle souhaitait. Par surcroît, penser à Thesis et aux noirceurs qu'il mijotait lui donnait des boutons.

Par chance, elle avait son père. Elle ne se rappelait pas une minute de sa vie où il ne l'eût entourée de sa tendresse, de son amour dévoué, de sa bonne humeur. Il avait été et était toujours son père et sa mère, et si elle avait des bleus au cœur, elle venait reprendre des forces auprès de lui.

Elle se trouvait dans son bureau lorsque la nouvelle arriva de Moscou : Alice Clementi se trouvait bloquée là-bas par une maladie. C'était un sacré contretemps pour Ferrari : il avait encore Clementi au programme de tout prochains concerts, et Dieu sait les problèmes posés par un changement de programme!

— Pourquoi Bruno n'a-t-il rien dit? demanda Alessandra.

— Peut-être n'en savait-il rien.

Walter Salieri, qui venait d'entrer les bras chargés de partitions, écoutait leur dialogue. Alice était malade? Gravement malade? Et Steinberg l'ignorait? Mais alors... Il était si bouleversé, Walter, si partagé entre l'inquiétude et un certain bonheur, qu'il faillit bien s'en trouver mal.

Cela n'échappa pas aux autres.

La vie bougeait aussi à La Chaux-de-Fonds. Elle était pleine de frémissements, de cheminements plus ou moins secrets.

Pour Nicole Fontaine, ces frémissements étaient ceux de son cœur, et les cheminements, ceux qui la rapprochaient de Pierre Savagnier. Elle avait beau résister, ses pas la menaient de plus en plus souvent vers la maison Dussault. C'était certes celle où vivait sa mère, et où Jean-Claude avait son bureau.

Mais, pour elle, c'était désormais davantage le lieu où travaillait le jeune ingénieur. Elle venait, elle entrait sous un quelconque prétexte et elle goûtait l'exquis plaisir de résister à ses sentiments tout en sachant qu'elle y céderait un jour.

Peut-être aurait-elle cédé ce jour-là, si Mme Dussault n'était entrée juste au moment où Savagnier la prenait dans ses bras.

Nicole usa de fariboles pour expliquer la situation, fariboles dont Constance ne fut pas dupe une seconde. Elle avait une lueur dans l'œil, inhabituelle, amusée, et parut moins choquée que sa fille ne l'aurait craint. Elle dit :

— Savagnier, je vous attends ! Ne devez-vous pas m'accompagner à l'usine pour me présenter Shurer ?

Dans les couloirs de la maison vaquait toujours Sophie, silencieuse, fureteuse et maléfique. Quand elle fut sûre que la voiture de Nicole et la Jaguar de sa patronne s'étaient éloignées, elle sortit à son tour, à pied, et se rendit à la cabine téléphonique la plus proche.

Elle appela Giorgio Thesis et lui fixa un rendez-vous dans une brasserie de Neuchâtel.

Insoucieuse de ce qui pouvait se tramer contre elle, Constance Dussault, toutes voiles dehors, pénétrait dans son usine.

Les travaux d'aménagement étaient en cours, qui permettraient la semaine suivante l'installation de la nouvelle chaîne. Elle n'avait pas commandé elle-même ces travaux, mais elle entendait bien montrer qu'elle était toujours chez elle.

Elle se trouva en présence d'un Shurer très respectueux, pour lequel elle joua un numéro de grand style. L'Allemand ayant souligné, en guise d'introduction, combien il l'admirait, ajoutant que le nom de Dussault-Pontin lui était connu depuis ses primes années, elle rétorqua :

— Ainsi donc, c'est un rêve d'enfant ?

— Quoi donc, madame ? demanda Shurer.

— De nous mettre la main dessus.

— Mais, madame, nous ne désirons pas vous...

— C'est ce que j'ai dit à mon gendre : c'est seulement un rêve, fit Mme Dussault avec une feinte indulgence.

Elle était très sûre d'elle, cassante et charmeuse à la fois. Elle avait dû être pareille, autrefois, pour désarmer des soupirants dont elle n'avait cure, tout en les gardant à sa botte. Elle sourit et reprit :

— Cette chaîne robotisée ne me plaît pas du tout. Je ne comprends pas qu'on puisse confondre la fabrication des montres avec celle des savonnettes!

— Des savonnettes, madame! fit Shurer, alarmé.

— Oui, dit Constance avec un séduisant sourire. M. Savagnier, l'autre jour, m'a longuement expliqué le fonctionnement de la chaîne. C'est très astucieux... C'est sûrement formidable pour fabriquer des savonnettes. Mais des montres, cher monsieur Shurer...! Pour moi, les montres ne sont pas des jouets!

— Pour M. Shurer non plus, madame, intervint Savagnier, qui se sentait dans ses petits souliers. Ses plans sont extrêmement précis, et son programme va certainement nous aider...

— Nous aider à quoi? demanda Mme Dussault, le menton fièrement levé.

C'est Jean-Claude qui répondit :

— Mais à sortir d'une situation où nous nous enlisons, belle-maman!

— Jean-Claude, je ne me sens pas enlisée du tout. C'est extraordinaire, cette manie que vous avez de vouloir me persuader que je fais naufrage. Les gendres sont aussi comme ça, chez vous, en Allemagne, monsieur Shurer?

L'Allemand était un peu pâle. Ses regards allaient de Fontaine à Mme Dussault, assez inquiets. Cette inquiétude résonna dans sa voix quand il dit :

— Madame, vous ne voulez tout de même pas signifier par là...

Constance sourit. Bien sûr qu'elle voulait « signifier »... Mais elle dit seulement :

— Rien du tout, cher monsieur, je plaisantais! A mon âge, on aime la plaisanterie, vous ne le saviez pas? Ravie de vous avoir rencontré, cher monsieur Shurer. Ce premier contact a été parfaitement concluant, n'est-ce pas?

Elle inclina la tête vers Shurer, perplexe et médusé, fit un quart de tour sur ses hauts talons et regarda affectueusement son gendre.

— Je m'en vais, maintenant, dit-elle. Jean-Claude, ayez la gentillesse de prévenir mon chauffeur.

— Certainement, madame, balbutia le gendre, complètement démonté, avant de se précipiter vers la sortie.

Salmon n'en avait rien à foutre, des emmerdes de Thesis. Quand on doit de l'argent, on paie. Les salades, il en avait ras le bol. On n'achète pas de l'héro avec des salades.

Avec sa belle petite gueule, il devenait vraiment mauvais, Giorgio le sentait. Il avait l'air paisible, il prétendait l'être, mais sous des dehors calmes, il cachait une détermination farouche.

— Thesis, c'est simple : si tu as le fric, montre-le-moi!

— D'accord, je vais te le montrer, dit le mari d'Alessandra. Mais si tu veux bien attendre demain, j'en aurai beaucoup plus.

— Putain! Tu te moques de moi, Thesis!

Il devait être armé, pensa celui-ci. C'était une lavette, et qui avait du respect pour lui, naguère, mais c'était un drogué, et les drogués sont capables de tout. Il fallait l'empêcher de tirer, se mettre hors de sa portée.

— Calme-toi, Salmon. Je te demande seulement d'attendre encore deux jours. Deux jours seulement. Dans deux jours, je te donnerai tout ce que tu voudras.

— Mais j'en ai rien à branler, de tes deux jours! Je le sais, que tu te fous de moi!

— Je ne me fous pas de toi. Écoute, je suis sur un coup superbe, écoute! Je te demande seulement d'attendre un tout petit peu!

Le cauchemar toujours recommencé! Salmon n'avait sûrement pas de revolver, mais peut-être un couteau... Seigneur, faites qu'il s'en aille! pensait Giorgio.

Salmon n'avait ni revolver ni couteau. Il avait pourtant une arme :

— J'ai vu Bonetti, l'autre soir...

— Bonetti?

— Tu sais bien : le commissaire. Il m'a interrogé. Il m'a parlé de toi. Il m'a demandé de dire ce que je savais de toi. Marrant, non?... Alors, le prochain coup, je le dirai!

Ferrari s'occupa du rapatriement d'Alice Clementi à l'hôpital de Bergame – avec promptitude et efficacité –, mais c'est Walter Salieri qui, le premier, alla lui rendre visite.

Il la trouva mal fichue, fiévreuse, barbouillée et lasse à mourir. Contre l'oreiller immaculé, son teint avait le ton mat d'un parchemin jauni.

Affolé, Walter demanda :

– C'est quoi, ta maladie?

Il avait perdu l'agressivité jalouse et insistante avec laquelle il l'avait poursuivie pendant toutes les répétitions.

Elle sourit faiblement.

– Une hépatite, dit-elle. Mais on ne sait pas au juste quel genre d'hépatite.

– Hépatite virale, tu crois?

– On ne sait pas; mais moi, je me sens malade comme un chien.

– Pauvre Alice! Je te demande pardon pour tout ce que j'ai dit, pour tout ce que j'ai fait... Mais j'étais sûr que tu allais me torturer, alors, j'ai pris les devants.

– Tu seras toujours pareil... toujours persuadé que le monde entier te vise. C'est odieux de manquer à ce point de confiance en soi... parce que les gens qui n'ont pas confiance en eux, ils passent leur temps à emmerder les autres... Mais va, je ne t'en veux pas... et puis j'ai tellement mal au cœur...

– A cause de moi?

– Non, idiot! A cause de mon hépatite.

– Tu me trouves complètement crétin?

– Pas complètement, dit-elle avec son pauvre sourire jaune. Mais tellement gentil, aussi... Allez, ça s'arrangera, tu sais.

Quand il fut à la porte, elle lui envoya un baiser du bout des doigts.

Walter revint au théâtre très apitoyé, mais néanmoins heureux. Il se disait qu'Alice avait raison et qu'il ferait bien de se réformer. Mais comme un tel programme ne se réalise pas en un jour, c'est sur un ton acerbe qu'il annonça à Ferrari qu'il quittait à l'instant la pianiste et qu'elle avait une hépatite virale.

Ferrari fut très contrarié, mais pas tant que Bruno, que le directeur appela d'urgence par téléphone et qui arriva dare-

dare. Giovanni Ferrari, en bon organisateur, cherchait déjà, avec l'aide de sa fille, s'il y avait une autre soliste disponible. Ce serait difficile à trouver, mais avec de la persévérance et un peu de chance, on pouvait espérer...

— Ne vous cassez donc pas le tronc, ce n'est pas possible, dit le chef d'orchestre, catégorique. Il faudrait doubler le nombre des répétitions et tous les musiciens seraient épuisés avant le concert. Je ne veux pas, vous dis-je! Je préfère changer complètement le programme.

— Bon, dit Ferrari, tu es meilleur juge que moi... Mais je...

Il porta la main à sa poitrine, le visage crispé. Avec de petits gestes, il ouvrit le tiroir de son bureau, en sortit un tube dont il extirpa une pilule qu'il avala rapidement.

— Qu'est-ce que c'est? s'exclama Alessandra en lui arrachant le tube.

— Un fortifiant, dit Giovanni, en le reprenant aussi prestement. C'est un médicament contre la fatigue. Un cocktail de vitamines.

— Es-tu sûr? dit la jeune femme, suspicieuse. J'ai lu : *Ne pas dépasser la dose indiquée.* Tu n'en prends pas trop, dis?

— Mais non, ma petite fille. Ne t'affole donc pas comme ça!

Il était moins pâle, mais c'est avec effort qu'il se leva de son siège.

— Voyez ça tous les deux, dit-il. Je vous fais confiance. Moi, je vais prendre l'air.

Il sortit de la pièce sous le regard consterné de sa fille. Jamais elle n'avait pensé que son père pût être faible ou menacé, et le voir abattu lui serrait le cœur.

Dans le train qui l'emmenait vers Neuchâtel, Thesis avait dormi presque tout le temps. Il avait tellement peur de Salmon que, jusqu'au moment du départ, il avait craint que le garçon ne vînt le surprendre dans le wagon; mais ensuite, rassuré, il s'était assoupi de soulagement.

A Neuchâtel, il se dirigea tout de suite vers la brasserie où Sophie lui avait donné rendez-vous. Il se demandait ce qu'elle avait à lui apprendre. Il le sut très vite. Quand le garçon leur eut apporté leurs cafés, elle joua cartes sur table.

– Voilà, dit-elle. Ma patronne a eu une troisième fille. Une fille clandestine qu'elle n'a même jamais vue. Et le père, c'est Giovanni Ferrari.

– Nom de Dieu! dit Thesis. Et cette fille serait ma femme?

– Qu'est-ce que vous en pensez? demanda Sophie avec un rire ironique.

– Ça colle, dit Giorgio, ça colle parfaitement. Parce que moi aussi, j'ai appris des choses.

Il se mit à raconter : quelques jours avant, il avait demandé à un photographe de ses amis de lui agrandir au maximum la photo que Sophie lui avait donnée. Pour un simple détail : une broche. Une belle broche en or qui ornait la veste de la jeune Constance Dussault. Il avait eu le sentiment de l'avoir déjà vue et, en possession de l'agrandissement, il n'avait plus douté : cette broche appartenait maintenant à Alessandra. Elle la portait souvent.

– Qu'est-ce qu'on va faire maintenant? demanda-t-il, l'œil gourmand.

Il brûlait de se servir de ces révélations pour faire enrager à mort son épouse et le père de son épouse, qui le méprisaient si ouvertement! Il en jubilait, il en béait d'aise, et Sophie pensa que ce jeune escroc était à peine moins enfantin que Marcel. Il finit néanmoins par se rembrunir.

– C'est pas tout ça, dit-il. Ce qu'il me faut tout de suite, c'est du pognon.

– Tu as des dettes de jeu? demanda Sophie.

– Entre autres, des dettes de jeu.

– Grosses?

– Plutôt!

– Eh oui! fit Sophie. Je compatis.

Elle laissait venir. Elle voulait que l'idée vienne de lui. Elle voyait son joli visage, encore si joyeux juste avant, se décomposer comme sous l'effet d'une peur irrépressible.

Il finit par dire :

– Si on faisait chanter Mme Dussault?

– C'est exactement ce que nous allons faire... euh... un peu plus tard.

– Un peu plus tard?

– Quand je te le dirai. Je vis avec elle. Je verrai le bon moment, tu comprends?

Il ne protesta pas. Il était subjugué. Par sa beauté. Par

certaines façons qu'elle avait de se promettre pour se reprendre ensuite. Mais peut-être encore plus par son autorité.

Le même jour, Carlo Galli vint en Suisse pour apporter son argent à Constance Dussault. 2 millions de francs suisses, elle n'en revenait pas. Elle allait pouvoir remonter la pente, refaire une collection et donner une leçon à ceux qui, suisses ou étrangers, voulaient profiter de ses malheurs pour mettre la main sur son entreprise familiale. Ce qui l'enchantait également, c'était qu'il existât encore quelqu'un – Carlo Galli, en l'occurrence – pour qui l'amitié ne fût pas un vain mot, une notion périmée. La famille Pontin et la famille Galli étaient liées depuis plusieurs générations par un contrat tacite d'assistance mutuelle. Ce contrat venait de jouer, et même si ces relations cordiales et privilégiées devaient mourir avec eux, ils étaient fiers et réconfortés de s'en être montrés les dignes dépositaires.

Mme Dussault était si contente que, sur le chemin du retour – elle et Carlo s'étaient rencontrés à Lucerne, à mi-chemin entre leurs villes respectives –, elle fit arrêter sa voiture à Valangin pour y acheter des chocolats fameux. Pour elle. Et naturellement pour Sophie.

Véronique et Marco étaient convenus de passer le week-end ensemble dans l'appartement du jeune professeur. Leurs relations en étaient au stade où aucune perspective n'est aussi attirante qu'un long tête-à-tête où l'on peut faire l'amour au gré de son envie et de sa fantaisie. En se rendant chez son amant, la jeune fille avait des chansons plein la tête.

Mais sitôt que Marco lui eut ouvert la porte, elle vit à son air que quelque chose clochait. Ce qui lui fut confirmé, d'une certaine manière, par un petit être qui, débouchant d'une porte, se rua à sa rencontre et se jeta dans ses jambes.

– Qu'est-ce que c'est? demanda-t-elle, stupéfaite.

– Ma fille, dit Marco en souriant.

Ce sourire, qu'il fût de fierté ou d'excuse, déchira quelque chose dans l'imagerie où vivait Véronique depuis qu'elle avait sauvé des eaux un certain jeune homme à peine pourvu d'une identité.

— Ta fille! dit-elle. Tu as une fille! Et tu ne m'en as rien dit!

Déçue que Véronique ne l'eût pas accueillie avec la chaleur qu'elle espérait, la fillette, une adorable petite blonde, vint se réfugier dans les jambes de son père.

— Pourquoi je t'aurais dit quelque chose? Il y a une heure, je ne savais pas qu'elle viendrait. Sa mère vient de me l'amener en me demandant de changer de week-end avec elle parce qu'elle a des problèmes de boulot. Je ne pouvais pas refuser. Et puis, elle est mignonne, non?

— Tu aurais pu me dire que tu avais une fille, répéta Véronique, stupéfaite et insensible au charme de l'enfant.

— Mais pourquoi? s'étonna Marco. Je préférais te la montrer! Les enfants sont des êtres vivants. En parler est insuffisant. Il faut être là, avec eux, pour comprendre qui ils sont réellement.

— Parce que tu crois que je vais rester ici?

— C'était convenu que tu restais, non?

— Il était convenu que je venais ici pour être avec toi, dit la jeune fille, ulcérée. Pas pour faire la baby-sitter.

— Mais qu'est-ce que tu dis là, Véronique!

Il la regardait, toujours plantée dans l'entrée, telle qu'elle s'était figée quand l'enfant était apparue, sans même avoir posé le sac qu'elle avait à la main.

— Ah! Tu t'es bien foutu de moi! dit-elle.

— Arrête de déconner. On va être très bien, ici, tous les trois.

— Oh! Je te déteste! jeta Véronique en guise d'adieu.

Cinq secondes plus tard, elle s'en allait en claquant la porte.

En donnant ses chocolats à Sophie, Mme Dussault lui confia aussi la mallette pleine de billets que Galli lui avait remise à Lucerne.

— Tiens, Sophie, va poser ça dans mon coffre! Tu te souviens de la combinaison?

— Oh non, Madame! fit la jeune femme avec une grimace contrite. Vous savez bien que je retiens mal les chiffres.

— Preuve que tu es désintéressée, mon enfant, dit la patronne, qui nageait toujours dans le bleu.

Elle écrivit quelques chiffres sur un bout de papier qu'elle donna à sa demoiselle de compagnie, en lui recommandant de le déchiqueter et de le jeter après usage.

— Naturellement, Madame, dit Sophie en glissant le papier dans sa poche.

Dans le bureau de Madame, elle n'eut pas besoin de le consulter pour ouvrir la porte blindée. Elle allait glisser la mallette à l'intérieur quand elle se ravisa et la ressortit. Elle n'était pas fermée à clé! Sophie souleva le couvercle, contempla les liasses, bouche bée. Il y avait un sacré paquet de fric! Ça allait être une pure joie de le soutirer à cette vieille!

Bruno Steinberg aussi avait envie de passer le week-end à faire l'amour. Sa fille, aussi bien, l'avait prévenu qu'elle ne serait pas à la villa, sans autre explication. Il était donc demeuré à Bergame et avait dormi à son hôtel avec Alessandra. Celle-ci était contrariée parce qu'elle avait égaré une broche, une lourde broche en or qu'elle portait tout le temps, non seulement parce qu'elle était belle, mais parce que c'était un cadeau de son père et qu'elle avait appartenu à sa mère défunte.

Elle était en train de la chercher dans la salle de bains, quand Véronique fit irruption dans le salon, où était son père. Elle avait l'air agité, le visage marbré et les yeux rouges comme si elle avait pleuré des heures.

— Que se passe-t-il? demanda Bruno.

— Oh, papa! Il fallait que je te voie! Je suis allée chez mon fiancé.

— Je m'en doutais. Et alors!

— Alors, papa, il a un enfant!

Incoercibles, les larmes jaillirent des yeux de la jeune fille.

— Tiens! dit Bruno, inconscient qu'il y eût là un drame.

— Tu ne m'écoutes pas! dit Véronique en reniflant. Tu n'es pas seul?

— Non. Alessandra est là.

— Oh! C'est parfait! Partout où je me pointe, je suis en trop!

— Voyons, Véronique...!

— Mais c'est vrai, à la fin!

Bruno sourit gentiment, bien qu'il parût toujours distrait.

— Voyons, chérie, c'est des idées que tu te fais, dit-il.

— Des idées! s'exclama Véronique. Je l'ai vue, moi, cette petite fille!

— Et alors?

— C'est honteux de la part de Marco de m'avoir caché qu'il avait un enfant. C'est malhonnête.

— Je t'en prie, calme-toi. Assieds-toi. Tu en fais, des histoires...

— Je ne fais pas d'histoires. C'est malhonnête. Et ça a été malhonnête de ta part de ne pas me dire tout de suite, pour Alessandra.

— Je te l'ai dit, souviens-toi... Et puis, je t'en prie! dit Bruno en montrant la porte de la salle de bains.

— Et après, fit la jeune fille, emportée. Je m'en fous, qu'elle entende! Si tu veux tout savoir, je ne l'aime pas, Alessandra. C'est trop dégueulasse, ce qu'elle a fait : coucher avec toi quand maman vivait encore! Maman était malade, et elle le savait.

— Oui, je le savais, dit Alessandra, sortant de la salle de bains.

En déshabillé, décoiffée et l'œil étincelant, elle était très belle. Elle avait l'air d'une guerrière se jetant dans la mêlée.

Véronique, l'œil également étincelant, répéta :

— Dégueulasse, c'était dégueulasse! Profiter de la déprime de ma mère pour lui voler son mari! Un dégueulasse aussi, le mari! Mon père et toi, vous étiez faits pour vous entendre!

— Véronique, ne t'excite pas, dit Bruno, s'efforçant de ramener le calme.

— Je ne m'excite pas. Vous êtes des lâches tous les deux! Elle, on dit que son mari est un gars douteux, et elle ne le plaque même pas!

— Ça suffit, maintenant, dit Bruno, la main levée.

— Vas-y! Fous-moi une trempe, le nargua Véronique, maintenant déchaînée et disant n'importe quoi. Mais tu n'oserais pas, parce que tu es un lâche. Tu es un tricheur, et elle, c'est une tricheuse.

La gifle résonna, lancée à toute volée, non par le maestro, mais par Alessandra.

— Voilà! dit calmement la belle Italienne. Tu le prends

216

comme tu veux. Si tu n'es pas contente, tu fiches le camp d'ici. Tu as un problème? Tu n'es pas la seule, ma petite. Les crises, tu apprendras que ça passe.

— Je te déteste, Alessandra, dit Véronique, le visage ruisselant de larmes. Je vous déteste tous les deux. La seule personne propre que je connaisse, c'est grand-mère.

— Mais va la rejoindre! On ne te retient pas! jeta Bruno, laissant libre cours à son exaspération.

Véronique pleurait toujours. Toute la tristesse du monde était dans ses pleurs.

— Oh, merci! disait-elle. Merci, vous deux! Merci pour votre chaleur humaine...!

Pour cette jeune fille, encore presque une enfant, la vie venait positivement de s'arrêter.

Mais ailleurs, elle tournait rond, la vie. Le temps va et vient, s'étale, se contracte, selon l'humeur, les amours, les tristesses, les réussites.

Pierre Savagnier était heureux, parce que la chaîne robotisée était mise en place et fonctionnait. Et plus heureux encore, parce que Nicole Fontaine était enfin devenue sa maîtresse.

Nicole, elle, feignait de croire que leurs étreintes, elle les avait rêvées, et elle n'osait pas se demander – pas encore – si elle était heureuse ou malheureuse.

Quant à Mme Dussault, elle jubilait, parce que, avec son vieux complice Guillaume, elle faisait redémarrer une nouvelle collection. Douze montres seulement, mais de toute beauté.

Walter Salieri avait pour une fois le cœur paisible : l'hépatite d'Alice Clementi n'était pas virale. Elle serait bientôt guérie et pourrait reprendre les répétitions. Bientôt, cette malencontreuse maladie ne serait plus qu'un souvenir, mais elle aurait été l'occasion de l'entente trouvée et consolidée de deux êtres faits pour s'aimer.

C'est alors que Giovanni Ferrari reçut un coup de téléphone.

13

Quand Véronique les eut quittés, Bruno et Alessandra eurent l'impression d'émerger d'un mauvais rêve. Le maestro regarda sa maîtresse et dit :
— Elle est partie!
— C'est toi qui lui as dit de partir à La Chaux-de-Fonds, je te ferais remarquer.
Steinberg balaya l'air de la main. Il n'aimait pas qu'on lui rappelle ses responsabilités.
— Oh! C'est ce qu'elle a toujours voulu, au fond. Ce qui a précipité les choses, c'est ton attitude. Ce n'était pas à toi d'intervenir.
— Mais elle m'a insultée!
— Parce qu'elle n'est qu'une gamine! Toi, à ton âge, tu n'aurais pas dû réagir aussi puérilement.
— La prochaine fois, si je saisis bien, je devrai me laisser insulter en gardant aux lèvres un sourire indulgent et compréhensif?
— N'oublie pas qu'elle a perdu sa mère et qu'elle souffre! gronda Bruno.
La discussion abordait des terrains brûlants et s'envenimait, et peut-être aurait-elle conduit à une rupture, si le téléphone, en sonnant, n'y avait mis fin.
C'était Renzo, le concierge du théâtre : il venait de trouver Giovanni Ferrari inanimé dans son bureau.
— Je viens! dit Alessandra, paniquée.
— Je vais avec toi, dit Bruno en écho.
Quand ils arrivèrent au théâtre, Ferrari était assis dans son

fauteuil, livide mais conscient. Alessandra se précipita vers lui et demanda ce qui était arrivé.

– J'ai eu un malaise, dit Giovanni.

– Une crise cardiaque! intervint Renzo, qui n'avait pas quitté son patron.

– Renzo lit trop de revues médicales : il se prend pour un médecin, dit Ferrari.

– Certainement pas, fit le concierge, offensé. Un docteur, j'en ai appelé un. Mais je sais parfaitement ce que j'ai vu!

– Comment est-ce arrivé? demanda Alessandra.

– Je... J'étais au téléphone, dit Ferrari. Et je me suis trouvé mal...

– Avec qui parlais-tu?

Son père ne répondant pas, Alessandra se mit à insister. Qui lui téléphonait? Mais il demeura muet, et Bruno intervint pour qu'elle le laisse tranquille.

Elle était bouleversée. Elle n'arrivait pas à imaginer que quelque chose pût atteindre son père, elle aurait voulu ne jamais savoir qu'il était comme tout le monde, vulnérable et mortel. Elle se mit à pleurer sans bruit.

Comme quand elle était petite fille et dépassée par les événements, pensa Ferrari. Il aimait cette enfant plus que tout au monde. Elle était la lumière de sa vie.

– Ça va, Alessandra, dit-il. Je vais bien maintenant. C'est passé.

Mais in petto, il craignait que ce ne fût un pieux mensonge, et il ne pouvait se remémorer sans frémir ce qu'il avait entendu au téléphone.

Les 2 millions de francs suisses que lui avait apportés Galli, Mme Dussault les remit sans perdre de temps à Fussli. Elle les lui remit alors qu'il n'avait plus été question d'échéance, ce qui épata le banquier – mais c'était vraisemblablement le but visé.

Ensuite, elle s'arrangea pour lui faire savoir que ses ouvriers préparaient une nouvelle collection, et qu'elle ne considérait pas l'argent des Allemands comme une masse de manœuvre dont elle avait l'intention d'user.

Fussli se demanda ce qu'il devait penser de tout ça: Mme Dussault était-elle une inconsciente aux portes du gâtisme ou une femme d'affaires audacieuse connaissant sur le bout du doigt son itinéraire? L'avenir le dirait, mais l'ennui, c'est qu'en tant que banquier il aurait dû le savoir et que, hélas! il n'y voyait goutte.

La seule vérité, c'est que personne ne semblait capable de faire baisser pavillon à cette créature.

Mais en rentrant chez elle, la créature se heurta dès le corridor à Sophie, qui semblait la guetter.

— Ah, Madame! Vous voilà! Il y a un monsieur qui vous attend dans votre bureau.

— Un monsieur? Quel monsieur?

— Je ne sais pas, Madame. Je ne l'ai jamais vu.

— Il vous a bien donné son nom? fit la patronne, avec quelque impatience.

— Non, Madame, dit Sophie, humblement. Il a seulement dit qu'il avait rendez-vous.

— Je vais voir.

Fermement décidée à éconduire l'homme, si c'était un placier quelconque, Constance Dussault entra dans son bureau, la mine hautaine. L'inconnu se leva, s'inclina. Elle fut favorablement impressionnée par sa mise et par son visage, celui d'un homme jeune, beau et aimable. Elle lui fit signe de se rasseoir et alla s'installer dans son fauteuil.

— Madame, dit-il d'entrée de jeu, je voudrais vous montrer quelque chose. Cette broche. Elle ne vous dit rien?

Il avait posé le bijou entre eux deux, il étincelait de tout son or sur le buvard vert.

La vieille dame se troubla, mais domina son émotion.

— Qui êtes-vous, monsieur? demanda-t-elle.

Giorgio Thesis, pour vous servir.

— Et si j'appelais la police, monsieur Thesis?

— Vous n'appellerez pas la police, madame Dussault, dit-il avec un sourire exquis. Vous avez trop peur que cette broche se mette à parler. Votre fille ignore tout, chère madame. Elle croit ce que son père lui a dit : que sa mère est morte en lui donnant le jour... Elle vénère cette broche, seul souvenir de sa « pauvre maman ». Que dira-t-elle quand elle saura que Constance Dussault est la pauvre maman et qu'elle l'a lâchement abandonnée?

220

— Ce n'est pas vrai! Ce n'est pas comme ça que ça s'est passé!

— Ne vous énervez pas, madame. On peut discuter calmement.

Constance se domina, releva fièrement le menton.

— Vous voulez de l'argent? dit-elle.

— Bonne question, fit paisiblement Thesis.

— Vous n'aurez pas un sou. Jamais les Pontin, jamais les Dussault n'ont cédé au chantage! Fichez le camp et ne revenez plus jamais.

— D'accord, d'accord, je m'en vais. Ne vous mettez pas martel en tête. Je vous demande seulement de réfléchir... 100 000 francs, et vous serez tranquille. Je ne vous mets pas le couteau sur la gorge... Réfléchissez. Je suis à l'hôtel Europa de Neuchâtel. J'y resterai deux jours. Au revoir, madame. A bientôt.

Il se leva et sortit. Il avait des mouvements gracieux et silencieux, un charmant sourire. Quand il fut parti, Mme Dussault regarda longtemps la porte, atterrée, pétrifiée.

Au bout d'un moment, elle s'enferma à clé. L'ardeur et la joie qui avaient été siennes depuis qu'elle avait entrepris de se sortir du pétrin s'étaient évaporées pour faire place à la peur et au désespoir. Certaines paroles de Thesis s'étaient incrustées dans son âme: une fille « lâchement abandonnée ». Elles demeuraient ineffaçables.

Après avoir beaucoup hésité, elle décrocha son téléphone et fit un numéro à onze chiffres. Une voix dit, au bout du fil:

— *Pronto?*

— Giovanni Ferrari? demanda-t-elle d'une voix étouffée. Puis: Giovanni! Giovanni! C'est Constance...

— Constance! Il y a si longtemps que tu ne m'avais plus appelé!

— Il faut que je te parle, Giovanni. Il se passe quelque chose de grave. Un jeune homme est venu me voir. Il avait une broche avec lui. Ma broche. Celle que tu m'as demandée en souvenir, tu te rappelles?

— Je me rappelle tout, Constance. Mais cet homme, t'a-t-il dit son nom?

— Thesis. Giorgio Thesis.

— Seigneur! s'exclama Ferrari, c'est un homme dangereux. Il a volé la broche à sa femme. C'est le mari de ma fille, de *notre* fille, Constance.

— Oh! mon Dieu! gémit Constance. Il m'a dit des choses horribles... Giovanni, je ne veux pas que ma fille sache jamais! Je lui donnerai ce qu'il demande.

— Non! dit fermement Ferrari. Tu ne dois pas céder au chantage de cet homme. Il ne s'arrêtera jamais. C'est une pure ordure. Et puis... moi aussi, j'ai reçu un coup de téléphone. D'une femme qui n'a pas dit son nom, mais qui sait que tu es la mère d'Alessandra. Elle, c'est moi qu'elle veut faire chanter et, sur le moment, j'ai été bouleversé, tu sais...

— Qu'allons-nous faire?

— Je ne sais pas, dit Giovanni. La seule chose que je sache, c'est que tu peux compter sur moi. Je ne crois pas qu'il faille céder... Non, je crois pas... Je te rappellerai, Constance. Compte sur moi.

Sophie rôdait dans le couloir. Elle avait entendu le bruit de la clé tournant dans la serrure. La vieille s'était enfermée! Signe que ça allait mal! Elle, Sophie, devait se retenir pour ne pas rire aux éclats, tant elle était joyeuse. Elle pensait à tout l'argent qu'elle avait mis de côté, et à celui qui viendrait le rejoindre bientôt.

Par la vitre dépolie de la porte d'entrée, elle vit la silhouette de quelqu'un qui se préparait à entrer. Elle ouvrit la porte et reconnut Véronique.

— En voilà une surprise! Bonjour, Mademoiselle.

L'adolescente entra, déposa sa valise par terre.

— Bonjour, Sophie. Tu vas bien?

— Très bien, dit la demoiselle de compagnie. Et vous?

— Bof! moi...

— Et votre amoureux?

— Quel amoureux?

— Celui que vous avez repêché dans le lac. Ce n'est pas votre amoureux?

Véronique secoua la tête et regarda la demoiselle avec suspicion. Sous ses dehors réservés, Sophie était une affreuse mêle-tout, elle s'en était déjà aperçue, et ce n'était pas la première fois qu'elle en était agacée. Pour couper court, elle dit :

– Grand-mère n'est pas là?

– Dans son bureau, je crois, dit Sophie sournoisement, se réjouissant d'avance de l'embarras de sa patronne enfermée.

Mais Mme Dussault avait déverrouillé sa porte. Elle s'était rassise à sa place, la tête dans les mains, absorbée dans ses réflexions sans issue. Depuis le jour lointain où elle s'était rendu compte que sa liaison avec Giovanni avait porté son fruit, elle n'avait plus été aussi profondément bouleversée, incapable d'imaginer une solution à son problème.

Elle vit entrer Véronique et lui dit bonjour. Ce n'est qu'au bout d'un moment qu'elle réalisa que la jeune fille aurait dû se trouver à Lugano, mais elle dit seulement :

– Tiens, tu es là?

– J'en ai eu assez de Lugano, commença Véronique.

Elle s'approcha de sa grand-mère pour l'embrasser, vit seulement alors sa mine défaite et son regard absent, et elle demanda :

– Ça ne va pas?

– Oh si! fit Constance avec un sourire machinal.

– Ah! Tant mieux! Parce que moi, ça ne va pas. Alessandra, figure-toi, la maîtresse de papa, elle m'a fichue dehors.

La grand-mère refit son sourire machinal. De toute évidence, son esprit n'avait rien enregistré de ce que ses oreilles percevaient. Véronique reprit :

– Elle m'a flanqué une tarte, oui, Alessandra! Juste au moment où je disais du bien de toi, tu te rends compte! Non, tu ne te rends pas compte. On dirait que tu ne m'écoutes pas... Grand-mère, j'ai besoin de te parler.

– Excuse-moi, chérie, je suis éreintée, j'ai eu trop de soucis aujourd'hui. On parlera demain.

– Mais moi, je veux parler ce soir! fit Véronique d'une voix suppliante.

– C'est impossible, ma chérie. Je suis incapable de t'écouter.

– Les affaires, hein! Toujours les affaires! Mais le cœur, ça existe aussi!

– Je sais, ma petite fille, que le cœur existe, dit doucement Constance. Mais ce soir, je suis incapable de t'écouter. Bonne nuit, chérie.

– Bonne nuit, grand-mère, dit Véronique, les yeux pleins de larmes.

Ça faisait un endroit de plus où sa présence était superflue. C'était injuste, extravagant, pas croyable. Elle n'avait plus de recours sur terre, il ne lui restait qu'à mourir... Une faible lueur brilla dans son ciel, un ultime espoir. Quittant cette maison où elle ne se sentait pas la bienvenue, elle se rendit chez sa tante Nicole.

Sans se montrer, Sophie regarda la jeune fille sortir de la maison et s'éloigner dans la rue. Elle-même attendit un moment en silence – Madame demeurait dans son bureau comme un animal blessé dans sa tanière –, puis elle sortit à son tour.

Trois minutes plus tard, elle pénétrait dans sa cabine téléphonique habituelle et formait le numéro de l'hôtel Europa à Neuchâtel...

Quand elle eut Thesis en ligne :

– Giorgio, c'est super! La vieille est comme passée à la moulinette. Sûr qu'elle va casquer, et même, tu pourrais monter la barre plus haut... Oui... Oui.. A demain.

De tout le repas, Nicole et Jean-Claude n'avaient pas échangé dix mots. En repliant sa serviette, la jeune femme constata :

– Tu n'es pas bavard! J'ai l'impression que, maintenant, tu ne me parles plus jamais.

Jean-Claude la regarda comme si, pour la première fois depuis le potage, il se rendait compte de sa présence.

– Oh! Excuse-moi, chérie, je gambergeais. Je suis noyé dans les problèmes, et je suis trop las pour prononcer même trois mots.

Nicole haussa les épaules.

– Ben alors, tais-toi, mon chéri, dit-elle.

Elle allait ajouter que, dans ces conditions, elle allait se retirer dans sa chambre, quand la sonnette de la porte retentit. Avec autant d'appréhension que d'espoir, elle pensa que ce devait être Pierre Savagnier et elle se précipita pour ouvrir.

Elle ne cacha pas sa surprise en voyant Véronique.

– Qu'est-ce que tu fais là, toi?

– Je suis rentrée au bercail, dit l'adolescente ironique. Je suis revenue auprès de grand-mère, mais je l'ai trouvée complètement *out*.

— Tu m'étonnes, grogna Jean-Claude.

— Salut! Tu n'as pas l'air de tenir la grande forme! gouailla Véronique à son adresse.

— Il est fatigué. Il a beaucoup de problèmes, dit Nicole.

— Décidément, c'est une épidémie, fit Véronique en se laissant tomber sur une chaise. Si vous saviez ce qui m'arrive à moi!

— Il t'arrive des choses, ma petite puce? demanda Nicole.

— Je me suis fait virer par mon père. Alessandra m'a giflée. Et j'ai découvert que mon jules avait une fille de trois ans.

Jean-Claude étouffa un bâillement. Nicole hocha la tête avec un sourire indulgent.

— C'est tout ce que vous trouvez à dire? s'exclama Véronique.

— Pour l'instant oui, dit la tante. Nous avons besoin de dormir.

— Autrement dit, vous me foutez à la porte!

— Sûrement pas. Même, si tu veux, tu peux dormir ici.

Véronique accepta. Elle ne savait plus quoi penser et commençait, elle aussi, à avoir sommeil. La vie n'était pas du tout ce qu'elle pensait, se disait-elle vaguement, plus déconcertée maintenant que désespérée, et consciente qu'elle avait encore beaucoup à apprendre.

Au matin, quand Jean-Claude fut parti au bureau, la tante s'excusa auprès de sa nièce.

— Tu as des problèmes? demanda la gamine.

— Eh bien, oui! admit Nicole.

— Je m'en suis aperçue, fit Véronique. Et Jean-Claude en a aussi. Il m'a semblé... il m'a semblé que vous vous ennuyiez ensemble, je me trompe? Tu ne serais pas amoureuse de quelqu'un d'autre?

— Comment le sais-tu?

— Quand une femme encore jeune et jolie a des problèmes dans son ménage, je ne vois pas ce qui pourrait lui arriver de mieux que de rencontrer un autre homme!

— Comme tu y vas! dit Nicole, vaguement offusquée.

— Tu l'aimes?

— ... Je crois.

— Il est beau?

— ... Je trouve.

— Tu as couché avec lui?

A la stupeur de Véronique, Nicole rougit. Elle fit signe que oui, mais, visiblement, elle était horriblement gênée.

— Seigneur! On dirait que tu as peur! dit l'adolescente.

— Oui, j'ai peur. Tu sais, c'est la première fois qu'une chose de ce genre m'arrive.

Véronique se mit à rire.

— Je vous croyais moins barjos dans votre génération! C'est l'empreinte de l'éducation de grand-mère?

— Ma mère ne nous a pas tellement éduquées, ne va pas croire. Elle ne s'occupait pas de nous. Quand on était jeunes, on avait une bonne, Marianne. Je l'aimais bien, et ta mère l'adorait. Un jour, ton grand-père l'a fichue à la porte, nous n'avons jamais su pourquoi. Après ça, bonnes et gouvernantes se sont succédé, et maman s'est de moins en moins souciée de nous, sauf parfois pour nous terroriser avec ses grands principes.

— Tu en as souffert?

— Je crois.

— Et maman?

— J'en suis *sûre*.

— Tante Nicole, dit doucement Véronique. C'est le passé. Tu es une grande fille, maintenant.

Nicole sourit et embrassa sa nièce.

Giorgio Thesis s'était présenté de bonne heure à la maison Dussault. Le coup de fil de Sophie, la veille au soir, l'avait électrisé.

La même Sophie vint lui ouvrir. Elle avait son air compassé de domestique modèle. Elle demanda au visiteur qui elle devait annoncer et le fit entrer dans le bureau. Quelques minutes plus tard, elle descendait de l'étage où Mme Dussault venait de terminer sa toilette et annonçait que Madame refusait de voir M. Thesis. Elle avait toujours un air compassé, mais ses yeux écarquillés apprirent au mari d'Alessandra qu'elle ne comprenait rien à ce caprice. En le raccompagnant, elle lui glissa quelques mots à l'oreille.

Giorgio revint un peu plus tard, mais cette fois par une porte de derrière qu'il trouva bienheureusement ouverte. Il s'introduisit dans le salon et attendit patiemment sa victime, sachant

226

qu'elle y entrerait fatalement à un moment ou à un autre. Ce qui arriva avant que sa patience ne fût usée.

Mme Dussault n'avait pas dormi de la nuit, et, cependant, son insomnie ne l'avait pas aidée à y voir plus clair. Objectivement, elle pensait, comme Giovanni, qu'il ne fallait pas céder au chantage. Affectivement, elle tremblait à l'idée qu'Alessandra pût apprendre la vérité. Si grande que fût son envie de connaître la jeune femme, de l'aimer et de la choyer, elle préférait la savoir pleurant quelqu'un qui n'avait jamais existé que la haïssant pour l'avoir *abandonnée*. C'était plus fort qu'elle : elle savait que Thesis, personnage immonde, avait choisi à dessein le mot qui fait mal et suggère l'irréparable, mais elle ne pouvait plus concevoir autrement la façon dont sa fille recevrait la vérité. C'est pourquoi sa conduite, à l'issue de cette nuit blanche, fut également contradictoire : elle mit dans une enveloppe dix billets de 10 000 francs à l'intention de Thesis, mais refusa de le recevoir quand il s'annonça.

Plus tard, quand il l'aborda par surprise, elle fut tellement estomaquée qu'elle lui tendit l'enveloppe, en gardant toutefois son maintien digne et hautain – mais il acheva son travail en lui assenant ses nouvelles exigences : c'était 1 million de francs suisses qu'il voulait maintenant. Bon sire, il accordait huit jours de délai.

Dès qu'il fut parti, Constance mesura mieux le guêpier dans lequel elle se trouvait. Elle ne possédait pas, en ce moment, une telle somme. Ferrari non plus, vraisemblablement. D'ailleurs, quand elle lui téléphona et lui apprit ce qu'elle venait de faire, il la blâma assez vertement, avant de lui confirmer qu'il ne pouvait guère l'aider financièrement.

Elle était lasse à mourir, au bout du rouleau. Elle pensa qu'elle allait se trouver mal. Plus tard, l'énergie lui revint, comme toujours quand elle touchait le fond. Elle était incapable de ne pas donner le petit coup de pied qui fait remonter à la surface. Elle ne savait pas comment elle allait résoudre son problème, mais au moins allait-elle s'y essayer.

Une première tentative avec Jean-Claude ne donna rien du tout. Elle avait pensé emprunter le million à la société

Dussault-Pontin, mais encore fallait-il que son gendre acceptât de s'en occuper : c'est lui qui avait dans ses attributions les services comptables.

Il fit une réponse purement dilatoire, sachant que la comptabilité n'était pas à l'aise, étant surtout aux prises avec de délicats problèmes. Ce n'est pas sans raison qu'il était un mari surmené : quelque chose ne tournait pas rond dans le réseau de ventes aux États-Unis. Il devait y avoir un os quelque part.

C'était d'autant plus enrageant que la chaîne robotisée était parfaitement conforme à ce que lui et Pierre Savagnier avaient espéré. Mais encore fallait-il écouler la marchandise, et si les États-Unis boudaient, c'était le flop!

Il n'avait pas mis Shurer au courant. L'Allemand *devait* croire que tout allait pour le mieux, c'était une obligation absolue. Alors, il ne restait qu'une solution : faire un saut à New York, voir ce qui clochait, et y remédier rapido presto.

Aussi, Mᵐᵉ Dussault, qui voulait 1 million pour ses petits plaisirs personnels, ça pouvait attendre, non! Il ne le lui dit pas comme ça. Il dit simplement qu'il fallait étudier la question, et qu'il le ferait à son retour d'Amérique.

En entendant cela, Constance Dussault donna un petit coup de pied supplémentaire et remonta un peu plus vers la surface.

Alors, elle se mit en quête de Bruno Steinberg, dans un dessein qu'elle ne révéla à personne.

Elle le toucha au théâtre de Bergame, et il prit l'appel dans sa loge. Il nota avec un certain étonnement et pas mal de satisfaction qu'elle l'appelait par son prénom.

La nouvelle qu'elle lui annonça le surprit : elle renonçait à vendre la villa de Lugano.

— Mais alors, belle-maman, comment allez-vous faire pour vous sortir du pétrin?

— Dans ma famille, mon gendre, on se sort toujours du pétrin, ne vous faites pas de souci!

— Oui, mais...

Bruno Steinberg était un homme des plus étranges en ce qui concernait l'argent. Il avait beaucoup de défauts, tous issus de

228

son grand égoïsme, mais son désintéressement était fabuleux. Dans la mesure où ses besoins étaient satisfaits – et ils n'étaient pas énormes pour un homme aussi en vue que lui –, il n'était pas attiré par la possession des biens. Ainsi était-il parfaitement sincère lorsqu'il avait déclaré qu'il ne toucherait pas au montant de l'assurance-vie de Jacqueline.

C'est ce qu'il répéta à sa belle-mère, ajoutant qu'il se demandait pourquoi elle n'avait pas accepté tout de suite sa proposition de lui donner cet argent.

Elle répondit qu'elle n'avait pas refusé formellement, qu'elle avait besoin d'y réfléchir, et aussi d'en parler avec Véronique. Elle ajouta que, d'ailleurs, elle avait l'intention de venir à Lugano avec sa petite-fille et qu'on reparlerait de tout ça.

En raccrochant, elle avait l'air plutôt soulagée.

Quand elle remonta dans sa chambre, elle sonna Sophie.

Celle-ci était occupée à se changer et à remplacer par son ensemble habituel la toilette tapageuse qu'elle avait revêtue pour sortir. Elle était allée à Neuchâtel pour rencontrer Thesis, et comme elle avait constaté qu'elle l'excitait, elle s'était habillée en conséquence. Sans qu'elle eût besoin de rien lui demander, il lui avait donné la moitié de l'argent extorqué à M\ume Dussault, et elle avait consenti à faire l'amour avec lui. Son expérience passée, et plus particulièrement sa liaison avec Marcel, lui avait appris les bonnes recettes pour s'attacher les hommes.

Maintenant, elle pressait le mouvement tout en marmonnant entre ses dents : « Sonne! Sonne, la vieille! Bientôt, tu n'auras plus personne à sonner, et surtout pas moi! »

Mais, en arrivant dans la chambre de sa patronne, elle avait le maintien réservé et soumis qui lui était habituel.

– Où étais-tu, Sophie? Ça fait un moment que je te sonne.

– Je m'étais allongée, Madame. J'ai eu mal à la tête tout l'après-midi.

– Viens donc t'asseoir près de moi, dit M\ume Dussault avec gentillesse. Je voulais te dire...

– Oui, Madame?

– ... Je pars pour Lugano.

– Pour Lugano? Et quand partons-nous?

– C'est moi qui pars, Sophie. Je vais voir mon gendre.

– M. Steinberg? Je croyais que vous ne vouliez plus jamais le revoir?

– J'ai changé d'avis. Tu ne changes jamais d'avis, toi?

– Rarement, Madame. Pour ainsi dire jamais.

– Tu es fidèle à tes convictions?

On n'aurait pu savoir si Mme Dussault admirait ou ironisait.

– C'est ma nature, dit Sophie.

– C'est une qualité rare, ma fille, dit la patronne. Pour en revenir à mon gendre, il va me prêter de l'argent.

– C'est formidable, ça, Madame!

– Voyons, Sophie, tu sais très bien qu'il me l'a proposé. Tu étais présente le jour où il m'a téléphoné.

La demoiselle de compagnie fit une moue ingénue.

– Moi, Madame? Ah oui! Mais je faisais des comptes.

Constance la regarda, un bizarre sourire aux lèvres.

– Tu ne vas pas me dire que tu n'as pas compris! Tu es assez maligne pour ça... je veux dire : assez intelligente!

– Désolée, Madame, mais je ne savais pas.

– Admettons, Sophie. Donc, je pars. Avec Véronique. Et après, j'irai passer quelques jours en Italie. Toi, profites-en donc pour aller voir ta vieille tante, si tu veux.

– Oh, merci! dit Sophie. C'est très gentil à vous, Madame.

Elle avait les yeux baissés. Son esprit retournait dans tous les sens la nouvelle que venait de lui annoncer Mme Dussault. Était-elle bonne? Était-elle mauvaise? Il fallait réfléchir, et puis prendre des dispositions. Ce n'était pas le moment de baisser les bras.

14

Avant de partir pour Lugano, Mme Dussault alla rendre visite à Guillaume à l'usine et lui demanda où en était la mini-collection. Tout allait comme sur des roulettes, dit l'ouvrier, et les modèles seraient prêts bien avant la date fixée. Il montra à la patronne ceux qui étaient terminés et qui étaient positivement superbes.

– J'ai là des photos, ajouta-t-il. Désirez-vous les emporter?

Mme Dussault le désira d'autant plus que les photos aussi étaient superbes.

Quand elle s'en alla, Guillaume l'accompagna jusqu'au seuil de l'usine. La Jaguar attendait devant la porte, Michel au volant et Véronique derrière, à la place qu'occupait le plus souvent Sophie.

– Bon voyage, fit Guillaume.

– Bon courage, répondit Constance.

Elle prit place dans la belle voiture et dit à Michel qu'on pouvait partir. Véronique prenait ses aises avec des gestes de chat qui s'installe pour un long somme. Quand la voiture arriva aux confins de la ville, elle ronronna :

– Je dois avouer que ton carrosse, c'est vachement plus confortable qu'une moto!

Constance sourit.

– Je suis heureuse que tu le reconnaisses, dit-elle.

Elle était contente de quitter La Chaux-de-Fonds. Elle laissait derrière elle un maître chanteur avec lequel il lui fallait encore compter, mais le fait de se mouvoir et d'ébaucher des actions lui donnait confiance.

Nicole Fontaine n'avait pas réagi quand sa mère lui avait annoncé son départ pour Lugano; elle ne réagissait pas à grand-chose, ces derniers temps, sinon à ses sentiments, à ses sensations et à ses états d'âme. Une partie d'elle-même, un certain regard, observait encore ce qui se passait autour d'elle et enregistrait que sa mère et son mari, chacun pour son compte, avaient à affronter des difficultés inhabituelles, mais elle ne se sentait plus capable de s'y intéresser.

Toute son énergie était absorbée par son propre problème, celui d'une femme qui, aux approches de la quarantaine, se voit soudain pourvue d'un premier amant. Elle nageait dans une torpeur physique bienfaisante, se surprenait à rire sans raison, tout en étant sans cesse au bord des larmes et habitée par une masse d'angoisses et d'incertitudes. Elle n'était pas femme à ignorer l'existence du bien et du mal ni à oublier complètement ce qu'elle devait aux autres et ce qu'elle se devait à elle-même.

Dans ce confus état d'âme, la perspective du prochain départ de Jean-Claude pour New York était comme une Muraille de Chine. Elle en voulait à son mari de s'absenter et de l'abandonner à ses propres choix.

Elle s'en ouvrit à lui, de manière très indirecte, mais, dans son esprit, c'était clair.

— Je voudrais qu'on parte en week-end, dit-elle pendant qu'ils prenaient le petit déjeuner.

Jean-Claude en demeura le croissant en l'air.

— En week-end? Cette semaine? Avec tout le travail que j'ai?

— Jean-Claude, je voudrais qu'on soit seuls tous les deux pendant quarante-huit heures, et qu'on cause!

— Causer? Mais de quoi?

— De nous deux! De notre couple!

Jean-Claude avait des soucis d'autant plus énormes qu'il se savait très responsable des ennuis qui les suscitaient. Le couple qu'il formait avec son épouse lui paraissait en comparaison un sujet de réflexion tout à fait futile.

— Tu dois répondre à un questionnaire de magazine? persifla-t-il.

— Arrête! dit-elle. C'est très sérieux. Je voudrais qu'on fasse le point tous les deux.

Il haussa les épaules, agita la tête, mais s'efforça de prendre un ton gentil pour dire :

232

– D'accord, chérie... Mais remettons ça à mon retour des États-Unis, tu veux bien?

– Jean-Claude, dit-elle d'une voix pressante, remets ce voyage. Remets-le de vingt-quatre heures!

– Voyons, Nicole, les conversations que je dois avoir là-bas sont de la plus haute importance et ne peuvent attendre.

– Nous deux, ce n'est pas un sujet de la plus haute importance pour toi?

– Ne joue pas sur les mots, je t'en prie. Tu sais très bien que je ne peux pas remettre ce voyage.

Il déposa sa serviette sur la table et se leva.

– Tu devrais pourtant savoir, chérie, tu devrais savoir que les ménages les plus solides sont ceux où on discute le moins, dit-il gentiment.

Il avait l'air de plaisanter, mais, sous le sourire, il y avait un masque las et tourmenté qui, en d'autres temps, aurait inquiété Nicole. En la circonstance, seules comptaient ses amours extra-conjugales et son échelle de valeurs du moment, aussi pensa-t-elle que les dés étaient jetés et que l'indifférence manifeste de son mari justifiait amplement les consolations qu'elle pourrait prendre ailleurs. Elle cessa d'insister.

Alice Clementi était toujours malade. Son hépatite n'était pas virale, les analyses l'affirmaient, mais la jeune femme était néanmoins extrêmement lasse, sans énergie ni ressort. Walter Salieri s'en était rendu compte, et il avait tenté de compenser cela non seulement par une recrudescence de soins et d'attentions, mais également par un surcroît de répétitions, dont certaines à l'insu de Bruno Steinberg.

En agissant ainsi, Salieri s'était attaché davantage le cœur de la pianiste, mais il l'avait fatiguée encore plus, et son jeu en avait perdu le brio et le sentiment qui enchantaient naguère le chef.

Étant de tempérament impulsif, et, par ailleurs, inconsciemment jaloux de la connivence qui s'était installée entre son assistant et sa soliste, le maestro ne mit pas de gants pour tancer la jeune femme lorsqu'il reprit en main les répétitions.

L'orchestre était là au complet, en présence de Ferrari et,

bien entendu, de Walter, assis au premier rang des fauteuils. On répétait le 2e concerto de Liszt, et Alice avait attaqué son entrée avec un quart de temps de retard, cela pour la quatrième fois consécutive.

— Non, non, non et non! s'écria Bruno. Mademoiselle Clementi, vous êtes au-dessous du tout! Vous jouez comme une débutante!

Alice devint toute rouge et des larmes perlèrent à ses cils. Elle avait les joues creuses, les yeux cernés, et son teint était encore brouillé.

— Mlle Clementi sort de maladie, dit Walter avec véhémence en se levant d'un bond.

— Alors, que fait-elle ici? Ce théâtre n'est pas une maison de convalescence! Sa présence retarde le travail de l'orchestre!

Cette fois, Alice laissa couler ses larmes. Walter vint se planter devant le chef.

— Vous êtes abject, Steinberg, dit-il. Vous vous conduisez comme si vous aviez droit de vie et de mort sur vos musiciens!

— J'ai tous les droits! lança Bruno. Je suis seul capitaine à bord!

Walter était sur le point de frapper. Ferrari accourut du fond de la salle et sépara les deux hommes, qui s'affrontaient du regard.

— Cet individu est un salaud! lui dit Walter, révolté. On ne traite pas ainsi une malade, une femme au bord de l'effondrement! Tout le monde sait qu'elle est à bout, mais qu'elle fait des efforts surhumains pour que le concert puisse avoir lieu à la date annoncée.

— Du calme, dit Ferrari. Les torts sont des deux côtés. Du calme, je vous en prie.

— Je ne me calmerai pas! Viens, Alice, nous n'avons plus rien à voir avec ces gens-là.

Sanglotante, honteuse et éperdue, Alice se laissa emmener.

Sa colère tombée, Bruno se rendit compte à quel point il avait besoin et de Clementi et de Salieri. Son intérêt lui commandait d'essayer de réparer les pots cassés; et il savait qu'il n'y avait pas trente-six moyens, mais un seul : faire des excuses à la pianiste.

A cet effet, il se rendit chez elle, mais l'entrevue ne se déroula pas exactement comme il l'avait espéré. Et quand il en sortit, il n'était pas sûr que ses excuses aient été acceptées. La jeune femme lui avait fait de lui-même un portrait effrayant et lui avait reproché de n'avoir engagé Walter que comme souffre-douleur, comme punching-ball, comme exutoire à son sale caractère de mégalomane!

Bruno n'en revenait pas, de la façon dont il était vu et de l'audace de la jeune femme. Il allait partir sans demander son reste, quand il se ravisa et demanda :

— Savez-vous où je pourrais trouver Walter?

— Je l'ignore complètement, dit suavement Alice.

Steinberg s'en alla, contrarié et perplexe, et cela d'autant plus qu'il n'avait que le temps de partir pour Lugano, s'il voulait être à l'heure pour accueillir sa belle-mère et sa fille.

Ayant bien réfléchi, Sophie conclut que le départ de sa patronne pour Lugano n'augurait rien de bon. Sans doute allait-elle emprunter à son gendre de quoi satisfaire aux exigences de Thesis, ce qui en soi était bon; mais Lugano était trop près de l'Italie, trop près des Ferrari père et fille, et on ne savait jamais ce qui pouvait se passer dans la tête d'une femme aussi subtile et entêtée que Constance Dussault.

C'est pourquoi, sitôt cette dernière partie avec armes, bagages, Véronique et Michel, elle avait sauté dans sa propre voiture et filé à Neuchâtel.

Elle eut quelque peine à se faire comprendre d'un Thesis détendu comme il n'est pas permis — satisfait de posséder un peu d'argent et d'être certain que Salmon ignorait où il était —, mais elle réussit à lui flanquer une trouille suffisante et à l'expédier dare-dare en Italie. Là, il verrait venir et parerait aux éventuels coups tordus de la vieille.

A mesure qu'on approchait de Lugano, Mme Dussault était de plus en plus émue. Elle avait plusieurs raisons de l'être, l'une d'entre elles étant les souvenirs qui s'attachaient pour elle à sa villa. Elle avait résolu de la vendre parce que, dans sa conduite, elle donnait toujours le pas à la raison et à l'honneur sur le sentiment, mais, maintenant qu'elle avait renoncé à cette vente, elle mesurait quelle aurait été sa souffrance de s'en séparer.

Bruno était là à son arrivée, et ils se congratulèrent avec beaucoup d'aménité. Quant à Véronique, elle se jeta dans les bras de son père avec élan. L'un et l'autre avaient à se faire pardonner les insanités qu'ils avaient proférées lors de leur dernière rencontre, et Bruno, qui avait encore sur le cœur le portrait de lui dressé par Alice Clementi, tenait à obtenir en compensation l'absolution de sa fille.

Alors qu'ils prenaient un verre dans le salon avant de passer à table, Constance Dussault annonça aux deux autres son intention d'aller passer, seule, quelques jours en Italie. Elle ajouta qu'elle partirait dès le lendemain matin, puis laissa ensemble le père et la fille, car elle avait des coups de fil à donner.

— Alors, ma petite fille, demanda Bruno, tout va vraiment comme tu veux?

— Ça va, dit l'adolescente.

— Sûr?

— Ben!... As-tu des nouvelles de Marco?

Bruno sourit et prit un air finaud.

— Tu parles! Il est même venu me voir à Bergame.

— Pour quoi faire?

Véronique n'avait pu s'empêcher de manifester un vif intérêt.

— Un déclaration d'amour, dit le père en riant. Adressée à toi, naturellement. Une déclaration pour que je te la répète.

— Tu y as répondu?

Bruno dit que non, que ce n'était pas son affaire, mais il ajouta, devant l'air de sa fille, à la fois interloqué et méfiant :

— Ce garçon souffre, Véronique.

— Tu veux dire qu'il est malade?

— Malade de toi, oui.

— Qu'est-ce que je dois faire?

— C'est ton petit ami, pas le mien, dit Bruno en riant.

Il trouvait sa fille touchante, il avait envie de l'embrasser. Elle apprenait la vie à petites touches, et il savait qu'elle ne pouvait le faire qu'à travers ses propres expériences.

— Qu'est-ce que je dois faire? demanda-t-elle à nouveau.

236

– C'est à toi de le savoir.

– Tu lui as dis où j'étais?

– Alessandra était présente. Elle l'a trouvé très sympathique. Il avait l'air si malheureux...

– Alors?

– Elle lui a dit que tu allais venir, fit Bruno, l'air penaud. Je ne veux pas m'en mêler, ajouta-t-il, mais je crois... je crois que tu devrais aller le voir.

Pour se rendre en Italie le lendemain, Mme Dussault prit le train. Elle ne voulait personne avec elle, pas même Michel.

Sa première visite fut, à Milan, pour Carlo Galli. Elle lui fit un compte rendu fidèle des dépenses engagées, lui montra les photos qu'elle avait emportées, et, ensemble, ils firent des projets d'avenir. Tout se présentait au mieux de ce côté, et Constance en aurait pleuré : après les affres qu'elle avait traversées, le ciel se dégageait – et il fallait que le chantage affreux inventé par Thesis vînt donner un goût de cendre amère à sa victoire!

Un moment, elle fut tentée de tout raconter à Carlo, de se décharger un peu le cœur auprès de ce vieil ami fidèle, mais elle se contint. Elle ne pouvait tout simplement pas être celle par qui le secret serait dévoilé, c'était plus fort qu'elle : quand elle avait scellé ses lèvres sur ce secret autrefois, elle avait en quelque sorte bloqué à son propos son esprit et son corps.

En quittant Carlo, elle lui laissa croire qu'elle retournait à Lugano, et il se borna à lui souhaiter bon voyage. Mais en vérité, c'est à Bellagio qu'elle se rendait, et elle y avait rendez-vous avec Giovanni Ferrari.

Il y avait vingt-huit ans qu'elle ne l'avait pour ainsi dire plus vu, vingt-huit ans pendant lesquels son souvenir avait représenté la folie et la joie de son existence. Elle s'était blindé le cœur, elle avait imposé silence à ses sens, elle avait douché ses enthousiasmes, et il n'était jusqu'au légitime amour maternel auquel elle avait rogné les ailes, mais au fond d'elle-même, il y avait une petite caverne chaude et bien éclairée : le souvenir de quelques mois d'amour fou.

Leur brève rencontre devant le théâtre de Bergame au

moment de la mort brutale de Jacqueline l'avait laissée indifférente, parce qu'elle était survenue par surprise et à un moment où le chagrin l'avait comme pétrifiée. C'était une rencontre qui ne comptait pas, sauf qu'elle leur avait montré leur apparence de maintenant, amortissant ainsi le choc qu'ils éprouveraient peut-être à Bellagio...

— Constance, tu n'as pas changé, dit Giovanni en l'accueillant sur le quai de la gare.

Oh si! Elle avait changé, pensa-t-elle. A l'époque de leur aventure, elle avait approximativement l'âge de Nicole maintenant, et, comme elle, le physique encore séduisant et l'esprit qui s'émeut parce que le temps court si vite. Mais elle comprenait ce qu'il voulait dire : lui non plus n'avait pas changé à ses yeux, bien que ses cheveux fussent tout blancs et son corps épaissi. Deux êtres qui s'étaient passionnément aimés comme eux retrouvaient la jeunesse de l'autre et la leur dans ce qui ne change pas : l'éclat du regard, la courbe du sourire... Elle sentit les larmes lui monter aux yeux cependant qu'il la serrait contre lui en disant :

— Oh! Constance... Ma petite Constance...!

Mais tout de suite après, le souvenir lui revint de la réalité qui avait provoqué ce rendez-vous, et la panique la reprit.

— Mais qu'allons-nous faire? dit-elle.

— Nous allons réfléchir et je vais trouver une solution, dit-il.

Le jour et la nuit qu'ils passèrent à Bellagio devaient demeurer gravés pour toujours dans la tête de Constance Dussault, comme un raccourci des années qu'ils n'avaient pas pu vivre ensemble. Ils s'attendrirent, eurent des élans d'amour l'un vers l'autre, des larmes aux yeux et des rires aux lèvres. Ils se disputèrent, aussi, et presque tout de suite, quand Constance reprocha à Giovanni d'avoir laissé sa fille épouser Giorgio Thesis.

— Elle était tellement amoureuse, dit-il. Elle serait partie avec lui sans mon consentement. Et puis, je vais te dire : j'ai toujours tenu à laisser autant de liberté que possible à Alessandra.

— C'était un principe ou de la mollesse?

— Tu ne la connais pas, Constance. Tu ne connais pas son caractère volontaire. Tu ne lui aurais rien refusé non plus. Et

238

Thesis, ni elle ni moi ne savions au départ que c'était une canaille!

— Tu aurais dû le savoir, dit la vieille dame avec une certaine impatience.

— Ça te va bien, de dire ça. J'étais seul pour juger. J'ai toujours été seul et j'ai résolu mes problèmes tout seul!

— Tu veux dire..., fit Constance. Toi aussi, tu penses que j'ai *abandonné* Alessandra?

— Mais non, bougonna Giovanni.

— Oh si! Tu le penses. Mais avoue que j'ai fait ce que j'ai pu, mon cher! J'ai toujours veillé à ce qu'elle ne manque de rien!

— D'accord, tu as envoyé des chèques. Chaque premier du mois. Avec une rare ponctualité.

— Bon! Tu n'as donc pas eu l'enfant à charge!

Ils étaient en train de se promener dans le jardin de l'hôtel. Giovanni s'arrêta et, la prenant par le bras, la fit pivoter vers lui de manière que leurs visages se trouvent face à face.

— Parce que tu crois que j'ai élevé *ma* fille avec *ton* argent! Mais je n'y ai jamais touché, ma chère! Alessandra ne sait rien de cet argent. Il dort. Reprends-le et paie son million à Thesis, si tu veux. Puisque tu crois que tout s'achète et que tu as été assez bête pour le payer une première fois.

Mme Dussault se détourna et lui dit, par-dessus son épaule :

— Si j'ai choisi de céder, tu sais que c'est pour le bien d'Alessandra.

— Oh! Constance! dit-il d'un ton navré. C'est à moi que tu dis ça! Tu as payé pour *ton* bien, pour la paix de *ton* esprit. Tu n'as jamais rien fait d'autre dans ta vie que d'agir pour toi-même.

— Giovanni! dit-elle. Ça suffit!

Il vit comme elle était bouleversée et lui entoura d'un bras les épaules.

— Tu as raison, ça suffit, dit-il doucement. Tu ne dois pas avoir de peine. Je ne veux pas que tu aies de la peine : ça me fait trop souffrir.

Toute la journée, ils furent ainsi, passant des chamailleries aux cajoleries. Une bonne journée, tout bien considéré, et close par une soirée si douce, sur la terrasse où jouait un orchestre...

— Je vais me coucher, dit Constance. Mon train part de bonne heure demain, et je suis fatiguée.

Devant la porte de sa chambre, Giovanni l'embrassa et dit :

— Je suis très heureux de t'avoir revue une dernière fois.

— Une dernière fois! s'exclama-t-elle.

— Oui. Quelque chose me dit que c'est la dernière fois. Un pressentiment.

Elle haussa les épaules et dit que c'était idiot, qu'ils se rencontreraient encore des tas de fois et auraient encore souvent des sujets de dispute.

Elle disait cela comme on parle aux enfants pour les consoler, sans trop penser à ses paroles. Il ne répliqua rien et, lui ayant dit bonsoir, la laissa au seuil de sa chambre.

Un quart d'heure plus tard, il revenait frapper à sa porte.

— Constance! Ouvre-moi! Je...

Elle portait un peignoir rose et ses cheveux soyeux luisaient comme ceux d'une jeune fille.

— Tu es belle, lui dit-il. Laisse-moi entrer : j'ai à te parler.

Elle le regarda pénétrer dans la chambre avant d'en refermer la porte. Il avait l'air déterminé d'un homme qui joue ses dernières cartes.

— Vois-tu, Constance, la seule façon de se débarrasser de Thesis, de rendre caduc son chantage, c'est de tout dire à Alessandra.

— Non. Il est trop tard, maintenant!

— Mais pourquoi?

— Je le sens. Je le sais.

Giovanni allait dire que c'était ridicule, mais il se contint. Il ne voulait plus se disputer avec elle. Plus jamais.

— C'est entendu, dit-il. Mais alors, promets-moi de ne plus avoir affaire à Thesis. Désormais, c'est moi qui m'occuperai de lui. Promis?

— Promis, dit-elle en lui caressant les cheveux. Bonne nuit, Giovanni.

L'homme s'emplit les yeux de son image avant de la quitter.

Il pensait encore à elle quand il rentra à Bergame en fin de matinée. Alessandra était chez lui, aux cent coups. Depuis la veille au soir, elle le cherchait partout. Elle se faisait un sang noir à propos de sa santé et croyait que, s'il s'était absenté, c'était pour se faire faire un check-up à son insu.

Il eut beaucoup de mal à la convaincre du contraire, puisqu'il ne pouvait pas lui dire *qui* il avait rencontré. Il se disait qu'il était dommage que Constance eût refusé sa dernière proposition, qu'ils auraient peut-être connu un peu de bonheur à se plaire ensemble tous les trois.

Finalement, Alessandra parut un peu rassérénée et consentit à parler d'autre chose. Il y avait des problèmes au théâtre : Bruno devait partir pour Berlin pendant une semaine afin de remplacer son ami Gurian, qui avait eu un malaise soudain, et Walter, qui aurait dû diriger les répétitions pendant ce temps, avait disparu.

— Alice Clementi a affirmé à Bruno, dit Alessandra, qu'elle ne savait pas où le joindre.

— C'est possible, je vais aviser, dit Ferrari, repris par la routine.

Sa grand-mère s'en étant allée « quelque part en Italie » et son père, plus précisément, à Bergame, Véronique n'avait pas hésité longtemps. Elle avait mis sa plus jolie robe et était sortie dans Lugano. Elle trouva Marco au jardin botanique, où elle savait qu'il faisait son jogging, et le croisa comme par hasard.

Peu de minutes plus tard, elle tombait dans ses bras et il la fit asseoir sur un banc pour l'embrasser à loisir. C'était merveilleusement délicieux de s'embrasser sous les petits yeux malins des cygnes. Quand elle eut repris son souffle, elle dit :

— J'ai été bête de partir, hein?

— Et tu m'as fait beaucoup de chagrin, dit Marco en toute simplicité. C'est à cause de ma fille que tu t'es taillée? Elle est pourtant mignonne, cette petite.

— Tu voudrais que je l'adopte, c'est ça?

— Mais non! Elle a une mère. Je voudrais que tu l'acceptes, c'est tout.

— Ouais, dit Véronique, rêveuse.

Elle pensait à cette enfant innocente, elle pensait à elle-même et à Alessandra, à la difficulté d'être, et à celle de voir les autres avec objectivité.

241

— Je vais essayer, souffla-t-elle, en haussant sa bouche vers les lèvres du garçon.

Un peu plus tard, elle dit :

— Je suis bien dans tes bras. J'ai l'impression que rien de mal ne peut m'arriver...

— Qu'est-ce qu'on attend, alors, pour monter chez moi?

Elle se leva d'un bond, heureuse.

Véronique n'était pas au logis, bien que la matinée ne fût pas avancée, quand Constance Dussault rentra à Lugano.

Elle s'en étonna et demanda à Erminia comment il se faisait que sa petite-fille fût sortie de si bonne heure.

— Elle est pas sortie, Madame! Elle est pas rentrée.

— Tu veux dire...? Allons, Erminia, dis-moi tout!

— Je pourrais pas, Madame. Y a trop de choses que je sais pas!

Mme Dussault soupira. Son rendez-vous avec Ferrari l'avait, en fin de compte, réconfortée, mais ce réconfort fichait déjà le camp.

— Si tu ne sais pas tout, dis-moi toujours ce que tu sais, dit-elle.

— Eh ben!... Mademoiselle est partie à peu près en même temps que vous, et je l'ai plus vue depuis.

— Et que dit son père?

— Eh ben, Madame! Faudra que vous lui demandiez : il est justement là. Parce que lui aussi, n'est-ce pas...

Le visage de Constance se ferma. Bruno. Lui aussi avait été au centre d'une de ses altercations avec Giovanni. Elle se souvenait de lui avoir dit qu'elle avait sacrifié, en quelque sorte, Alessandra à Jacqueline, et qu'Alessandra avait pris inconsciemment sa revanche sur sa demi-sœur en se faisant aimer de son mari. Giovanni avait répliqué qu'elle, Constance, n'avait sacrifié personne à personne, sinon à elle-même.

Somme toute, il avait été dur avec elle. Et pourtant, elle gardait le sentiment — la sensation, même — qu'il l'aimait toujours profondément. Sa capacité d'aimer était plus forte que la sienne. Pourquoi pensa-t-elle, au moment précis où Bruno émergeait du fond du jardin, tout ébouriffé par sa promenade matinale, que Giovanni était capable d'aimer jusqu'au sacrifice total?...

— Alors, mon gendre, dit-elle, j'en apprends de belles! Voilà que Véronique découche, à présent?

— C'est que, dit Bruno en ouvrant les mains dans un geste d'impuissance, c'est qu'elle est amoureuse!

— C'est là tout votre commentaire! s'indigna la vieille dame. Mais il faut que nous parlions de ça sérieusement!

— Oui, belle-maman, mais un autre jour. Aujourd'hui, je dois partir.

Il expliqua : Berlin, le remplacement de Gurian, auquel il ne pouvait couper.

— Mais Véronique?

— Je suis sûr que vous vous débrouillerez merveilleusement avec elle, dit le maestro avec un bon sourire.

— Bruno, on peut dire que vous, vous avez l'art de vous défiler! dit-elle, estomaquée.

Mais elle, pensa-t-elle soudain, qui était-elle pour se permettre de juger les autres?

Cependant que Constance Dussault s'inquiétait de sa petite-fille, qu'Alessandra s'inquiétait de son père et que Bruno s'inquiétait de son confrère berlinois, Alice Clementi s'inquiétait sérieusement de Walter. Il n'avait plus mis les pieds au théâtre, et il n'était pas rentré chez lui. Elle avait téléphoné partout où il aurait pu se trouver – en vain. Elle commençait à désespérer. Le caractère du jeune musicien et son goût chronique du malheur n'auguraient rien de bon.

Elle ignorait que, dans sa révolte romantique, Walter s'était réfugié dans le bar d'un vague ami, où il jouait du piano pour un vague salaire – plutôt pour les whiskies dont il avait fait son soutien de prédilection. Il alternait les « favorites » des années 40, les nocturnes de Chopin et de sombres thèmes de Wagner pour un public qui ne l'écoutait guère, étant tout à ses flirts ou à ses beuveries.

Alice, qui avait beaucoup d'énergie, même avec une hépatite, finit par le retrouver, mais il refusa de se représenter au théâtre. Il voulait vivre jusqu'au bout sa crise de désenchantement.

En quittant Bellagio, Giovanni Ferrari avait son idée. Sitôt expédiées, à Bergame, les tâches de routine et sa fille plus ou moins rassurée, il se remit au volant de sa voiture et repartit, pour Côme cette fois, rendre visite au procureur.

A ce vieil ami, il révéla tout sur lui, sur Constance et sur Alessandra.

— Thesis est un homme sans scrupules, dit-il enfin. Maintenant, je l'ai percé à jour et je n'éprouve plus pour lui que du mépris. Mais qu'il fasse chanter Constance, c'est intolérable. Que peut-on faire?

— Je peux le faire surveiller, espérer l'arrêter pour un motif quelconque. Je crois savoir qu'il lui arrive de revendre des marchandises volées, peut-être même de la drogue...

— Mais ne va-t-il pas se venger en étalant au grand jour le secret de Constance?

Carlo Gravina regarda un moment son ami sans prononcer un mot. Comme cet homme aimait encore cette femme, pourtant perdue depuis plus d'un quart de siècle! Le plus doucement qu'il put, il dit :

— Le secret de Constance, comme tu dis, il sera tôt ou tard sur la place publique : tu penses bien qu'un de ces jours, ton gendre le vendra à un magazine! Alors, si nous mettons la main dessus avant, elle conserve une chance, ta Constance.

Giovanni Ferrari rougit comme un collégien.

En rentrant à La Chaux-de-Fonds — sans Véronique, car elle s'était convaincue qu'elle aussi avait le droit, sinon le devoir, de se défiler —, en rentrant, donc, à La Chaux-de-Fonds, Mme Dussault avait appris que Sophie était encore absente.

Martine, la bonne à tout faire, le lui avait dit avec une certaine aigreur et avait ricané lorsque la patronne avait répondu que c'était naturel, la demoiselle de compagnie se trouvant à Strasbourg, au chevet de sa vieille tante malade. De toute évidence, Martine ne croyait pas à la vieille tante malade.

C'était curieux, pensait Mme Dussault, mais il lui semblait percevoir dans son entourage une certaine méfiance envers Sophie. Tout se passait comme si elle était la seule à déceler toutes les qualités de cœur, la réserve et la délicatesse de cette jeune orpheline. Bizarre! Mais, sûrement, c'était de la jalousie, rien d'autre.

En fait de vieille tante malade, c'est plutôt la lubricité de Thesis que soignait Sophie. Pour mieux garder la situation en main, elle l'avait accompagné en Italie; ils se trouvaient présentement dans la villa du lac de Côme et, tout en espérant des occupations plus lucratives, faisaient l'amour.

Giorgio appréciait beaucoup, Sophie moins. Elle avait en horreur la légèreté de cet homme, sa façon de trouver dans leurs étreintes une satisfaction suffisante pour lui faire oublier leur but. Ce n'était pas un escroc génial, comme elle avait pu le penser un instant. C'était un petit mec sans envergure, paresseux, lâche et jouisseur.

Mais elle avait besoin de lui, au moins encore un moment, et elle lui donnait du plaisir comme on donne un os à un chien.

C'est la raison pour laquelle le jeune Salmon les trouva au lit, un jour qu'il venait, en désespoir de cause et une fois de plus, à la recherche de son débiteur. Depuis que celui-ci avait apparemment quitté l'Italie, il assiégeait son appartement de Bergame et, de temps à autre, cette retraite de Côme, dont il connaissait l'existence depuis longtemps, pour y avoir maintes fois joué ou participé à des parties orgiaques avec son propriétaire.

La porte n'était pas verrouillée; il entra et fut sidéré. Il ne s'attendait pas à voir une femme dans le lit de Thesis, et ce fut si évident que Sophie s'en aperçut.

— Qui est-ce? demanda-t-elle à son partenaire.

— Ben quoi! Réponds-lui! gouailla Salmon. Dis-lui *qui* je suis!

— Tu connais cette pédale? insista la femme.

— Je le connais un peu...

— Avant, il me connaissait *beaucoup*. On était comme des siamois, nous deux, on faisait tout ensemble. C'est pour ça que votre présence m'étonne, conclut le joli garçon d'une voix équivoque.

Sophie le regarda froidement.

— Sors d'ici, dit-elle. Le spectacle est terminé. Fous-moi le camp tout de suite.

— Vous voulez vous rhabiller?

— C'est ça, mon vieux!

— Bon, bon! Je sors, dit Salmon, subjugué. Je verrai Thesis une autre fois...

— Ce sera aussi bien, dit Sophie, avec un regard dédaigneux pour l'homme qui était dans le lit.

Après maintes réflexions, Carlo Gravina « mit » sur Thesis le commissaire Bonetti. Il avait beaucoup d'estime pour ce policier. En dépit de sa propension au gauchisme, c'était un fin limier, très honnête, très discret, et il lui avait souvent confié des dossiers confidentiels, des missions délicates, comme celle-ci, par exemple, où nulle plainte n'avait été officiellement déposée et où le coupable présumé était dangereux.

Bonetti fut enchanté. De son propre chef, sans rien dire à personne, il avait déjà dans son collimateur Thesis et son satellite Salmon. De plus, il y avait la famille Dussault, qu'il ne pouvait pifer, mais qui l'attirait comme un aimant. Ce qu'était capable de faire Constance Dussault pour sa *respectabilité*, ça l'époustouflait.

Sûr qu'il allait en mettre un coup pour démêler tout ça. Si les horlogers suisses et tutti quanti y laissaient des plumes, il n'en pleurerait pas. Mais il ne ferait rien pour les enfoncer, justice oblige.

Il commença par repiquer Salmon, qui ne dit rien de plus que la première fois, parce que, visiblement, il avait encore des raisons de ménager Thesis. Mais patience, il finirait par manger le morceau.

15

Alice Clementi, en recouvrant petit à petit la santé, recouvra en même temps son talent et l'estime de Steinberg. Elle en était heureuse, mais elle se faisait néanmoins beaucoup de souci pour Walter Salieri. Lui seul lui était venu en aide quand elle était diminuée physiquement, et elle estimait que c'était son tour de faire quelque chose pour lui. D'autant plus que sa belle gueule d'artiste et son tempérament passionné ne la laissaient pas indifférente.

Elle résolut donc de se rendre au bar Bleu et y trouva ce qu'elle craignait : Walter se soûlant systématiquement et jouant du piano pour des abrutis qui ne l'écoutaient pas.

Elle lui dit que le maestro s'enquérait de lui tous les jours — ce qui était la stricte vérité —, qu'il avait de grands projets pour lui — et ce qu'elle avait déduit de son insistance.

Walter l'envoya sur les roses, comme elle l'avait prévu, mais elle était pratiquement sûre d'avoir semé la bonne graine.

En l'absence de son mari, Nicole Fontaine goûtait les délices et les affres de l'adultère. Dieu sait qu'elle avait eu peur de se lancer dans l'aventure, mais prévoir et vivre sont deux choses différentes, et elle n'avait certes pas imaginé que, au moment le plus aigu du plaisir, il pût arriver que la pensée qui traversait l'esprit fût celle du mari abusé — et qu'elle repoussât Pierre avec désespoir.

— Qu'est-ce que tu as? demanda-t-il.

— Je te demande pardon : j'ai pensé à Jean-Claude.

— Jean-Claude est à New York, Nicole!

— Je sais, dit-elle, en se laissant aller sur l'oreiller, plus détendue. Ça nous donne encore quelques jours de bonheur. Mais, vois-tu, j'en fais des cauchemars toutes les nuits.

— Pas possible!

— Ça fait dix-huit ans que nous sommes mariés, tu sais. J'ai l'impression qu'il est toujours à mes côtés... Il est devenu comme mon ombre... Pourtant, je ne peux pas dire que je sois folle de lui!

— Il est ton habitude, ta seconde nature.

— Si tu veux, admit Nicole.

— Mais non, je ne veux pas! Je ne veux pas te perdre au profit d'une habitude! Je te veux à moi! Je veux que tu restes avec moi!

— Je ne crois pas que ce soit possible, dit doucement la jeune femme.

— Ça dépend de toi...

— Pas seulement de moi, Pierre. Je ne suis pas libre.

Le jeune homme la fit pivoter vers lui avec vivacité.

— Toi, tu cherches des prétextes parce que tu flanches!

— Peut-être que ça s'appelle « flancher », dit-elle, les larmes aux yeux.

Dans un autre lit, à quelques centaines de kilomètres de là, Véronique et Marco étaient réconciliés. Depuis trois jours, ils ne s'étaient pas quittés, et ils pensaient que le bonheur, ce serait de ne plus jamais se quitter. Même Marco le pensait, et il avait pourtant déjà connu une première expérience conjugale malheureuse – mais c'est surtout quand il s'agit d'amour que l'expérience ne se transforme pas en conscience.

Toutes expériences faites, Giovanni Ferrari savait maintenant qu'il n'avait vraiment aimé que deux femmes dans sa vie : Constance Dussault et la fille née de leurs amours : Alessandra.

Les quelque vingt heures passées auprès de Constance à Bellagio lui avaient permis d'une certaine manière de faire le point sur son existence et sur la vie en général, et maintenant, il lui semblait que tout avait été dit, puisqu'il avait revu la maîtresse de sa trentaine et qu'il savait que, en dépit de ses défauts, il l'aimait toujours.

Le reste, ce qui avait rempli sa vie – ce que les hommes appellent une « belle carrière » –, était en train de devenir poussière. Il s'en ouvrit à Bruno, qu'il avait appris à aimer et à estimer, et en qui il voulait avoir confiance puisque c'était l'homme dont sa fille était folle.

Ils avaient parlé des derniers concerts qui, comme les précédents, avaient été des triomphes, et il conclut :

– Je suis fier d'avoir réussi à t'engager, Bruno.

– Giovanni, je suis fier d'avoir travaillé avec toi.

– Une belle fin pour moi, murmura Ferrari, comme perdu dans un rêve.

– Une belle fin? Que veux-tu dire? s'exclama le chef d'orchestre.

– Bruno, il faut que tu comprennes. Voilà vingt-cinq ans que je travaille dans ce théâtre et que, chaque matin, je me suis enfermé dans ce bureau pour inventer des spectacles et des concerts. J'ai travaillé durement. Je ne me suis jamais demandé quelle heure il était, s'il était tard, s'il était tôt, ou si c'était dimanche ou lundi. Mon seul plaisir, c'était de me glisser dans le fond de la salle et d'écouter un peu de musique... J'étais heureux... Mais, maintenant, je viens ici le matin, je continue à m'enfermer dans mon bureau. On m'apporte des papiers à signer, je les signe. Je passe des coups de fil. Et je regarde ma montre. Avant, ma montre, je ne la regardais que si j'avais un rendez-vous. Maintenant, je la regarde tout le temps, parce que je voudrais que ce soit l'heure de décrocher. Voilà la vérité. Je suis fatigué, Bruno, mortellement fatigué. Je n'ai plus la force de diriger ce théâtre.

– Giovanni, tu ne parles pas sérieusement!

– Je suis vieux et malade, Bruno. Alessandra le sent bien, et elle se fait du mouron. Et vois-tu, ce n'est pas tant pour moi que je m'inquiète. Je n'attends plus grand-chose de la vie. Mais il y a ma fille, Bruno. Je voudrais que tu me promettes que, s'il m'arrive quelque chose, tu la protégeras.

– Mais tu sais bien que je l'aime!

Ferrari fit signe que oui, mais il insista :

– Il faudra que tu la protèges de son mari. C'est très sérieux, Bruno. C'est devenu un homme dangereux.

– Écoute, Giovanni, dit le musicien d'une voix émue, je te

promets que, sitôt Alessandra divorcée, je l'épouserai et m'occuperai d'elle.

— Merci, dit le père. Grand merci, Bruno. Je crois que je peux compter sur toi.

— Mais sûrement, Giovanni, dit Bruno.

Il était bouleversé. Il s'était attaché à Ferrari, à sa solidité, à son sérieux et à son profond amour de la musique. Il ne voulait pas que l'homme vînt à lui manquer; il était révolté contre ce possible coup du sort.

Le soir même, Alessandra voulut connaître son avis sur la santé de son père. Elle savait qu'ils avaient eu un long entretien tous les deux.

— De quoi avez-vous parlé?

— De musique, de musiciens, de concerts. De quoi veux-tu que nous parlions, lui et moi, quand nous sommes ensemble? On dirait que tu ne nous connais pas!

— Il n'a rien dit de sa santé? demanda Alessandra.

— Je regrette de te décevoir, mais c'est non, ma chérie, répondit son amant sur le ton de la plaisanterie.

Naturellement, il voulait la rassurer. Mais davantage encore, il désirait se rassurer lui-même, se masquer la réalité. Ses responsabilités d'homme l'effrayaient toujours, et il n'avait pas envie de se charger prématurément de celle d'Alessandra.

Jean-Claude revint des États-Unis complètement démoralisé. Rien ne s'était passé comme il l'avait prévu. Il retarda tant qu'il put le moment d'en parler à Savagnier, mais il dut bien y venir et lui avouer que les mouvements fabriqués par leur chaîne robotisée ne trouvaient pas acheteur là-bas.

— Je me suis trompé dans mes prévisions. C'est dur à dire, mais c'est comme ça.

Pierre Savagnier retint un haussement d'épaules : il avait en vain essayé de persuader son patron que, avant toute chose, il fallait faire les frais d'une sérieuse étude de marché.

— Nous ne pouvons pas laisser aller les choses, se contenta-t-il de dire. Il faut trouver une solution.

— Facile à dire, Pierre. Mais laquelle?

— Voici ce que je propose, dit le jeune ingénieur. A notre prochaine réunion avec les Allemands, il faudrait essayer de ne rien conclure.

— Et après? dit narquoisement Jean-Claude.

Savagnier ne releva pas le ton du patron et dit posément que, ensuite, il faudrait traiter directement avec les Japonais.

— Ah bon! dit le patron, toujours ironique. Et pourquoi ça?

— Parce qu'il y a de grandes chances pour qu'ils s'intéressent à mon idée.

— Quelle idée?

— Au lieu de continuer à fabriquer des mouvements, nous fabriquerions des montres complètes!

— Des montres japonaises fabriquées en Suisse!

— Pas exactement, monsieur. La marque Dussault-Pontin a trop de prestige pour que les Japonais l'abandonnent.

— Savagnier, grommela Fontaine, vous avez trop d'imagination.

Il était meurtri par son échec, ulcéré parce qu'il n'avait pas d'idées. Il n'avait pas envie de voir sa belle-mère ni personne. Il rentra déjeuner chez lui, il avait besoin d'être dans ses murs familiers avec le visage de sa femme en face de lui.

Il était rentré de son voyage au milieu de la nuit, et ne l'avait pas éveillée, parce qu'il était déjà très déprimé; mais maintenant, elle était la seule personne qu'il eût envie de voir.

— Alors, ce voyage? demanda-t-elle après qu'il l'eut embrassée.

— Ça a été l'enfer, dit-il. L'enfer. Il y a des jours où je me demande pourquoi je fais ce métier. Je ne suis pas doué, Nicole.

— Voyons! dit l'épouse.

— Et je ne suis même pas un bon mari!

— Qu'est-ce que tu me chantes là? Arrête!

— Mais c'est la vérité, n'est-ce pas?

— Quand tu fais de l'esbroufe, ça ne me plaît qu'à moitié, mais que tu te démolisses, ça ne me plaît pas du tout, dit Nicole. Je ne veux pas, tu m'entends, je ne veux pas! cria-t-elle, plus haut que de raison.

Il la regarda, surpris.

— Chérie, va! fit-il. Tu sais, en rentrant hier, je t'ai regardée dormir. Tu avais l'air douce, calme. J'ai pensé que j'avais bien de la chance de t'avoir...

Nicole se jeta dans ses bras et se mit à sangloter. Quand il lui demanda pourquoi elle pleurait, elle fut incapable de répondre.

Mais le lendemain, entrant chez Savagnier à une heure dont ils étaient convenus avant le retour de Jean-Claude, elle dit, à peine la porte refermée :

– C'est notre dernière rencontre.

– Pourquoi?

– Parce que... Je vais te dire... J'ai toujours été fascinée par les romans où des femmes sont capables de mourir pour l'homme qu'elles aiment. Maintenant, je sais que c'est parce que je ne suis pas comme elles. Je n'ai pas leur étoffe. Je n'ai pas la nature d'une femme adultère.

– Nicole, tu réfléchis trop, dit Pierre, en tentant de l'emprisonner dans ses bras.

– J'ai compris hier que je n'étais pas une nature passionnée. Hier, mon mari m'a dit qu'il tenait à moi, et j'ai été tellement bouleversée! Moi aussi, je tiens à lui, et c'est bien comme ça. Je suis pour les sentiments tranquilles.

– Si tu crois que je vais te laisser comme ça, tu te trompes, dit l'ingénieur d'une voix emportée. Résigne-toi, si tu veux, mais pas moi. Je t'aime! Ce n'est pas une amourette, c'est de la passion, c'est du solide! Tu veux arrêter, mais moi non, tu m'entends, moi non!

C'était fabuleux à entendre, pensait la jeune femme, merveilleusement fabuleux. Mais, Seigneur! comme elle était malheureuse!

Constance Dussault vivait dans l'expectative. Elle se gourmandait d'avoir laissé Véronique seule à Lugano. Elle se remémorait les heures passées avec Giovanni, en pensant qu'elles avaient été douces, et elle se demandait comment son amant d'autrefois allait s'y prendre pour faire entendre raison à Thesis.

Le jeune maître chanteur n'avait plus donné signe de vie. Cela signifiait-il que tout était arrangé? Elle n'osait pas appeler Giovanni pour le lui demander; elle préférait se bercer de l'illusion que ce l'était.

Pour tromper son angoisse, elle allait regarder Guillaume

travailler dans son atelier ou bavardait avec Sophie, qui était revenue de Strasbourg, toute gentillesse et toute douceur, et plus dévouée que jamais.

Elles étaient en train de jouer au Scrabble en fin d'après-midi quand le téléphone sonna. A l'encontre de son habitude, qui la faisait toujours se précipiter sur l'appareil pour décrocher la première, Sophie dit :

— C'est sûrement pour vous, n'est-ce pas, Madame?

Madame décrocha, fit « Allô! » et pâlit un peu. Au bout d'un moment, elle dit avec effort que c'était impossible, qu'elle ne pouvait pas disposer de la somme avant une semaine. Elle avait l'air bouleversée, mais déterminée néanmoins, comme quelqu'un qui a moins peur. Avant de raccrocher, elle dit avec fermeté :

— Je regrette!... Au revoir, monsieur Thesis.

— C'était M. Thesis, cet homme de l'autre jour? demanda Sophie.

Elle épiait sa patronne, qui se rasseyait devant la table de jeu sans toutefois manifester une grande impatience à s'y remettre.

— Comment le sais-tu? dit Mme Dussault, relevant soudain la tête et regardant la jeune fille en fronçant les sourcils.

Sophie se troubla, et des larmes perlèrent à ses cils.

— Mais c'est vous, Madame! C'est vous qui avez dit : « Au revoir, monsieur Thesis. » Pourquoi me regardez-vous avec cet air-là?

— Et toi, pourquoi pleures-tu?

— Parce que vous me regardez d'un drôle d'air! Parce que vous vous méfiez de moi! Vous ne me racontez plus jamais rien, pourquoi? Je pourrais vous aider et vous consoler quand les choses ne vont pas... Oh! Madame...!

Les pleurs de Sophie redoublaient. Constance la prit dans ses bras et la cajola, en lui disant des mots affectueux. Elle se demandait comment des gens osaient se méfier d'elle et le dire.

Shurer n'avait pas pour habitude d'y aller par quatre chemins. Connaissant la date du retour de Fontaine, il avait souhaité le rencontrer à La Chaux-de-Fonds immédiatement après. Takanawa l'accompagnait, ce qui contraria Savagnier, présent lui aussi. Ils étaient tous les quatre dans le bureau de Jean-Claude, et celui-ci dut bien faire rapport de son voyage aux États-Unis.

L'Allemand et le Japonais écoutèrent jusqu'au bout, le visage impassible; mais Shurer explosa dès le point final :

— Mais c'est incroyable, monsieur Fontaine! Les chiffres que vous citez sont de 36 pour 100 inférieurs à ceux de vos prévisions!

— En effet, balbutia Jean-Claude. Mais j'allais y venir.

— Bon! Et que comptez-vous faire?

— Eh bien!... Quand le marché réagit de façon négative, la vente de nos mouvements chute, c'est normal... et j'envisage de faire tourner la chaîne au ralenti, deux jours par semaine par exemple... et...

— Et le profit, monsieur Fontaine? Je suis désolé, mais nous voulions que nos capitaux soient immédiatement rentables.

Jean-Claude regarda les trois autres. Il y avait de l'affolement, et même de la détresse, dans ses yeux.

— Donnez-moi seulement six mois, et je vous garantis...

— Non, monsieur Fontaine, dit Shurer, affable mais implacable. Nous ne pouvons pas attendre six mois... Nous ne voulons pas attendre six mois... Mais il y aurait bien une solution...

— Exposez-la donc à M. Fontaine, dit Takanawa, plus affable encore que son associé. Elle est efficace, rapide, et elle a l'avantage de nous plaire.

— Voici, dit l'Allemand. Nous renoncerions au remboursement d'une partie de notre garantie, si vous nous cédiez les actions dont vous êtes propriétaire.

— Mais c'est le tiers du capital de l'entreprise! s'exclama Jean-Claude.

— Nous le savons, dit Takanawa. Naturellement, nous le savons, répéta-t-il d'une voix extrêmement douce.

La chose arriva la nuit. Giovanni Ferrari était couché, mais il ne dormait pas. Le livre qu'il lisait ne parvenait pas à absorber complètement son attention, et son esprit s'évadait continuellement vers Alessandra, vers Constance, vers Thesis.

Une douleur lui poignarda la poitrine. Il tendit la main vers la carafe d'eau et les comprimés qui se trouvaient en permanence sur sa table de chevet, mais ses doigts n'eurent pas la force de saisir la carafe lourde et glissante. Tout juste put-il presser le bouton de sonnette qui le reliait, à une distance devenue incommensurable pour lui, à sa domestique.

Immédiatement après, il perdit connaissance.

Bruno et Alessandra furent prévenus peu avant l'aube. Ils s'habillèrent aussitôt et se rendirent à la clinique où Ferrari avait été transporté.

Il était dans une chambre de réanimation, entouré d'appareils sur lesquels se dessinaient sans arrêt des courbes. Il n'avait pas repris ses sens, et le médecin dit qu'il avait eu un infarctus.

Aux questions d'Alessandra, il répondit qu'on ne pouvait pas encore se prononcer sur l'issue de la crise. Ferrari souffrait depuis longtemps de troubles cardio-vasculaires, ce qui obligeait à réserver le diagnostic.

Bruno sut que le moment était venu où il devait prendre sa maîtresse en charge, s'il voulait tenir la promesse faite à son ami. Il la ramena à son hôtel, lui fit prendre un sédatif et, ayant confié à une femme de chambre le soin de veiller discrètement sur elle, se rendit à la répétition. Au théâtre aussi, il se sentait soudainement investi de responsabilités.

Les musiciens avaient été mis au courant par Renzo, le concierge, et la plupart avaient l'air peiné. La répétition se déroula dans une atmosphère appliquée et sérieuse. Alice Clementi avait retrouvé toute sa virtuosité, et l'émotion donna à son jeu tout son relief.

Lorsque ce fut terminé, Bruno la complimenta et lui renouvela ses excuses pour l'avoir bousculée naguère. Ensuite, ils parlèrent de Ferrari et de ses projets de concerts. La précarité de son état rendait la conversation lourde de résonances.

— J'avais justement rendez-vous avec lui ce matin, dit la jeune femme.

— Je pense qu'il voulait vous engager pour deux concerts qu'il organise à Genève. Mais ces concerts auront-ils lieu? Moi, j'ai des enregistrements à faire avec l'orchestre du Concertgebouw d'Amsterdam, un engagement pris de longue date, et je ne suis pas sûr de pouvoir diriger les concerts suisses... Ferrari devait régler tous ces problèmes...

— J'ai retrouvé la trace de Walter Salieri, dit Alice avec un petit tremblement dans la voix.

— Vraiment? dit Bruno. Mais voilà peut-être... Oh! Dites-lui donc de venir me voir, voulez-vous? Vous le lui dites sans faute?

Pierre Savagnier était très contrarié. Présenter son projet à Takanawa était parfaitement utopique, car le Japonais et Shurer paraissaient aussi inséparables que les doigts de la main.

Au reste, Jean-Claude Fontaine continuait avec entêtement à penser que l'idée de Savagnier — fabriquer des montres complètes sous la griffe Dussault-Pontin en se servant des mouvements fabriqués par la chaîne — était tout à fait ridicule. Comme le moment ne semblait pas venu de soumettre cette idée à Mᵐᵉ Dussault, Pierre rongeait son frein. Il le rongeait aussi dans sa vie sentimentale, mais ça, c'était une autre histoire, et le fait que Jean-Claude fût mêlé à ces deux problèmes capitaux n'était pas fait pour simplifier les choses.

Sur ces entrefaites, Shurer revint à La Chaux-de-Fonds en « omettant » de prévenir Fontaine, et il donna rendez-vous à Savagnier dans l'hôtel où il était descendu. Pierre se rendit à la convocation avec un enthousiasme mitigé.

Shurer, lui, ne s'embarrassa pas de préliminaires, ce n'était pas son genre.

— Ce que nous voulons, dit-il, c'est lancer une ligne de montres à prix abordables, mais portant la marque Dussault-Pontin. Je pense que vous voyez combien de marchés nous seraient ouverts par cette initiative.

Pierre ne put s'empêcher de dire :

— C'est exactement mon idée, et je l'ai proposée à M. Fontaine il y a déjà huit jours. Mais il ne l'approuve pas.

— Vraiment! dit Shurer. Votre patron est un homme léger, pour ne pas dire un imbécile!

Pierre Savagnier détourna le regard, gêné. Il essayait de prendre sa femme à Jean-Claude; il n'allait pas, en plus, le traiter ouvertement de minus!

— Je sais, dit Shurer, vous ne voulez pas le débiner. Votre loyauté vous l'interdit. Cela vous honore, mais seulement jusqu'à un certain point. Il est évident que M. Fontaine est un incapable et que c'est vous qui devriez être à sa place.

— Je trouve votre conclusion prématurée.

— Admettons qu'elle le soit aujourd'hui, mais demain? dit placidement Shurer. Si vous voulez mon avis personnel, M. Fontaine est pleinement conscient que la situation lui échappe. Avec vous, le changement de direction se ferait sans douleur. Mais je ne vous presse pas de répondre. Le temps travaille pour vous.

Giovanni Ferrari reprit conscience peu après le départ d'Alessandra et de Bruno, mais il était encore très faible, et le médecin lui interdit de parler. Il n'en avait pas envie, d'ailleurs, sa fatigue était trop grande, sa torpeur trop pesante. Il en émergea petit à petit jusqu'au moment où, comme une douleur fulgurante, lui revint la pensée qui le tourmentait au moment où il avait sombré et qui était : il ne faut pas que ce soit Thesis qui parle!

Il appuya frénétiquement sur la sonnette qui gisait sur son giron et, à l'infirmière qui accourait, dit précipitamment qu'il voulait voir M. Steinberg.

— Il est là, dit l'infirmière. Il vient de revenir avec votre fille. Ils attendaient la permission d'entrer. Je vais les appeler.

Le malade agita faiblement la main et esquissa un sourire quand le couple pénétra dans la chambre.

— Comment vas-tu? demanda Bruno.

— Il a l'air beaucoup mieux, dit Alessandra avec espoir.

Giovanni acquiesça d'un geste et leur fit signe d'approcher.

— Je me sens mieux, en effet, dit-il. Bruno, j'aurai à te parler tout à l'heure du théâtre. Mais avant, je voudrais que tu me laisses seul avec Alessandra.

— Bien sûr, dit Bruno.

Il leur sourit à tous les deux en quittant la chambre et, ayant allumé une cigarette, se mit à arpenter le couloir. Chaque fois qu'il passait devant la vitre séparant celui-ci de la chambre, il jetait involontairement un coup d'œil à l'intérieur.

Alessandra s'était assise tout près du lit, le visage auprès de celui de son père, et elle lui tenait les mains. Giovanni parlait, lentement, semblait-il, en cherchant ses mots. A un moment donné, Bruno vit une expression incrédule se peindre sur les traits de sa maîtresse; puis elle sursauta et se mit à pleurer nerveusement. Elle se leva, lâchant les mains qui essayaient de la retenir, et sortit précipitamment de la chambre.

Bruno se manifesta :

— Je suis là, Alessandra. Qu'y a-t-il?

Elle ne répondit pas, ne se retourna pas, et disparut au tournant du couloir.

Bruno hésita à la suivre puis, jetant un coup d'œil par la vitre, vit que Ferrari était fort pâle. Il choisit d'aller auprès de lui. Le pauvre homme haletait, et le maestro tendit la main vers la sonnette.

— N'appelle pas, dit Giovanni. Laisse-moi d'abord parler. Je n'ai plus beaucoup de temps à vivre, Bruno. J'ai révélé un secret à Alessandra. Il faut que tu le connaisses aussi pour que tu puisses la protéger.

Ce fut au tour de Bruno de prendre la main du moribond.

— Parle, dit-il. Je suis là.

Par petits bouts de phrases, Giovanni raconta l'invraisemblable histoire de la naissance d'Alessandra. Il conclut :

— Voilà, tu sais tout. Ta belle-mère a eu trois filles, Jacqueline, Nicole et, dix ans plus tard, Alessandra.

— Seigneur! dit Bruno, incapable d'ajouter un mot.

Il se représentait la vie de son ami, élevant sa fille avec amour, la bouche fermée sur le secret de la femme qu'il avait aimée, si assuré de lui-même et de sa fermeté – et, aussi, de la fermeté de Constance – qu'il avait engagé Bruno, sachant de qui il était le gendre. C'était incroyable. Et maintenant, il avait parlé.

— Je ne pouvais pas emporter ce secret dans ma tombe, et encore moins le laisser salir par Thesis, dit Ferrari, comme s'il avait suivi le cheminement de la pensée de Bruno. Je sais qu'Alessandra souffre, maintenant, et qu'elle nous juge mal, Constance et moi; mais, plus tard, elle sera contente de savoir qu'elle n'est pas complètement orpheline. Tant qu'elle souffre, promets-moi de rester auprès d'elle.

Bruno promit et crut déceler sur la face exsangue de Ferrari une ébauche de sourire.

— Maman, j'ai un amant, dit Nicole. Je ne sais pas pourquoi je te le dis. Je ne voulais pas te le dire. Je ne voulais pas avoir

un amant. Maintenant, je veux rompre, mais c'est si difficile!

— Je sais, ma petite fille, dit Constance avec un soupir.

La jeune femme releva la tête et regarda éperdument sa
mère.

— C'est Pierre, n'est-ce pas? demanda celle-ci.

— Tu le sais et tu ne te mets pas en colère?

— Ce n'est pas à moi de te juger, c'est trop facile de
seulement juger. J'essaie de comprendre et je veux que tu sois
heureuse. J'espère que tu trouveras une solution.

L'affabilité avait fait son temps : Shurer mit Fontaine en
demeure de céder sa place à Savagnier avec une brutalité et
une grossièreté inouïes. Il lui assena que sa gestion avait amené
Dussault-Pontin aux portes de la faillite et que, en conséquence, M. Takanawa désirait désigner d'autres personnes à la tête
de l'entreprise.

Jean-Claude blêmit, mais il n'était pas au bout de ses
misères. M. Takanawa consentait, continua Shurer, à lui
laisser des fonctions au service commercial, mais à la condition qu'il abandonne tout droit de regard sur la fabrication et
la conception technique.

— Mais alors qui...? commença l'accusé.

Shurer se détourna et fit un large sourire à Pierre Savagnier,
qui était assis un peu en retrait.

— M. Takanawa est prêt à maintenir ses garanties, si c'est
M. Savagnier qui prend la direction générale de l'entreprise.

— Je... je voudrais m'entretenir seul à seul avec M. Savagnier, articula péniblement Jean-Claude, le front tout perlé de
sueur.

Quand ils furent dans le bureau de Pierre, qui était naguère
celui de Marcel, il dit avec rancœur :

— Ainsi, vous m'avez fait un enfant dans le dos!

— Non, je vous en donne ma parole. Pas un moment je n'ai
sollicité cette décision, et je n'accepterai qu'avec votre
accord.

— Mais vous étiez averti? Pour le moins, vous vous doutiez
de quelque chose? Vous auriez dû me prévenir. Ça aurait été
moins humiliant pour moi!

— Je n'ai pas osé, confessa Pierre.

– Dommage, dit Jean-Claude. Le transfert des pouvoirs se serait déroulé dans une atmosphère plus sympathique... Mais, tant pis, je vais donner ma réponse à Shurer : notre maison a besoin de quelqu'un comme vous.

Mme Dussault ne s'y était pas trompée : la vérité ulcérait Alessandra. Mais, en vérité, ce n'est pas à sa mère qu'en voulait la jeune femme – en tout cas, pas encore –, mais seulement à son père. Lorsqu'elle l'avait fui tout à l'heure comme on fuit un pestiféré, elle s'était arrêtée dans le jardin de la clinique et s'était effondrée sur un banc, la gorge toute secouée de sanglots. Son désespoir n'avait d'égal que sa haine, c'est ce que constata Bruno quand il vint la rejoindre.

Un moment, elle fit mine de le repousser, comme si le monde entier lui paraissait hostile, pour finir par s'abattre dans ses bras.

– Oh! Bruno, comment est-ce possible? Il n'a jamais cessé de me mentir! Tout ce qu'il a inventé!... Je lui demandais de me parler de ma mère, et il me racontait toujours les mêmes fables, avec son sourire de menteur!

– Voyons, ma chérie, dit Bruno, tu dois essayer de le comprendre... Sa bonté...

– Sa bonté! A toi aussi, il a menti! Il savait que Jacqueline était ma sœur, et a-t-il levé le petit doigt quand je suis devenue ta maîtresse?

– Le pouvait-il? dit Bruno. Mais pense à ta mère! Comme elle a dû souffrir dans l'ombre. Je sais maintenant pourquoi elle me haïssait tellement.

Un voile venait de se déchirer devant Bruno, lui faisant reconsidérer toute son histoire récente sous un nouveau jour... Mais il avait eu tort de prononcer ces paroles imprudentes.

– Ne me parle pas de cette femme! explosa Alessandra. Comment peux-tu l'appeler ma mère? Une femme qui a abandonné son enfant par peur du qu'en-dira-t-on!

– C'est plus subtil que ça, dit doucement Bruno, en lui caressant les cheveux avec une tendresse appliquée. Plus compliqué. Elle avait à choisir entre deux solutions également pénibles, et en choisissant comme elle l'a fait, elle s'est privée du bonheur de t'élever et de te voir grandir. As-tu l'intention de la repousser maintenant?

Alessandra regarda son amant, incrédule. On aurait dit qu'il rebâtissait déjà les choses autour de la révélation qui venait de leur être faite. Il s'y accoutumait, il s'installait dedans, mais elle? Elle, dont c'était la substance même qui était modifiée?

— A toi, ça semble facile, dit-elle. Moi, j'ai l'impression d'avoir été manœuvrée, d'être une marionnette.

— Sois raisonnable, dit Bruno. Tu n'es pas une marionnette. Tu es la femme que j'aime, la même que j'ai aimée il y a six mois, et que j'aime toujours aujourd'hui!

Alessandra se dégagea de ses bras en secouant la tête et se tassa sur elle-même avec accablement.

— Moi, je ne me sens pas la même, dit-elle sourdement. Je ne suis plus moi : je suis la sœur refusée de Jacqueline, la tante secrète de Véronique...

— Tu es la femme que je regarde, celle que j'embrasse, dit Bruno avec un doux entêtement, en lui prenant le visage entre les mains. Pense à ça. Je retourne près de lui maintenant. Sois courageuse, ma chérie.

Salmon n'était pas bavard. Il avait des choses à cracher, estimait Bonetti, mais pour une raison ou une autre, que le commissaire découvrirait sûrement un jour, il ne les crachait pas. Pourtant, il s'affolait, à cause des absences répétées de Thesis. Ces absences lui paraissaient tantôt prometteuses de gros sous, tantôt signes de dérobade. Tout ça, Bonetti l'entendait comme en filigrane de ses dires; mais il y avait une chose positive à retenir dans ses demi-révélations : Giorgio possédait une petite villa au bord du lac de Côme et, ces derniers temps, il y était aussi peu souvent qu'à Bergame. Cependant, d'après Salmon, il y était revenu, en compagnie d'une femme que celui-ci n'avait jamais vue.

Bonetti n'ignorait pas l'existence de cette villa. Il était déjà venu rôder autour, mais la voisine n'avait pu lui apprendre que ce qu'il savait déjà : que Thesis n'y venait plus guère.

Intrigué par la femme mystérieuse dont Salmon lui avait parlé, le commissaire y retourna une fois de plus, constata que la villa avait les volets clos et que le jardin manquait fichtrement d'arrosage. Il paraissait à l'abandon, comme si plus personne n'avait foulé son gazon desséché depuis des semaines, voire des mois. Bonetti avisa une barrière dans sa clôture et l'enjamba sans difficulté. Le ponton et sa barque aussi étaient à l'abandon.

Pendant un long moment, le commissaire contempla l'eau frissonnante du lac, assis sur la berge et réfléchissant, tout en faisant des ricochets. Puis il revint vers la maison.

Il était presque arrivé à l'endroit où il avait pénétré dans le jardin lorsqu'un objet attira son attention. L'objet brillait, mais, dissimulé comme il l'était par l'herbe folle et couleur de foin, le commissaire aurait pu ne pas le voir. Il l'examina soigneusement et le mit dans sa poche.

— Il y a des initiales, dit le commissaire Bonetti en tendant l'étui au procureur Gravina. Je crois savoir ce que c'est.

C'était un étui à cigarettes en or; les initiales étaient *J.S.D.*

— Moi, je *sais* ce que c'est, dit le procureur. Bruno Steinberg s'est étonné de ne pas le voir figurer dans les objets se trouvant sur le corps de sa femme. Comment cet étui est-il arrivé dans le jardin de Thesis?

— Question primordiale, n'est-ce pas, monsieur le Procureur? Souvenez-vous : j'ai toujours eu la certitude intime que Jacqueline Steinberg ne s'était pas suicidée.

La nouvelle de l'accident cardiaque de Ferrari avait fait grand bruit dans le monde artistique de Bergame. Walter Salieri pensa qu'il pouvait sans se renier venir aux nouvelles et il céda aux instances d'Alice.

Bruno le reçut avec tant d'empressement, il était tellement bouleversé, qu'une bonne part des griefs du jeune homme devinrent sinon oubliés, au moins atténués.

— Je suis content de te voir, dit-il. Malgré ses souffrances, Ferrari pense toujours à ses concerts. Je lui ai suggéré que tu diriges les deux concerts de Genève, avec Alice en soliste. Est-ce que tu accepterais?

— Moi, je dirigerais? Et c'est vous qui l'avez proposé?

— Ça t'étonne?

— Plutôt, dit Walter, pincé et emporté comme il l'était naguère.

— Quel fichu caractère! fit Bruno avec un sourire. Prends

garde : il va empêcher le superbe musicien que tu es de s'épanouir.

– Le superbe musicien?

Bruno mit la main sur l'épaule de son assistant.

– Crois-tu que je t'aurais fait travailler avec moi si je n'avais pas pensé que tu es un superbe musicien?

Walter chercha quelque chose d'acide à dire, mais il ne trouva pas : il était trop content.

Constance Dussault lisait dans sa chambre quand Martine se présenta à la porte.

– Entre, dit la patronne. Que veux-tu? C'est déjà l'heure du dîner?

– C'est Sophie qui m'envoie, Madame.

La bonne avait l'air contraint, avec, en même temps, une expression d'intense curiosité, comme si elle voulait mesurer l'emprise de Sophie sur Mme Dussault.

– Pourquoi n'est-elle pas venue elle-même? demanda celle-ci avec un sourire étonné.

– Elle a demandé que vous descendiez. Elle vous attend dans la salle de conseil.

Constance Dussault haussa les épaules avec agacement, mais elle posa son livre et se leva.

– Je vais voir, dit-elle.

Sophie n'avait pas allumé; elle n'était éclairée que par les lumières du couloir voisin, qui donnaient à sa silhouette un air d'ombre chinoise.

Constance s'écria :

– Voyons, Sophie, pourquoi cette fantaisie?

Alors, la jeune fille donna toute la lumière, qui en parut d'autant plus crue. Elle avait aux lèvres un petit sourire cruel que sa maîtresse ne lui avait jamais vu.

– Asseyez-vous, Madame, dit-elle. Pour ce que j'ai à vous dire, mieux vaut que vous soyez assise.

16

– Mais voyons, Sophie, quelle est cette plaisanterie? demanda Mme Dussault.

Pour toute réponse, c'est la voix de Marianne qui s'éleva : « Elle était enceinte... enceinte de M. Ferrari. Et une petite fille est née... mais Madame ne l'a jamais vue... Elle s'appelle Alessandra Ferrari. »

Mme Dussault sursauta.

– Qu'est-ce que c'est? Qui parle?

– Votre conscience, Madame, dit Sophie d'une voix sépulcrale.

– Cesse de dire des bêtises, fit Constance, moins assurée qu'elle ne voulait le paraître.

– Vous ne reconnaissez pas Marianne Didier? C'est elle qui m'a tout raconté. Tous vos secrets.

– Pourquoi as-tu fait ça, Sophie?

– Vous n'avez jamais pensé à la façon dont vous vous conduisez envers moi depuis que je suis votre esclave?

– Mon esclave! N'ai-je pas toujours été correcte avec toi?

– Correcte, oui. Et même gentille. De cette gentillesse qui sait si bien faire comprendre qui commande et qui obéit. Vous êtes très douée pour cette gentillesse-là.

– Je suis abasourdie, Sophie. Tu étais mon réconfort, souvent ma confidente. Je t'ai toujours tenue pour mon amie!

– Exact, Madame, jusqu'à aujourd'hui, dit la jeune fille en tendant par-dessus la table une photo qu'elle avait tenue cachée. Vous reconnaissez cet homme?

Constance chaussa ses lunettes, scruta la photo, sans manifester si le visage de l'homme qu'elle représentait lui était familier. Enfin, elle secoua la tête en signe d'ignorance.

— Bien sûr, dit Sophie d'un air triomphant. Ça fait vingt ans, maintenant. Vingt ans qu'il s'est suicidé parce que vous l'avez ruiné. Vous ne vous souvenez même pas de lui! Il s'appelait Roger Bernham. Il a laissé inconsolables et sans ressources la femme qui l'adorait et une petite Sophie déjà assez âgée pour souffrir de la souffrance de sa mère.

— C'était toi? demanda Mᵐᵉ Dussault.

— Oui, je suis Sophie Bernham. Comme le mondé est petit, n'est-ce pas?

— Mon enfant, je puis te jurer sur l'honneur que je ne suis pour rien dans la ruine de ton père.

— Ce n'est pas ce que ma mère m'a dit! Et c'est elle que je préfère croire. A son lit de mort, je lui ai juré que je la vengerais, que je vous ferais payer son agonie. J'avais dix-sept ans. Je me suis arrangée pour entrer à votre service deux ans plus tard et j'ai attendu patiemment l'occasion propice. Elle est venue avec Marcel Fontaine.

— Marcel? Vous étiez complices?

— Oui, Madame, et je l'ai roulé, dit Sophie avec satisfaction. C'est moi qui ai gardé les diamants. C'est à moi seule qu'ils profiteront.

La stupéfaction se peignit sur le visage de Constance.

— Tu as fait ça! dit-elle d'une voix faible et incrédule.

— Je l'ai fait, triompha Sophie. Ça a été un coup dur pour vous, n'est-ce pas? Mais pas assez dur pour vous ruiner complètement, bien sûr! Alors, depuis, je me suis associée avec Giorgio Thesis pour vous faire chanter. C'est inépuisable, le chantage. Ça ruine pour de bon.

— Je n'arrive pas à te croire, Sophie!

Négligeant l'interruption, la demoiselle continua, implacable:

— Je vous piquerai jusqu'à votre dernier sou! Vous saurez ce qu'est la ruine, comme l'a su mon père, comme l'a su ma mère.

Mᵐᵉ Dussault posa les mains sur la table à plat devant elle, et, s'obligeant au calme, dit:

— Et si j'appelais la police?

— Vous ne l'appellerez pas. Vous ne l'avez pas appelée pour Thesis, n'est-ce pas? Et allez donc! Vous n'appellerez pas la police parce que vous ne voulez pas qu'Alessandra sache. Je suis bien tranquille là-dessus.

— Tu es diabolique, dit Mme Dussault. Qu'est-ce que tu espères?

— Tout. Vous réaliserez vos actions, vos immeubles, vos villas qui sont des insultes aux pauvres – et vous me donnerez tout l'argent que vous en tirerez.

Tant elle était excitée et jubilait de sa victoire, la voix de Sophie était rauque, avec des notes hautes subites qui la rendaient artificielle.

— Que vas-tu faire de cet argent? demanda Mme Dussault calmement.

— Rien! rugit l'employée. Rien pour le moment. Je veux rester ici près de vous. Je continuerai mon service. Je serai aimable comme par le passé, et personne ne remarquera rien, si ce n'est moi, qui vous verrai vous effondrer peu à peu jusqu'à la débâcle finale... jusqu'au jour où vous prendrez votre joli revolver à crosse d'argent pour vous tirer une balle dans la tête. J'ensevelirai votre cadavre avec soin, et puis, je tirerai ma révérence, chère Madame. Comme ça!

Joignant le geste à la parole, Sophie fit une parodie de révérence de cour, puis, tournant ostensiblement le dos à sa patronne, éteignit les lampes et sortit de la pièce.

Pendant vingt-quatre heures, Alessandra n'avait fait que pleurer sur ses malheurs. Elle n'arrivait pas à comprendre comment « on » avait pu se conduire ainsi envers elle; elle se voyait au centre d'un complot dirigé contre elle, trompée, bafouée, ridiculisée.

Bruno avait cessé d'essayer de la raisonner – lui-même se livrait à de graves méditations – et lui donnait des sédatifs, la berçait dans ses bras, espérant qu'elle allait s'endormir et que cela l'apaiserait, au moins pour un moment. Mais elle ne sombrait dans le sommeil que tardivement et pour peu d'heures.

Ce jour-là, elle s'éveilla à l'aube, d'un coup, et se dressa dans son lit en rejetant ses couvertures. Bruno était auprès d'elle, ouvrant péniblement les yeux et balbutiant :

— Qu'y a-t-il? Mais qu'y a-t-il?

— Oh! fit-elle en se passant une main sur le front. J'ai fait un rêve affreux. J'ai rêvé que j'étais à l'agonie et que papa avait cessé de m'aimer. Je criais : « Reviens-moi, papa! Reviens-moi!

Je ne peux pas mourir comme ça, persuadée que tu ne m'aimes plus!» Quel cauchemar, Bruno. Je ne souhaite à personne...

— Ce n'était qu'un rêve, dit doucement le musicien, en lui prenant la main. Secoue-toi!... Tu n'es pas tout à fait réveillée.

Alessandra le regarda, égarée, puis ouvrit la bouche sans prononcer un mot.

— Ooooh! fit-elle enfin, revenant à la réalité. Oh! Bruno, j'avais oublié!... Mais je sais pourquoi j'ai fait ce rêve. Comment ai-je pu être aussi bornée?...

Elle se jeta hors du lit, se vêtit de ce qui lui tombait sous la main, chercha fébrilement ses clefs de voiture et, les ayant trouvées, sortit en trombe de l'appartement.

Les couloirs de l'hôtel et le hall étaient déserts, hormis deux femmes de ménage qui passaient de gros aspirateurs au bourdonnement sourd et le portier de nuit qui regarda, les yeux ronds, cette belle jeune femme échevelée qui courait en pleurant.

L'interne de garde était auprès de son père quand elle arriva dans la chambre de la clinique. Elle le bouscula et s'écria, en se précipitant vers le lit et en baisant la main de l'homme alité :

— Je t'aime, papa, je t'aime!

— Je le savais, balbutia Giovanni. Je n'en ai jamais douté. Moi aussi, je t'aime... tant... tant...

Il laissa ses yeux se fermer comme s'il était trop las pour les tenir ouverts, mais il parvint à poser sa main sur les cheveux noirs de sa fille, et sa face avait une expression paisible et béate.

— Papa, dit Alessandra, ça ne me fait rien que tu m'aies menti au sujet de ma mère. Tu l'as fait pour mon bien, pour que je sois heureuse, je le sais. Tu as été un père formidable, si doux, si gentil et si gai. Je me suis sentie tellement protégée par toi. J'ai été heureuse, papa, et je t'en remercie... Je t'aime, papa, je t'aime!

Le médecin mit la main sur son épaule. Il paraissait très ému. Sans doute était-il encore trop jeune pour avoir appris à dissimuler entièrement ce qu'il ressentait.

— Votre père est mort, dit-il à voix basse. Mais voyez comme il a l'air heureux...

Alessandra regarda le jeune homme, puis le visage de son père.

— Alessandra, dit Bruno, qui venait d'apparaître sur le seuil.

— Je suis arrivée à temps, dit-elle. Sans mon cauchemar, ç'aurait été trop tard! Je ne me le serais jamais pardonné, non, jamais...

— Je sais, dit le maestro, le visage douloureux.

Serrant sa maîtresse contre lui, il l'entraîna hors de la chambre.

Après beaucoup d'hésitations, Martine s'approcha de la salle de conseil, où Mme Dussault était venue rejoindre sa demoiselle de compagnie tout à l'heure. Elle avait peur de se faire rembarrer, mais elle avait cru entendre la porte se refermer tout à l'heure, et si c'était Sophie qui était sortie, Madame devait être seule.

Martine n'était que la bonne, et elle n'avait pas avec sa patronne les mêmes rapports privilégiés que l'autre; mais de longues années de service dans cette maison lui avaient donné le don de « sentir » ce qui s'y passait, de « savoir » quand Madame était désemparée — et elle avait de moins en moins confiance en Sophie.

Elle frappa à la porte, l'ouvrit timidement et, voyant sa maîtresse dans le noir, s'écria :

— Ça va, Madame? Vous n'avez besoin de rien?

— Oh si, Martine! J'ai besoin que tu m'aides à monter me coucher. Je suis fatiguée, Martine, épuisée. Je ne crois pas que je dînerai. Tu me...

— C'est que, dit la bonne, il y a quelqu'un qui attend Madame dans le salon.

— Il a dit son nom? demanda Constance, affolée à l'idée que ce pût être Thesis, car elle avait eu son compte d'avanies pour ce jour-là.

— C'est une femme, dit Martine.

— Bon, j'y vais.

Dans le corridor, Mme Dussault vacillait un peu, encore sous le coup de son entrevue avec Sophie, mais, comme d'habitude, elle fit effort pour raffermir sa marche et se recomposer le visage avant d'entrer dans le salon. Elle se demandait qui pouvait l'attendre, et pensait avec une certaine ironie salvatrice que ce ne pouvait être personne de plus monstrueux que Sophie.

De fait, la personne se jeta quasiment à ses pieds en lui demandant pardon ; et elle mit plusieurs secondes à identifier Marianne Didier, qui balbutiait :

— Pardon, Madame, je vous ai trahie. J'ai raconté ce que je n'aurais pas dû...

Mme Dussault soupira longuement et la releva.

— Je sais, dit-elle. Je sais ce que tu as fait.

— C'est votre gouvernante, dit Marianne. Elle est venue me voir à l'hôpital, et elle m'a eue par surprise. J'étais complètement démoralisée, vous comprenez...

Elle enchaîna sur une histoire extravagante, mais comme il en arrive, hélas : après sa chute et son transport à l'hôpital, une infirmière trop zélée ou mal informée lui avait laissé croire qu'elle avait une fracture du col du fémur. Passablement ignorante de ces choses et impressionnée par les mots, Marianne s'était vue infirme pour la vie et désormais incapable d'aider matériellement sa nièce.

— Voilà. Elle est venue un mauvais jour, Madame.

Comment Sophie était-elle arrivée à cet hôpital ? se demanda Constance Dussault. Elle pensa qu'elle n'en saurait sans doute jamais le fin mot, mais, désormais, elle ne s'étonnait plus de rien : sa demoiselle de compagnie était une méchante fureteuse qui faisait flèche de tout bois, qui écoutait aux portes et avait probablement toujours lu son courrier, fût-il confidentiel.

— Il a suffi qu'elle soit venue, bon ou mauvais jour..., dit la patronne. Elle est capable de tout pour arriver à ses fins, et toi, tu as eu un moment de faiblesse.

— Je vous ai rapporté l'argent, Madame. Elle m'avait donné 3 000 francs. Ils m'ont tout de suite brûlé les doigts et je n'y ai jamais touché. J'attendais d'être assez valide pour vous les rapporter.

— Garde-les, dit Constance. Ils seront utiles pour ta nièce. Moi-même, je vais t'aider, tu peux compter sur...

Elle fut interrompue par la sonnerie du téléphone, s'excusa auprès de Marianne avant de décrocher.

— Belle-maman, c'est moi, Bruno. Je vous appelle de Bergame. J'ai une mauvaise nouvelle... Soyez forte, belle-maman : Giovanni Ferrari est mort ce matin.

– Oh! dit Mme Dussault en se laissant tomber dans un fauteuil

Elle était devenue pâle, et Marianne, inquiète, se rapprocha d'elle.

– Avant de mourir, il a tout raconté à sa fille, dit Bruno.

– Oh! fit encore Mme Dussault, la voix étranglée. Et comment va-t-elle?

– Je veille sur elle. Elle pleure beaucoup.

– Merci d'avoir appelé, Bruno. Excusez-moi, je vous rappellerai.

– Oui, c'est préférable, dit le maestro.

Constance ferma les yeux et demeura longtemps silencieuse. A la fin, elle dit à l'ancienne bonne de ses enfants :

– M. Ferrari est mort, Marianne. Avant de mourir, il a tout dit à notre fille.

Elle respira à fond. Elle attendrait d'être seule pour pleurer sur sa jeunesse enfuie, ses amours mortes et ses filles mal aimées.

Giorgio Thesis glandait à Neuchâtel en se demandant pourquoi sa maîtresse l'avait obligé à revenir en Suisse.

Une fois, une seule, elle lui avait ordonné de téléphoner à une certaine heure à Mme Dussault, pour lui faire peur, avait-elle dit, pour la tenir en haleine; mais depuis, plus rien ne s'était passé. Comme elle se refusait à venir le voir, la vie était languissante – avec pour seul avantage le fait que Salmon fût loin et dans l'ignorance complète de son adresse.

Ce jour-là, il buvait un cocktail dans sa chambre en regardant vaguement la télévision, et c'est ainsi qu'il apprit, par le journal du soir, la mort de son beau-père.

Il sursauta et appela Sophie pour le lui dire. Cette mort subite lui apparaissait comme une trahison, comme un mauvais présage. Mais sa maîtresse se moqua de lui et le rabroua vertement. Bien qu'elle fût de moins en moins sa maîtresse, elle avait de plus en plus tendance à le traiter ainsi. Elle le faisait marcher au doigt et à l'œil et l'accusait d'être lâche et trouillard.

Mais que pouvait-il sans elle? pensait-il. Puisqu'elle avait pris l'initiative des opérations, autant valait la lui laisser, non?

270

Elle était plus futée que lui et, surtout, plus implacable. Il était convaincu que la mort de Ferrari allait changer bien des choses, mais puisque Sophie était d'un autre avis, il garderait son opinion pour lui.

« Thesis est une ordure, un fumier, une canaille! » Tout le jour, toute la nuit, à part les moments où il dormait et ceux, trop rares à son goût, où l'héroïne l'emmenait loin des réalités, Salmon ne pensait qu'à ça, n'entendait que ces mots-là lui marteler le tympan. Thesis avait de nouveau disparu. Que ce soit à Bergame ou à Côme, son logis était vide. Où se cachait-il donc?

Avec une sorte d'entêtement maladif auquel son état de drogué n'était pas étranger, Salmon allait de Côme à Bergame, de Bergame à Côme, avec son refrain dans les oreilles, espérant que son ami serait soudainement là, comme par miracle et les poches pleines d'argent.

Chaque fois, il était déçu et, selon l'humeur où il se trouvait, devenait pleurnichard ou fou furieux, n'émouvant même plus les voisins, qui en avaient pris l'habitude.

– Thesis, tu es un fumier! Thesis, tu es une ordure!

Assis paisiblement dans sa voiture personnelle, le commissaire Bonetti l'avait regardé arriver devant la petite villa du lac et freiner avec brutalité avant d'aller frapper la porte de ses poings nus en hurlant ses imprécations.

– Ouvre, salaud! Ouvre, ou je fais sauter ta lourde!

Joignant le geste à la parole, Salmon, ses forces décuplées par la rage, se mit à foncer, épaule en avant, dans le vantail de bois.

Bonetti eut un fin sourire quand la serrure céda. Il attendit encore que Salmon eut pénétré dans la maison pour sortir de son véhicule.

A l'intérieur, le drogué s'agitait furieusement, poussant les portes l'une après l'autre, ouvrant les tiroirs et en déversant le contenu par terre, regardant sous le lit et sous les fauteuils.

– Ça, ça s'appelle effraction de domicile, dit Bonetti, de la porte d'entrée. Qu'est-ce que tu cherches là?

– Je peux justifier ma présence, fit Salmon d'une voix aiguë et mal assurée, l'air d'un petit coq anglais dressé sur ses ergots.

— Ça va, dit Bonetti. Je ne vois rien. Je ne sais rien. Je veux seulement que tu viennes avec moi pour tailler une petite bavette.

Une de plus, pensa Salmon. Mais il se laissa docilement emmener vers la voiture du policier. Le commissariat de Côme, il commençait à connaître. Il était las. Il en avait marre.

Une fois dans son bureau, le flic l'entreprit comme il faisait toujours, alternant la menace et l'air bonasse, le bâton et la carotte.

— J'ai là ton dossier, Salmon. Je sais tout de toi. Tu navigues dans des milieux louches... à la frange, je l'admets. Tu te drogues. Tu achètes pas mal de drogue, quelquefois tu en vends, c'est pas bien!...

— Je me shoote plus, commissaire! Votre dossier commence à dater, dit fébrilement le garçon.

— Et ça, c'est des moustiques? jeta Bonetti.

D'un geste bref, il avait relevé la manche de son interlocuteur. A la vue des traces de piqûres, il eut un rire cinglant.

— Tu te drogues toujours, bonhomme, reprit-il, ne me raconte pas de blagues. Mais très curieusement, depuis un certain temps, tu fréquentes beaucoup moins les milieux louches... même la frange... On dirait que quelqu'un te file du fric pour acheter ta came.

— Vous avez trop d'imagination, commissaire.

Bonetti se tapota un œil de l'index et continua :

— Ce quelqu'un, c'est Thesis, non? Pourquoi? Tu es son mignon? Son bouffon? Son percepteur de rançons? Quel cadavre y a-t-il entre vous?

Les yeux de Salmon se mirent à ribouler dans leur orbite tant il était affolé, et Bonetti pensa qu'il venait de marquer un point, bien qu'il eût navigué à l'estime. Il laissa sa victime mariner un peu puis, changeant de manière :

— Ton Thesis, je vais te dire : en ce moment, il fait chanter une dame très riche et il va ramasser le gros paquet. Alors, il te laissera tomber, et moi je crois qu'il a déjà commencé. Je me trompe?

Salmon ne répondit pas. Il avait l'air malheureux et buté. Le commissaire le regarda avec une feinte commisération, puis il alla ouvrir une porte derrière laquelle se trouvaient deux agents en uniforme.

— Pouvez l'emmener, dit-il.

— Mais qu'est-ce que ça veut dire? fit Salmon en bondissant de son siège.

— Ça veut dire qu'un peu de garde à vue te donnera le temps de te faire une religion, je crois, dit Bonetti.

Salmon leva vers lui un regard épouvanté.

Bien qu'elle fût demeurée près de trente ans sans le voir, Constance Dussault ressentit vivement la mort de Giovanni Ferrari. Pendant des heures, pendant des jours, cette disparition serait au centre de toutes ses pensées. D'une part, il y avait l'irrémédiable, le « jamais plus » qui sonnait avec une infinie tristesse. L'aventure amoureuse qui avait ensoleillé quelques mois de sa vie était définitivement terminée.

Elle le confia à Bruno, qui, par déférence envers elle, et peut-être par compassion, la tenait au courant de ce qui se passait à Bergame. Quand les dispositions furent arrêtées pour les funérailles, il lui en fit part.

Les cérémonies devaient se dérouler au théâtre, dont la vie se confondait depuis si longtemps avec celle du disparu. Le cercueil, placé sur un catafalque, serait exposé dans le foyer, de manière que non seulement les musiciens mais tous les Bergamasques puissent venir lui rendre un dernier hommage. Beaucoup de personnalités du monde de l'opéra et du concert avaient annoncé leur présence à l'enterrement. Se déplacerait-elle? demanda Bruno.

Constance répondit que non, que par chance elle avait vu très récemment Giovanni et passé avec lui quelques heures dont elle garderait un souvenir précieux – et ce serait là son adieu puisque le destin l'avait voulu ainsi. Au demeurant, elle craignait que sa présence ne fût pas agréable à Alessandra. Laconiquement mais honnêtement, Bruno lui dit que c'était fort possible.

Quand la conversation fut terminée, la vieille dame médita longtemps. Car la mort de Giovanni impliquait aussi, de par sa volonté à lui, un changement considérable pour elle : Alessandra savait qu'elle était sa mère; elle allait entrer dans sa vie pour l'aimer ou – plus probablement – pour la haïr.

D'une certaine manière, c'était la première fois que son ancien amant n'en faisait qu'à sa tête et passait outre à ses désirs. Il s'était incliné quand Constance l'avait quitté et quand elle avait obéi aux injonctions de son défunt mari. Mais maintenant, de par-delà la mort, il intervenait dans sa vie et tirait les ficelles. Comme s'il voulait signifier qu'il lui préférait Alessandra et la vérité, quelles qu'en pussent être les conséquences – ou bien au contraire par amour pour elle, Constance, pour la libérer de Thesis. De Thesis et de Sophie, mais pour ce qui était de cette dernière, il ne saurait jamais, étant mort avant de connaître l'existence de ses monstrueuses manœuvres.

Ce dernier aspect de la question occupait aussi les pensées de Constance Dussault, à qui le sentiment de sa liberté vis-à-vis de son bourreau venait petit à petit. La victoire avait changé de camp.

Avant de frapper, elle se donna la joie de le faire sentir insidieusement à sa demoiselle de compagnie – n'attendant même pas que la journée fût terminée.

Elle la cueillit comme elle rentrait après avoir fait des courses, peu avant l'heure du repas du soir. C'est la patronne qui ouvrit la porte à sa salariée, avec tant de prévenance et de gentillesse que Sophie en fut gênée.

– Vous... Je suis en retard, Madame?

– Mais non, voyons. Simplement, je suis toujours contente de te voir rentrer. Bon shopping?

– C'est-à-dire... Oui, Madame.

– Tu t'es trop fatiguée, dit Mme Dussault. Tu as la mine tirée. As-tu faim? Martine a mis nos deux couverts.

– Je voudrais monter mes paquets et changer de chemisier, Madame, fit Sophie, assez interloquée.

– Prends ton temps. J'attendrai.

Ainsi toute la soirée. Une soirée suave pour Constance, en dépit des tristesses qui occupaient le fond de sa pensée, et de plus en plus pesante pour Sophie, qui dit, sitôt son dessert avalé :

– Je monte me coucher, Madame. Je suis en effet fatiguée. Demain, je prendrai mes repas dans ma chambre, comme au début que j'étais à votre service.

– Mais bien sûr, Sophie! N'as-tu pas décrété que tes désirs étaient des ordres? Demain tu mangeras dans ta chambre.

274

Demain serait tout autre et Constance Dussault le savait bien. Mais ce mensonge était sa revanche et le dérivatif de ses chagrins.

Après deux nuits passées en prison, Salmon était une pauvre chose. Il avait beau prétendre n'être pas esclave de l'héroïne, il n'en était pas moins dans un état nerveux proche de la panique quand Bonetti le fit revenir dans son bureau.

Il avait une carte dans sa manche, Bonetti. Une carte truquée mais qu'il espérait efficace. En bref, après quelques circonlocutions d'usage, il sortit l'étui à cigarettes de Jacqueline Steinberg et prétendit l'avoir trouvé dans la voiture de Salmon.

— Qu'est-ce que c'est? demanda le garçon.

— Tu le sais aussi bien que moi. C'était à ta victime, Mme Steinberg. On l'a trouvée noyée dans le lac et on a conclu au suicide. Mais moi, j'ai toujours pensé qu'il s'agissait d'un crime et je viens de découvrir le meurtrier : toi, Salmon.

— Mais c'est ridicule. Pourquoi l'aurais-je tuée? Je n'ai jamais vu cet étui à cigarettes!

— Il est en or massif. Il y a des drogués qui tuent des vieilles dames pour beaucoup moins que ça.

— Je vous dis que je ne l'ai jamais vu! hurla Salmon, terrorisé.

— Il était pourtant dans ta voiture.

— C'est qu'on l'y a mis, monsieur le Commissaire!

— Qui?

— Mais je ne sais pas, moi!

— Thesis, tu crois? Pour te coincer?

— Mais non!

— Alors, c'est toi qui l'as tuée, dit benoîtement Bonetti.

— Mais non! gueula Salmon. Puisque je vous dis que non! Quand Thesis m'a appelé, elle était déjà morte. Je l'ai seulement aidé à jeter le corps dans le lac... Je ne l'ai pas tuée, répéta-t-il doucement.

— Bon, dit Bonetti, calme-toi maintenant. Tu vas faire tranquillement ta déposition.

A la fin du même jour, le commissaire Bonetti vint trouver le procureur Gravina avec cinq pages d'aveux explicites de

Salmon, établissant que c'est Thesis qui avait tué Jacqueline Steinberg. Il avait appelé Salmon à la rescousse pour se débarrasser du corps, lui promettant en échange de ce service une grosse somme d'argent. Mais la grosse somme n'était venue que par petites pincées, et puis elle n'était plus venue du tout.

— Thesis était fauché et coincé par Salmon; c'est pourquoi il a fait chanter Mme Dussault, dit Gravina.

— Tout juste.

— Il faut informer Interpol, envoyer photos et signalement aux postes frontières et aux aéroports. Mais est-il en Italie? Et y reviendra-t-il s'il en est parti?

— Je pense que oui, monsieur le Procureur. Vous m'avez bien dit que Mme Dussault lui avait déjà donné de l'argent. Je pense que c'est ici qu'il a son compte en banque, non? Je pense aussi qu'il est homme à vouloir se débarrasser de Salmon, soit avec la forte somme, soit... physiquement.

— Vous croyez?

— J'en suis sûr, dit gravement Bonetti. Salmon est une menace pour lui. Alors, j'ai un plan, monsieur le Procureur. Je vais vous l'expliquer.

Sophie n'eut pas un bon sommeil cette nuit-là. L'attitude de sa patronne en était responsable. Ça l'énervait que la vieille eût trouvé une parade à ses persécutions, même si ce n'était que du bluff.

Et si ce n'était pas du bluff? se dit-elle au matin en s'extirpant à regret de son lit. Si ce n'était pas du bluff! Pour la première fois, elle pensa qu'elle aurait dû partir depuis un moment. En même temps que Marcel. Ou plutôt juste après, avec le butin dont elle s'était emparée.

Ce qui l'avait retenue, c'était moins l'avidité que l'esprit de vengeance, la haine qui l'animait contre Constance Dussault. Toutes les rancœurs que peut accumuler une jeune fille pauvre à l'esprit vindicatif et tordu, elle les avait cristallisées et mises sur le dos de son bouc émissaire : sa patronne. Le froid rigoureux de La Chaux-de-Fonds en hiver, un repas infect au restaurant, la cheville qu'elle s'était foulée en 1984 au cours d'une promenade, le collier qu'elle avait perdu dans la neige à Davos, tout était de la faute de Mme Dussault. Sa hargne avait

276

été la plus forte, plus forte que son intelligence aiguë et que son goût des richesses. Elle s'en rendit brusquement compte et elle eut peur.

Quand elle descendit, elle avait réellement triste mine et les yeux cernés. Elle arrivait au rez-de-chaussée quand on sonna à la porte.

Elle alla ouvrir. Deux hommes se tenaient sur le seuil.

— Mademoiselle Sophie Bernham?

— C'est moi, dit-elle avec un sursaut.

Personne ici, à part Constance Dussault, ne la connaissait sous ce nom.

— Je suis l'inspecteur Blier, de la police cantonale de Neuchâtel. Et voici mon adjoint, Foucault. Si vous voulez bien nous suivre, mademoiselle?

Les yeux de la jeune femme allèrent rapidement de l'un à l'autre des hommes, les jaugeant. Puis, sentant une présence derrière elle, elle se retourna. Mme Dussault se tenait sur la marche la plus basse de l'escalier.

— Tu avais raison, je ne t'aurais jamais dénoncée, dit-elle, mais...

— Ferrari a tout raconté. C'est ça?

— Oui. A Alessandra.

Sophie haussa légèrement les épaules, et Constance admira sa crânerie quand elle déclara, en se tournant vers les policiers :

— Je suis prête, messieurs.

— Vous pouvez emporter quelques affaires, dit Blier.

— Merci, inspecteur, fit la jeune fille en se dirigeant vers l'escalier.

— Foucault, accompagne mademoiselle! dit Blier.

Tous deux, le policier et la prévenue, montèrent en silence jusqu'au deuxième étage. Dans sa chambre, cependant que l'homme demeurait dans l'embrasure de la porte, Sophie prit dans une armoire une petite valise et du menu linge. Posément, elle alla vers sa bibliothèque et, faisant mine de choisir un livre, sortit de derrière un dictionnaire une grosse enveloppe qu'elle glissa dans son corsage en ayant bien soin de ne pas être vue de Foucault.

Celui-ci dit :

— Pressons un peu, s'il vous plaît.

Sophie se retourna et lui sourit.

– Je suis prête, inspecteur, dit-elle. Juste le temps de prendre ma brosse à dents dans la salle de bains.

Sans attendre, elle passa dans la pièce voisine dont elle referma la porte sur elle.

Le policier fronça les sourcils, mais il lui fallut bien trente secondes pour réaliser que quelque chose lui avait paru insolite au moment où la jeune femme entrait dans la salle de bains : elle avait saisi son sac à main et l'avait accroché à son épaule. Il frappa à la porte, dit encore « Dépêchons! » puis ouvrit.

Il déboucha dans un couloir au bout duquel se trouvait un étroit escalier, visiblement réservé au service.

– Nom de Dieu! jura-t-il.

Il revint sur ses pas, se pencha sur la rampe du grand escalier et hurla :

– Elle a foutu le camp!

– Rattrape-la, bougre de con! dit Blier, hurlant lui aussi.

Foucault revint à l'escalier de service, le dégringola, se retrouva dans une petite cour apparemment sans issue, puis traversa la maison d'où Blier venait de sortir en criant au flic qui était au volant de la voiture de police :

– Vous n'avez pas vu la jeune fille? Elle s'est échappée.

Mme Dussault apparut sur le seuil et dit :

– Ça ne m'étonne pas d'elle : elle est rusée comme un renard.

Elle ne savait comment prendre l'événement : elle était tellement habituée à admirer sa Sophie!

17

Giorgio Thesis était loin de se douter de ce qui se tramait contre lui à Côme, mais il était néanmoins sur ses gardes, car Sophie lui paraissait bizarre. Il avait le sentiment qu'elle le laissait tomber, soit qu'elle voulait le doubler, soit qu'elle abandonnait parce que ça sentait le roussi.

D'une façon comme d'une autre, il n'avait plus rien à faire à Neuchâtel, mais avant d'en partir, il voulait essayer d'extorquer encore un peu de fric à Constance Dussault pour son propre compte. Il prépara ses bagages et, les laissant dans sa chambre, appela un taxi.

Une demi-heure plus tard, ce taxi s'arrêtait devant la maison Dussault. Giorgio s'apprêtait à payer le chauffeur quand un homme sortit de la demeure, très agité et criant : « Vous n'avez pas vu la jeune fille? Elle s'est échappée! »

— Réflexion faite, je rentre à Neuchâtel, dit Giorgio au chauffeur. Filez d'ici, vite!

— Mais, monsieur, dit le chauffeur.

— On rentre, j'ai dit, et vite!

L'homme marmonna entre ses dents, mais il obtempéra.

Pour l'avoir parcourue maintes et maintes fois à pied, en voiture, en tramway, son esprit observateur toujours en alerte, Sophie connaissait admirablement La Chaux-de-Fonds. Quand elle descendit du tramway devant la gare, les flics n'avaient pas retrouvé sa trace, elle en était sûre.

Elle avait confiance en sa bonne étoile et en son sang-froid. N'avait-elle pas autrefois fait échapper Marcel au nez et à la barbe de ceux qui le traquaient? Elle ne ferait sûrement pas plus mal pour elle!

Elle prit un billet pour le premier train en partance, gardant son calme au guichet, passa sur le quai sans hâte apparente. Il n'y avait pas de policiers en vue et il n'y en eut pas tout le temps que le train stationna en gare. Au moment où il démarrait, un retardataire monta, mais il n'avait pas une tête de flic.

C'était un homme dans la quarantaine, au crâne entièrement rasé, à la mâchoire forte. Il vint s'asseoir en face d'elle, et bien qu'elle fût certaine qu'il n'était pas de la police, elle ressentit un certain malaise.

Elle se leva et alla aux toilettes, balançant son sac avec une feinte désinvolture. Quand elle eut refermé la porte sur elle, elle sortit de son corsage l'épaisse enveloppe qu'elle y avait glissée à l'insu de Foucault, et elle la rangea soigneusement dans le sac. Elle se repeigna, se mit du rouge à lèvres et se lava les mains. Elle ressortit alors et vit l'homme chauve.

Il n'était pas de la police, mais il la suivait, commença-t-elle à penser. Il lui voulait quelque chose. Elle n'alla pas se rasseoir à la place qu'elle avait quittée mais changea de compartiment. Il ne tarda pas à la retrouver et à s'asseoir de nouveau en face d'elle.

De retour à Neuchâtel, Giorgio Thesis ne barguigna pas. Il fit divers achats dans la ville, puis retourna à son hôtel, où il entreprit de se changer. Une perruque noire commença à le rendre méconnaissable. Une fausse moustache de la même couleur et des lunettes cerclées de fer achevèrent la transformation. Il ne restait rien du joli garçon à visage d'ange qui avait séduit en son temps Alessandra Ferrari; et il en resta encore moins quand il eut revêtu les médiocres vêtements de confection acquis en ville.

A la gare de Neuchâtel, il se prit en portrait dans un Photomaton, expédia les clichés en exprès du bureau de poste, puis se rendit dans une cabine téléphonique.

Sophie commençait à avoir peur. Elle se sentait de taille à rouler la police et elle avait esquivé, en changeant deux fois de train à contre-voie, les patrouilles qui arpentaient les quais.

Mais l'homme au crâne rasé, elle n'avait pas réussi à le semer. Et elle faillit crier lorsque, dans le troisième train, elle le vit s'approcher et s'asseoir une fois de plus en face d'elle dans la voiture où il n'y avait qu'eux deux.

— Souviens-toi de Marcel, dit-il en se penchant vers elle.

Elle ne put s'empêcher de battre des cils. Qu'avait cet homme à évoquer Marcel, cette lavette, qu'elle avait déshonoré, dépouillé et contraint à l'exil, après en avoir fait un escroc? Sans elle, il aurait continué à mener une vie sans problèmes majeurs, à rencontrer des émirs dans des palaces et à faire des dettes de jeu que son frère aurait payées en bougonnant... Mais pourquoi penser à Marcel? Elle n'en avait rien à foutre de Marcel!

— Donne-moi le fric, dit l'homme. C'est du fric que tu as piqué à Marcel! Il y a longtemps que je te file. Je sais qu'aujourd'hui tu as le fric sur toi, et tu vas me le donner!

Mais qui était cet homme? Un ami de Marcel ou son ennemi?

Incapable de se contrôler, Sophie se leva et se mit à courir entre les sièges. L'homme la rattrapa sur la plate-forme, entre la porte donnant sur la voie et celle des toilettes. Il tendit la main vers son sac, mais elle le lui arracha. Elle ne lâcherait l'argent pour rien au monde. Il était à elle. Elle l'avait acquis par son astuce, parce qu'elle était la plus forte, la plus intelligente. Elle se mit à crier...

Plus tard, les experts feraient une enquête pour savoir comment et par qui la porte donnant sur l'extérieur avait été ouverte. Ils ne tomberaient d'accord que sur deux points : en premier lieu, c'est le sac qui était tombé sur la voie, et ensuite Sophie. Une femme qui venait aux toilettes vit la porte battant sur le vide et un homme qui prenait la fuite dans le couloir. Un homme au physique inquiétant, chauve comme un œuf. Bien qu'elle eût tiré la sonnette d'alarme et que le train se fût arrêté, on ne retrouva jamais cet homme, qui traversa la vie de Sophie pour le pire, comme un justicier.

Sophie, elle, fut tamponnée par un train venant en sens inverse. Elle mourut dans l'ambulance qui la menait à l'hôpital, sans avoir repris connaissance.

L'inspecteur Blier vint en personne raconter à Mme Dussault les circonstances de la mort de Sophie et lui remettre les objets trouvés sur elle.

Après son départ, Constance demeura à méditer sur le destin de cette fille jolie et intelligente qui avait mis ses dons au seul service de l'esprit de représailles. Ça avait quelque chose d'effrayant, et il était saisissant que cette vie mue par une haine implacable se fût terminée dans une violence non moins implacable.

Martine, avec sa sagesse populaire, exprima cela à sa façon :

— Elle a toujours mené son destin par le bout du nez. Alors le destin, il a pris sa revanche.

Il y avait longtemps qu'elle se doutait, Martine, que Sophie n'était pas nette.

Nicole, c'était autre chose : l'existence de Sophie lui avait parfois porté ombrage et causé de la souffrance. Mais elle fut atterrée en apprenant la nouvelle et, sûre que sa mère devait être bouleversée, vint tout de suite à la maison Dussault.

Elle ne s'attendait pas au récit que lui fit sa mère sur Ferrari, Alessandra, Marianne Didier et le reste. Tout était lié. D'une certaine manière, la mort tragique de Sophie était une des conclusions de cette histoire.

— Sophie, tu l'aimais, n'est-ce pas? demanda Nicole, débordée par tous les événements qui lui étaient dévoilés d'un coup.

— C'est surtout moi que j'aimais, dit Constance. Après... après mes échecs avec mes filles, elle était reposante. Elle écoutait mes plaintes, elle me disait que j'étais bonne, elle me dorlotait... Et ensuite, cette horrible histoire de chantage, Nicole! Fallait-il donc qu'elle me déteste! Parce que ce n'est pas à Alessandra qu'elle en avait! C'est à moi qu'elle voulait faire du mal. Plus encore que me ruiner, je crois qu'elle voulait me faire souffrir.

— Tu ne regrettes pas d'avoir appelé la police!

— Je ne l'aurais pas fait si Ferrari s'était tu jusqu'au bout. Non, je ne l'aurais pas fait.

— Mais tu étais victime d'un odieux chantage!

— Oui, dit Mme Dussault, rêveusement.

Elle ne savait plus. Elle ne savait plus où étaient le bien et le mal, le juste et l'injuste. Tout ce qu'elle savait, c'est que ses trois filles, à des titres divers, avaient été frustrées par elle. Plus jamais elle ne pourrait demander pardon à Jacqueline. Les deux autres...

— Tu as connu beaucoup de souffrances, maman, dit Nicole.

— Vous aussi, mes filles. Je t'en demande sincèrement pardon.

— Mais je te pardonne, maman. Je te pardonne et je t'aime.

— Merci, Nicole. Moi aussi, je t'aime.

La jeune femme sourit, puis se mit à pleurer. Elle avait toujours été raisonnable, bornant au possible ses ambitions sentimentales; et quand elle se laissait aller à écouter son cœur, ses émotions la submergeaient.

L'homme que Giorgio Thesis avait appelé de la gare de Neuchâtel était un de ses amis et s'appelait Enrico Valli; il exerçait discrètement à Bergame le métier de faussaire. Trente heures après le coup de téléphone, les deux hommes se rencontrèrent dans un hôtel de Lugano. Grâce aux photos reçues le matin même, Valli s'attendait à trouver un Thesis à cheveux noirs, mais il fut néanmoins épaté par la transformation de son copain. Peut-être était-ce la peur, se dit-il, qui, en changeant le regard du mari d'Alessandra, le rendait méconnaissable.

Le passeport était au nom d'Antonio Galliani, résidant à Salerne.

— Parfait! dit Thesis, c'est un pays que j'aime. Je te remercie d'avoir fait si vite. Pourrais-tu me rendre encore un service?

— Ça dépend du prix, dit Valli, mi-sérieux, mi-plaisant. De quoi s'agit-il?

— De remettre une lettre à Salmon.

— A cette petite pédale? Ça sera cher, je te préviens!

— C'est juste remettre une lettre, dit nerveusement Thesis.

Valli comprit à son ton qu'il était loin d'être tranquille. D'ailleurs, quand on faisait appel à ses services, c'est qu'on ne l'était guère. Il se fit prier encore un moment avant d'accepter et de se retirer pour rentrer à Bergame.

Quand il fut parti, Giorgio appela Salmon pour lui expliquer ce qu'il attendait de lui.

– Salut! dit-il. Écoute-moi bien. Tu vas faire quelque chose pour moi, et ce sera la fin de tes ennuis. Dans une heure ou deux, un homme viendra chez toi t'apporter une lettre. Dedans, il y a un chèque au porteur tiré sur ma banque. Demain, tu iras le toucher. C'est une grosse somme. Tu feras deux parts, une pour toi, une pour moi. La tienne, tu la garderas; l'autre...

– Pourquoi tu la retires pas toi-même? demanda Salmon.

– Parce que je ne veux plus aller à ma banque! Je quitte le pays, mon petit. J'ai assez vu les gueules des Bergamasques.

Salmon n'hésita qu'un moment.

– D'accord, dit-il, je ferai comme tu dis. Tu seras chez toi à quelle heure, pour que je passe?

– Je serai pas chez moi. Fini pour moi le domicile conjugal! Viens l'après-midi à 4 heures, à l'embarcadère de Varenna. Ne cherche pas à me voir : c'est moi qui te trouverai.

– Je lirai le journal sur un banc, fit le jeune homme avec un brin d'agacement dans la voix. Mais t'as des emmerdes ou quoi? Je peux venir t'aider, si tu veux. Où es-tu?

– T'occupe pas! dit Thesis. A demain, 4 heures.

Dans sa chambre, à Bergame, Salmon reposa le combiné sur sa fourche et regarda de biais vers le commissaire Bonetti, qui tenait encore l'écouteur, debout à son côté.

– Très bien, dit le policier. Nous serons à Varenna.

– *Vous* serez à Varenna, dit Salmon. Moi, je marche plus. J'ai fait ce que vous vouliez, *basta!* Thesis, il est capable de me tuer, s'il voit que je l'ai piégé.

– On te protégera, fiston.

– Même si vous me protégez! Quand il sortira de taule, il me retrouvera et il me descendra...

– Il aura les cheveux blancs quand il sortira de taule. C'est pas demain la veille! Si tu me fais faux bond, c'est toi qui écoperas, c'est toi qui prendras trente ans! Et en taule, c'est régime-régime : l'héroïne, tu te la mets où je pense!

– J'ai rien fait, commissaire, dit Salmon, le regard fou.

– Je sais, dit Bonetti. A demain 16 heures. J'aurai un cadeau pour toi.

Il accompagna sa phrase d'un clin d'œil et sortit à demi de

sa poche un sachet de poudre blanche. Puis il sourit dans sa moustache et sortit.

En rentrant de chez sa mère, le jour de la mort de Sophie, Nicole devait connaître une autre émotion : une lettre de Jean-Claude l'attendait, qui lui apprit que son mari était parti pour une durée indéterminée : il allait prendre des vacances en France, il ne savait encore où.

Nicole en fut contrariée, et soulagée en même temps. Dans le moment où elle apprenait sur sa mère tant de secrets incroyables, elle était satisfaite d'être seule pour résoudre ses propres problèmes, ses problèmes avec Pierre Savagnier.

A la maison Dussault, cependant, un message analogue avait averti le nouveau directeur, qui s'empressa d'en discuter avec la patronne.

Celle-ci le regardait avec un intérêt accru depuis qu'elle savait ce qui existait entre lui et Nicole. Elle le regardait avec d'autant plus d'attention que c'est Jean-Claude qui l'avait introduit dans l'entreprise et dans son foyer, pour sa propre perte sur tous les tableaux.

— Qu'en pensez-vous ? demanda-t-elle quand l'ingénieur lui eut fait part de la décision de son gendre.

— Il se croit responsable de l'échec de notre affaire.

— Votre opinion ?

Savagnier se passa la langue sur les lèvres avant de répondre d'un ton précautionneux :

— Il a été léger, en particulier dans ses prévisions sur le marché américain.

— Vous voulez dire que c'est la catastrophe, dit amèrement Constance. Et c'est moi qui devrai payer le prix de ses erreurs.

— Les Japonais et les Allemands proposent trois conditions pour procéder au redressement : démission de Jean-Claude, vente de ses actions à la multinationale et ma nomination à sa place.

— Et ensuite ?

— Ils me demanderont de lancer et de gérer une nouvelle ligne de production.

— Et si je ne suis pas d'accord ?

— Ils retireront leur garantie, madame ; et ils chercheront à mettre la main sur les actions des Steinberg; et s'ils réussissent, nous serons pieds et poings liés.

— Nous?

— Pas plus que vous, je n'aime l'ingérence, madame. Je ne suis pas prêt à les suivre les yeux fermés. Mais en me donnant la direction de l'entreprise, ils utilisent une arme à double tranchant. S'ils essaient de nous contraindre à des choses que nous ne voulons pas, je pourrai toujours menacer de les plaquer.

— C'est une façon de voir les choses, convint Mme Dussault.

Il fallait qu'elle observe de plus près ce garçon. Il avait l'air très bien. Et il était beau, ce qui ne gâtait rien. Elle était prête à lui faire confiance. En vérité, il n'y avait rien d'autre à faire, aussi longtemps que Japonais et Allemands tenaient entre leurs mains le sort de l'entreprise.

MM. Takanawa et Shurer n'ignoraient pas l'existence de Mme Dussault. Ils la considéraient néanmoins comme une quantité négligeable dont ils n'avaient en aucune façon à tenir compte, si ce n'est pour la contourner habilement – et, pour l'habileté, ils ne craignaient personne, ayant si facilement réussi à s'emparer d'un tiers des actions de la maison et à nommer à sa tête un étranger à la famille, qui ne pouvait être qu'entièrement à leur dévotion.

Mais c'est là qu'ils se trompaient, Pierre ayant fait son choix entre eux et Constance Dussault – pour Constance –, et ils s'en aperçurent pour la première fois quand le jeune ingénieur refusa d'accepter la mission de persuader Bruno Steinberg de leur vendre suffisamment d'actions pour qu'ils eussent la majorité absolue.

Ils se séparèrent froidement, mais Pierre demeura ferme, quitte à perdre son emploi. Il se dit qu'il tiendrait la patronne au courant de leurs manigances. Une des erreurs de Jean-Claude avait été de ne pas réussir à se concerter avec elle, il ne voulait pas la renouveler.

Constance, de son côté, méditait de trouver des capitaux grâce auxquels elle pourrait se débarrasser de cette « engeance étrangère ». Se consacrer à ses affaires la distrayait du souci que lui donnait la pensée d'Alessandra, mais ne pouvait empêcher complètement son esprit d'être souvent en Italie.

Giorgio Thesis avait passé la frontière vers midi. Il emprunta divers moyens de transport et descendit du train à Varenna à 4 heures moins cinq. Il était vêtu comme la veille et méconnaissable. Nonchalamment, il se dirigea vers l'embarcadère et s'assit sur un banc qui jouxtait la boutique ambulante d'un glacier. Derrière ses lunettes rondes cerclées d'acier, son regard était attentif entre ses paupières mi-closes, mais il ne vit rien d'anormal.

Il avait une arme sur lui, parce qu'il faut toujours prendre ses précautions, cependant il ne craignait pas trop que Salmon l'eût doublé. La somme qu'il lui avait demandé de retirer de la banque était importante – 50 000 francs suisses, ça fait un joli paquet de lires! –, et le gosse serait assez impressionné pour faire ce qui lui était demandé.

A 4 heures pile, comme il l'avait escompté, Salmon fit son apparition, longeant le quai dans toute sa longueur, cherchant visiblement son homme, s'impatientant de ne pas le voir, regardant nerveusement de tous côtés.

– Tu veux une glace? lui demanda Thesis, comme il passait à sa hauteur.

Non mais des fois, vous me prenez pour qui? s'exclama le garçon.

– Pour mon ami, le jeune Salmon, dit Giorgio.

– Merde! Thesis... Je t'aurais pas reconnu.

– C'est fait pour!... Tu as le fric?

– Je l'ai dans ce sac. Tu veux vérifier?

Le garçon avait l'air apeuré, et Thesis pensa que le sac était peut-être vide.

– Sûr que je veux, mais pas ici.

– Où ça, où ça? demanda Salmon.

Son inquiétude manifeste fit tiquer Thesis, qui lui dit, bourru :

– Nous allons prendre une barque, tu veux? Rien que pour nous deux, comme quand tu étais amoureux fou de moi, tu te souviens?

– Je me souviens, dit Salmon, sur la défensive.

Thesis le tenait fermement par le bras et le poussait le long du quai. Deux hommes sortirent d'une voiture stationnée à proximité et se mirent à les suivre.

— Qu'est-ce que c'est? fit Thesis, aux aguets.

A ce moment, le commissaire Bonetti lui fit face, surgissant littéralement de derrière un journal déployé, et dit paisiblement.

— Ça va, Thesis, tu es fait.

Thesis regarda autour de lui, vit d'autres policiers en civil qui s'amenaient. Il sortit son arme, en pointa le canon sur la tempe de Salmon et s'écria :

— Barrez-vous ou je le tue!

— Reculez, dit Bonetti à ses acolytes.

Thesis courut vers l'embarcadère, tenant toujours son otage. Avisant un canot dont le propriétaire venait de mettre le moteur en marche, il repoussa Salmon d'une bourrade et sauta dans l'embarcation. Il balança le propriétaire à l'eau, poussa les gaz et fila.

Sur un signe de Bonetti, un hors-bord s'élança à sa poursuite. Il y avait deux heures que les policiers tapis dedans attendaient cet instant.

Pendant ce temps, à Côme, au tribunal, le procureur Gravina s'entretenait avec Bruno Steinberg. Il l'avait convoqué pour « affaire le concernant ».

Bruno avait été surpris, et plus surpris encore lorsque le procureur, en guise de préambule, lui avait demandé s'il connaissait Giorgio Thesis.

— Forcément, dit Bruno. Ferrari était son beau-père.

S'il y avait quelqu'un dont il n'aimait pas parler, c'était bien Thesis. L'idée qu'il avait été – était même toujours – l'époux d'Alessandra lui causait un malaise. Mais, depuis qu'il avait voulu « vendre » son divorce à Ferrari, il lui répugnait complètement.

— Ce n'est pas un homme qu'on se flatte de connaître, dit-il au procureur.

— Je m'en doute, mais peut-être ne savez-vous pas que la police le connaît aussi.

— Ah! fit Bruno, intrigué.

— Je dirais même qu'elle s'intéresse beaucoup à lui. Elle le tenait, comme vous, pour un personnage peu recommandable, mais il s'est avéré que c'est une crapule, et même pis!

— Pis?

— Maître chanteur en premier lieu. Savez-vous qu'il faisait chanter Mme Dussault en menaçant de raconter à sa femme que celle-ci était sa mère?

— Ce n'est pas possible! dit Bruno.

— Le chantage a pris fin, puisque mon ami Ferrari a raconté lui-même les faits à sa fille, mais, au cours de son enquête, le commissaire Bonetti a découvert autre chose.

— L'inspecteur Bonetti a beaucoup d'imagination, dit Bruno, avec une ironie glacée.

— Je sais, Steinberg, je sais qu'il vous a fait des misères. Mais il faut le comprendre : il n'a jamais cru que votre épouse s'était suicidée... Et il avait raison!

— Oh non, monsieur le Procureur! Vous n'allez pas recommencer les persécutions!

Négligeant la mine ulcérée de son interlocuteur, Gravina dit :

— En enquêtant sur l'affaire de chantage, Bonetti a découvert contre Thesis des preuves qu'il avait assassiné votre femme.

— Mais pourquoi aurait-il assassiné Jacqueline? Ce n'est pas possible, je ne peux pas le croire! Je ne sais même pas s'il la connaissait...

— Calmez-vous, maestro. A l'heure qu'il est, peut-être Bonetti sait-il toute la vérité.

— Bien, monsieur le Procureur, j'attendrai, dit Steinberg d'une voix éteinte.

Il était abattu, démoralisé. Tenait-il vraiment à en savoir plus sur la mort de Jacqueline? Il n'en était pas sûr. Il avait l'impression de nager dans des eaux troubles, à l'aveuglette. Et autour de lui, à part Walter Salieri et Alice Clementi, qui, eux, nageaient en plein bonheur, professionnellement et sentimentalement, tout le monde se débattait de la même façon avec ses rancœurs, ses appréhensions ou ses remords.

En sortant du palais de justice, il se demanda quand les eaux redeviendraient claires. Il faudrait de l'amour, de grandes quantités d'amour, pour qu'elles le redeviennent. Parce que, dans cette histoire, pensait-il, ils étaient tous coupables et victimes.

La plus tourmentée de tous était sûrement Alessandra. Elle avait perdu son père et le pleurait; elle avait récupéré une mère et la haïssait. Elle aurait voulu aimer la fille de son amant, mais elle sentait en elle tant de réticences... Le pis était qu'elle les comprenait, puisqu'elle était elle-même pleine de réticences et incapable de s'abstenir de juger. Il fallait espérer qu'un jour... mais elle n'espérait rien pour l'instant; elle attendait; elle était très gentille avec Véronique et s'efforçait de ne pas penser.

Sur ces entrefaites, elle eut à aller chez le notaire, qui avait dressé l'inventaire des biens de Ferrari. Son père ne lui laissait pas une grosse fortune, mais elle découvrit à cette occasion un fait surprenant : elle, elle était riche.

Quelqu'un avait déposé à son nom sur un compte bancaire à Genève une somme rondelette un mois après sa naissance. S'y étaient ajoutés vingt ans de versements mensuels et les intérêts. Personne n'ayant jamais touché à cet argent, c'est plus de 3 millions de francs suisses – 2,5 milliards de lires – qui dormaient, à sa disposition.

— C'est insensé, dit-elle. Que voulez-vous que je fasse de cet argent?

— Voilà qui me surprend dans la bouche d'une jolie jeune femme comme vous! On peut faire beaucoup avec de l'argent. Vous avez bien envie de quelque chose!

— Non, dit-elle. Je n'ai envie de rien.

— Vous êtes déprimée par la mort de votre père, dit le notaire. Plus tard, vous trouverez bien un emploi pour ce capital. En attendant, je m'occuperai des formalités et des papiers.

Elle remercia, prit congé. Ce « capital » ajoutait encore à son trouble.

— Oui, c'est bien moi qui l'ai tuée, dit Thesis.

Il était depuis un quart d'heure dans le bureau de Bonetti. Les policiers en hors-bord n'avaient eu aucune peine à rattraper son canot. Il avait tiré deux coups de revolver au hasard, ne touchant heureusement personne, puis, se jetant à l'eau, avait essayé de s'échapper à la nage. Mais les jeux étaient faits : il n'avait pas assez de sang-froid, et les chances n'étaient pas de son côté. Les policiers l'avaient ramené ruisselant, sa moustache décollée par l'eau du lac et sa perruque emportée. Et sa beauté aussi, semblait-il, avait été emportée. Brusquement, il était devenu physiquement semblable à son être profond : mou et sans éclat.

Il avait nié farouchement, essayant de le prendre de haut avec le commissaire, mais celui-ci était solide comme un roc, sûr de lui, dominateur... Et Thesis venait de craquer.

— Pourquoi l'as-tu tuée?

— Je ne l'ai pas fait exprès, commissaire!

— On dit toujours ça, dit Bonetti avec une grimace désabusée. Raconte toujours, je verrai ensuite. Reprends ça depuis le début.

— Je l'ai rencontrée par hasard devant le théâtre.

— Oui. Ensuite?

— Elle voulait un taxi. Je me suis proposé pour la conduire où elle voulait. Mais elle ne savait pas très bien ce qu'elle voulait. Elle parlait de la gare, de l'aéroport. J'ai dit qu'on allait faire un petit tour, le temps qu'elle se décide.

— Et elle a accepté!

— Elle avait l'air un peu perdue...

— Alors? demanda Bonetti.

— Ben alors, j'ai tout de suite pensé que je coucherais avec elle, que ça me vengerait, qu'elle serait mon otage...

— Et que tu pourrais la faire chanter! Le chantage, c'est un de tes jobs, non?... Tu t'y es pris comment?

— Je lui ai dit de gentilles choses, je l'ai fait boire. Je me débrouille très bien avec les femmes, commissaire.

Bonetti leva les yeux au ciel. Où la vanité allait-elle se nicher!

— Ça ne me dit pas comment tu l'as tuée. Tu l'as sautée et après?

— Après, on a dormi.

— Et après? fit Bonetti, ostensiblement patient.

— Quand elle s'est éveillée, dit sombrement Thesis, elle m'a insulté, et je ne l'ai pas supporté. Je l'ai frappée. Elle s'est enfuie. Je l'ai rattrapée et j'ai encore frappé.

Il ne se défendait plus, il revivait la scène.

Bonetti soupira, appuya sur le bouton de l'interphone et dit :

— Faites entrer le minet!

— Le minet? fit Thesis comme s'il s'éveillait.

Salmon entra, poussé dans le bureau par un flic.

— Salaud! dit Thesis en crachant vers lui.

— On se tait, dit Bonetti. C'est moi qui mène le débat! Salmon, quand tu es entré chez ton copain, le corps de Mme Steinberg gisait sur le tapis?

— Oui, commissaire, dit le garçon. Elle avait plein de sang dans les cheveux. Il a dit qu'il m'avait fait venir pour l'aider à la faire disparaître. Il m'a demandé si je connaissais un endroit du lac où l'eau est profonde et j'ai dit que oui. On a roulé le corps dans une couverture et on l'a emmené en voiture. Arrivés à destination, on est montés sur un rocher et on a balancé le cadavre. J'ai rien fait d'autre, je le jure.

— Le cadavre, tu dis, fit Bonetti avec un bon sourire. Ça va vous amuser d'apprendre que, avant de jeter le corps dans l'eau, aucun crime n'avait été commis.

— Qu'est-ce que vous voulez dire? demanda Thesis.

— Jacqueline Steinberg n'était pas morte quand vous l'avez jetée dans le lac.

— Ce n'est pas possible! Dans le jardin, je l'ai fait tomber. Sa tête a heurté une grosse pierre! Elle s'est mise à saigner. J'étais affolé. Je l'ai rentrée dans le salon et j'ai appelé Salmon.

— Elle était morte, confirma celui-ci, atterré.

— Non, dit Bonetti. Les experts sont formels. Elle est morte noyée: il y avait de l'eau dans les poumons. Tu l'as noyée, Thesis.

Après, tout se passa très vite. Les agents entrèrent et emmenèrent le mari d'Alessandra.

— Il a tout avoué, dit Bonetti. Je vous demande pardon.

— Pardon? demanda Bruno Steinberg.

— De vous avoir soupçonné.

Les deux hommes firent demi-tour. Ils faisaient les cent pas devant le théâtre, là où Thesis avait embarqué Jacqueline pour sa dernière promenade. Le maestro avait l'air accablé.

— Je suppose que vous faisiez votre métier, dit-il.

— En quelque sorte. C'est ma manière de procéder. Dans un premier temps, je vois tout le monde coupable, et puis je déblaie.

— Et Thesis est resté en dernier. Vous êtes satisfait?

— On est toujours satisfait de mettre la main sur le vrai coupable.

— Je n'arrive pas à croire qu'il le soit. Ce n'est pas possible! Il ne la connaissait même pas.

— Il savait que c'était votre femme, dit Bonetti.

Il refit pour le maestro le récit de Thesis.

Bruno se taisait. À mesure que parlait le commissaire, son cœur se serrait dans sa poitrine. Comme Jacqueline avait dû être malheureuse et solitaire pour suivre cet homme ignoble et faire l'amour avec lui. Il n'y avait pas ombre de rancune contre elle dans son cœur, rien qu'une peine immense et le sentiment de l'irréparable.

— Il sera puni comme il le mérite, dit Bonetti. Trente ans, au moins vingt-cinq!

— Et moi, commissaire, quelle sera ma punition?

— Votre punition, maestro?

— Je suis coupable de nombreux abandons vis-à-vis de Jacqueline, et le dernier ici même, à l'intérieur de ce théâtre, lui a coûté la vie. C'est de la non-assistance, commissaire.

A la stupéfaction de Bonetti, qui, soudain, ne savait plus où se mettre, le maestro Steinberg éclata en sanglots.

Le même jour, après cette entrevue avec le commissaire. Bruno reçut un coup de fil de Genève. Herr Shurer lui proposait de lui racheter ses actions Dussault-Pontin. Il refusa. Il avait le sentiment que vendre ses actions à une multinationale serait une trahison de plus envers Jacqueline, la famille et la Suisse natale de son épouse.

Shurer rappela trois fois, offrant toujours plus d'argent, jusqu'à trois fois le prix qu'ils avaient payé à Jean-Claude, mais Steinberg demeura inflexible.

Le lendemain, c'est lui qui téléphona à sa belle-mère et qui lui demanda de venir à Lugano.

Elle parut surprise, bien qu'elle commençât à regarder son gendre avec un nouveau regard. Il insista tant et si bien qu'elle promit de venir.

18

La première entrevue entre Alessandra et sa mère fut quelque chose d'irréel. Certes, elles étaient là, en chair et en os, proches à se toucher, mais la situation avait été si longtemps inimaginable – ou imaginaire – qu'elles avaient peine à y croire.

C'est Bruno et les domestiques qui avaient accueilli Mme Dussault lorsqu'elle était sortie de sa Jaguar devant le perron de la villa, mais maintenant, elles étaient seules, la mère et la fille, dans le salon, et Alessandra dit :

– J'ai souvent imaginé cette rencontre.

– Ah oui? dit Constance. Comment ça?

– Je me disais : maman n'est pas morte. Un jour, elle reviendra. Il paraît que beaucoup d'enfants dont les parents ont disparu s'imaginent ça.

– Et tu m'imaginais comment?

Alessandra leva les yeux vers sa mère.

– Je ne sais pas, dit-elle d'une voix troublée. Je ne parvenais pas à connaître votre visage. J'avais un scénario, toujours le même : vous arriviez dans une belle voiture, vous en descendiez et vous portiez une capeline... elle dissimulait votre visage. Je courais vers vous; vous me serriez dans vos bras, fort, fort, et je fermais les yeux tant j'étais heureuse, et je ne voyais toujours pas votre visage...

– Mon enfant, dit Mme Dussault, bouleversée, je suis venue souvent, quand tu étais petite, te regarder jouer dans le jardin, mais je ne t'ai jamais serrée contre moi.

Elle se leva, tendit les bras, mais Alessandra, éclatant en sanglots, la repoussa.

— Non! Je ne veux pas! Je ne veux pas que vous m'embrassiez! Pas maintenant!

Elle se leva à son tour et, le visage toujours ruisselant, quitta la pièce en courant.

Constance alla vers la fenêtre et demeura longtemps à regarder sans les voir le jardin, le lac, les montagnes. C'est Bruno qui la tira de sa méditation en entrant dans la pièce. Il toussota, tant pour l'avertir de sa présence que pour masquer son embarras.

— Je n'aurais pas dû...? dit-il quand elle se tourna vers lui.

— ... Me faire venir? Si, Bruno, vous avez bien fait d'insister. Il fallait bien que nous nous rencontrions un jour, fit Constance.

Il y avait beaucoup de tristesse sur son visage, mais pas d'amertume.

— Je lui ai donné un calmant, dit-il, et elle s'est endormie. Je ne pensais pas que ce serait si dur pour elle.

— Moi si. Je me suis mal conduite envers elle... Envers mes trois filles, je me suis mal conduite.

— Vous dites ça maintenant? demanda Bruno d'une voix pleine de compassion.

— Si je m'étais mieux occupée de Nicole et de Jacqueline, bien des choses ne seraient pas arrivées.

— C'est le passé, belle-maman, dit le maestro en lui posant la main sur l'épaule. Asseyons-nous et causons. Alessandra surmontera le choc de cette première rencontre. Et les autres seront plus faciles, croyez-moi, pour peu que nous le voulions tous...

— Comme vous êtes gentil! dit Mme Dussault, avec un sourire étonné.

Bruno leva la main.

— Changeons de sujet, voulez-vous? Il faut que je vous parle affaires.

— Vous? dit Constance avec un sourire plus accentué.

— Moi. J'ai refusé de vendre mes actions à Shurer. Je pense que vous m'approuverez. Je me propose de vous en confier la gestion, puisque Jean-Claude est hors de circuit et que je puis en disposer à ma guise.

— Mais, Bruno...!

— Je crois que la famille doit se tenir les coudes. Je sais, je n'ai jamais montré beaucoup d'esprit de famille. C'était un tort. Maintenant, je m'en rends compte. Nous avons mal soutenu Jacqueline. Soutenons-nous les uns les autres désormais. Tant que nous sommes encore vivants.

— Oui, souffla Constance. Je vous remercie, Bruno. Je regrette d'avoir mal pensé de vous...

— La paix est faite, maintenant.

Mme Dussault passa le reste du jour avec Véronique et, le lendemain de bonne heure, se préparait à repartir, sans qu'Alessandra se fût manifestée. Elle en était déroutée, mais pas trop, s'étant attendue à plus de violence de la part de sa fille.

Michel venait de mettre en route le moteur de la Jaguar, cependant que Giuseppe plaçait dans le coffre la valise de la patronne et que Bruno lui faisait ses adieux, lorsque la jeune femme, dévalant en trombe les marches du perron et bousculant son amant, vint tendre une enveloppe à sa mère.

— Qu'est-ce que c'est? demanda Constance.

— Une lettre pour vous, dit Alessandra.

Les deux femmes se regardèrent; la plus jeune esquissa un sourire timide.

— Merci, Alessandra... A bientôt, peut-être...

— A bientôt, dit Alessandra, avec une conviction qui émut sa mère.

— Allons-y, Michel, dit celle-ci. J'ai beaucoup à faire à La Chaux-de-Fonds.

Elle était dévorée d'impatience, mais elle attendit que la voiture fût sur l'autoroute, roulant régulièrement et sans secousses, pour décacheter la missive.

Maman,

Comme ce mot est difficile à écrire pour la première fois, à vingt-sept ans. Je ne sais plus si je l'ai prononcé devant vous, si j'ai pu vous appeler maman, alors que vous m'intimidez tellement. Car vous m'intimidez, maman, c'est drôle, n'est-ce pas? Personne ne m'a jamais intimidée. Vous êtes la première. Parce que je vous admire, sans doute. Seuls les gens qu'on admire vous intimident, non?

Depuis que mon père m'a tout dit, je vous ai haïe, et je n'ai pensé qu'à toutes les raisons que j'ai de vous haïr. Vous m'avez

sacrifiée. Vous m'avez préféré votre confort, votre respectabili-
té, vos autres filles. Et voilà : je ne vous hais pas. Quand vous
êtes entrée dans le salon, j'ai tout de suite pensé que j'avais fini
de vous détester. Je ne sais pas à quoi ça tient : votre regard,
peut-être, votre sourire, et le bonheur d'avoir enfin une mère,
même si j'ai dû attendre si longtemps.

La prochaine fois, maman, je crois que je serai heureuse que
vous m'embrassiez. En vérité, j'attends déjà que vous m'em-
brassiez. Et moi, je vous embrasse tout de suite, très fort,

Alessandra.

Constance lut deux fois la lettre, s'essuyant les yeux à
maintes reprises du revers de la main, avant de retourner le
feuillet. Au verso, il y avait un post-scriptum et un chèque
épinglé. Le post-scriptum disait :

Bruno m'a raconté que vous aviez de sérieux problèmes
d'argent. Je ne connais rien aux affaires, mais je vous fais
confiance; et je serai heureuse si ce chèque vous dépanne.

Le chèque valait 2 millions de francs suisses.

Quand Mme Dussault rentra chez elle, Jean-Claude Fontaine
était revenu de France. Il ne dit à personne où il était allé, mais
il avait dû passer par Genève et rencontrer Shurer, car il
annonça que celui-ci lui avait proposé, en Amérique du Sud,
une situation de représentant permanent, et qu'il avait
accepté.

Sa belle-mère prit la nouvelle de haut et le traita avec plus
de mépris qu'il n'en méritait, car s'il avait vendu, le couteau
sur la gorge, les actions de Nicole à Takanawa, il avait mis au
compte de sa femme l'intégralité de l'argent.

Elle était bouleversée, Nicole. Depuis quelque temps, depuis
que son mari avait été relevé de ses fonctions pour être
remplacé par Savagnier, elle évitait le jeune ingénieur et
essayait de voir clair dans ses sentiments. Elle avait grande
pitié de Jean-Claude et, jusqu'au jour de son départ, elle le
conjura de réfléchir encore et de voir s'il n'y avait pas d'autre
solution pour lui que de s'expatrier.

Mais il tint bon et ne cessa de répéter que c'était la meilleure
solution pour tout le monde. Il était bien désabusé. Sur tout,

sur Nicole, sur lui. Il était sûr qu'il n'était pas né pour la chance, pas fait pour l'amour.

— Emmène-moi avec toi, dit Nicole dans une dernière tentative, alors que les bagages étaient bouclés et le taxi commandé. Nous repartirons de zéro. Nous serons plus attentifs l'un à l'autre.

— Nous n'avons jamais pris le temps d'être attentifs l'un à l'autre. Je suis désolé, Nicole, mais je ne te vois plus.

— Loin de moi, tu crois que tu recouvreras la vue?

— Peut-être... Et peut-être que je comprendrai mon erreur.

Un instant, il eut l'air ému et saisi par on ne sait quel regret :

— Je t'écrirai, je te ferai venir, Nicole!

— Mais moi, je n'aurai peut-être plus envie... Il est temps que je me mette à vivre, vois-tu. Pas *essayer* de vivre. Vivre.

— Je t'écrirai, répéta Jean-Claude, incapable de trouver d'autres mots.

Il avait l'impression très aiguë qu'ils n'avaient plus rien à se dire et ne se reverraient plus.

Maintenant que Giovanni Ferrari était mort, travailler à Bergame était sans attrait pour sa fille et pour Bruno Steinberg. Il avait été l'âme de ce théâtre pendant vingt-cinq ans, le seul capable de garder son sang-froid entre les caprices des artistes, les exigences du public, les perpétuels problèmes financiers et les fluctuations politiques au sein de la municipalité.

Celle-ci, sous le coup de la perte brutale du directeur et dans l'enthousiasme des succès remportés par Steinberg, proposa à ce dernier le poste de Ferrari, mais Bruno n'avait rien d'un administrateur, il était un artiste et uniquement un artiste, et tout le monde en convint rapidement. Mais il profita de l'effervescence pour recommander chaudement Walter Salieri à sa succession comme chef d'orchestre.

Il avait de plus en plus d'estime pour le jeune musicien, et celui-ci, pour sa part, était revenu de ses préventions contre lui, depuis qu'il avait remporté des succès personnels et acquis la certitude qu'Alice Clementi l'aimait. Il vivait avec elle désormais, et le bonheur avait rogné beaucoup des anciennes aspérités de son caractère.

Bruno était d'autant plus enchanté d'avoir un Salieri à qui repasser le flambeau qu'il venait d'être l'objet de sollicitations de l'administrateur de l'Opéra de Paris. C'était la seconde fois qu'on le sollicitait de la sorte, mais, cette fois, l'administrateur y mettait beaucoup d'insistance, et lui-même était tout disposé à accepter.

— Ce serait pour bientôt, juste après la tournée. Tu viendrais avec moi? demanda-t-il à Alessandra, quand il lui annonça la nouvelle.

— Pourquoi pas? dit la jeune femme. Et Véronique?

— Qu'en penses-tu?

— Elle voudra rester à Lugano, avec Marco.

— Tu crois? demanda Bruno, la regardant avec attention. Ne serait-ce pas plutôt que tu préférerais ça? Qu'est-ce qui ne va pas avec elle?

— Elle ne m'a pas entièrement acceptée, je le sens.

— Normal! As-tu accepté entièrement ta mère, toi? fit Bruno, en prenant sa maîtresse dans ses bras et en l'étreignant très fort. Nicole annonce sa visite. Qu'est-ce que tu en penses?

— Que je vais attendre et voir, dit Alessandra en riant.

Nicole était formidablement excitée par l'idée d'une sœur inconnue lui tombant soudainement du ciel. Cette jeune femme qui, toute sa vie, s'était exercée à la froideur, était en secret une imaginative qui se racontait tout le temps des histoires; mais jamais elle n'aurait osé inventer quelque chose d'aussi extravagant qu'une jeune sœur lui tombant dessus à son âge.

Par ailleurs, elle voulait user de sa liberté toute neuve et combler le vide creusé – qui l'eût cru? – par le départ de Jean-Claude. Pierre, elle l'avait littéralement mis en réserve : il n'était pas dans sa nature de mettre un amant pour de bon dans sa vie, sitôt son mari dans l'avion de Buenos Aires.

Toutes ces circonstances militaient en faveur de vacances à Lugano, et elle prit le train dans l'humeur joyeuse d'une gamine qui s'évade et part vers l'aventure.

Véronique l'attendait à la gare avec un taxi. Elle avait l'air heureux et épanoui. Quand elle le lui dit, la jeune fille parut un peu gênée, mais ça ne dura que deux secondes et elle dit :

— C'est la joie de te revoir, tante Nicole. Tu n'imagines pas comme je suis contente que tu sois là. Maman me manque, tu sais... Et c'est encore toi qui lui ressembles le plus, n'est-ce pas?

Nicole serra sa nièce contre elle. Pauvre enfant sans mère. Si émancipée fût-elle, si délurée voulût-elle paraître, elle devait ressentir cruellement le manque de Jacqueline. Récemment, elle avait écrit à sa tante qu'Alessandra était une femme très bien et gentille, et qu'elles s'entendaient bien, mais les phrases sentaient l'effort. Alessandra avait été la maîtresse de Bruno du vivant de Jacqueline et, vu ce qui était arrivé ensuite, la pilule était longue à digérer. Heureusement que la gosse avait un amoureux. Ça compense bien des choses et ça enseigne la vie.

Avec Alessandra, l'entente fut tout de suite parfaite. La jeune Italienne, si elle avait des griefs contre sa mère, ne pouvait en avoir contre une sœur qui avait ignoré jusque-là son existence, et elle aspirait, pour en avoir été sevrée, à un peu de présence familiale féminine. Les deux sœurs, après quelques hésitations, tombèrent avec soulagement dans les bras l'une de l'autre.

A La Chaux-de-Fonds, cependant, de grands événements se préparaient, dont Constance Dussault était la seule à pouvoir anticiper le déroulement.

Elle commença par rendre visite à Fussli et lui remit le chèque d'Alessandra. Pour la première fois depuis qu'elle le connaissait, le banquier portait lunettes, ce qui la fit rire. Fussli était très soucieux de son look. Ses cheveux avaient blanchi prématurément, mais il avait un teint frais de jeune fille, et maintes phrases dans son discours visaient à souligner qu'il n'avait pas l'âge de sa chevelure.

— Votre vue baisse, Fussli, dit Constance, un peu narquoise. Les hommes aussi sont victimes du temps qui passe et doivent songer à la retraite.

— Mais qui parle de retraite? Où voulez-vous en venir?

— Vous et Fernay, vous m'aviez mise à la retraite. Vous m'aviez crue finie, n'est-ce pas? Vous aviez cru pouvoir me doubler, me rouler, m'acheter la villa de Lugano pour la moitié de son prix, par exemple!

— Madame Dussault, dit Fussli, drapé dans sa dignité, je n'ai jamais voulu vous acheter votre villa de Lugano!

— Non, c'était Fernay, mais vous étiez de mèche tous les

deux, et vous pensiez que je serais trop contente d'avoir des Suisses pour me renflouer – même s'ils me filoutaient –, plutôt que des Japonais!... C'est ça? Vous aviez peut-être raison, mais j'ai toujours préféré me renflouer moi-même, c'est beaucoup plus excitant. Ce que j'aime dans les affaires, finalement, c'est l'imprévu, les arias, les obstacles. C'est tellement gai, de sauter les obstacles! On se sent vibrer, et moi, j'ai besoin de vibrations pour vivre.

– Je n'ai jamais très bien compris les femmes, dit Fussli en ôtant ses lunettes et en les regardant pensivement. Je crois qu'elles ont une énergie qui me dépasse.

– Ça doit être ça, dit malicieusement Constance. Dans deux jours, cher ami, j'aurai un service à vous demander.

– A votre disposition, dit le banquier, médusé.

– Je déclare ouverte, dit le notaire, l'assemblée générale extraordinaire réclamée par M. Shurer. Unique point à l'ordre du jour : élection des membres du conseil d'administration. C'est bien cela, monsieur Shurer?

– Exactement, dit l'Allemand.

Dans la salle de conseil de la maison Dussault, ils n'étaient que quatre autour de la table : outre Shurer et le notaire – un homme chauve qui s'appelait Weber –, il y avait Pierre Savagnier et Constance.

– Je tiens d'abord à rappeler, reprit Weber, que la répartition des actions est la suivante : 33 pour 100 à Mme Dussault, ici présente; 33 pour 100 à M. et Mlle Steinberg, représentés par Mme Dussault, mandatée par eux en bonne et due forme; 33 pour 100 au groupe représenté par M. Shurer; et 1 pour 100 que je détiens personnellement, en tant que président. Nous sommes bien d'accord?

Constance opina, mais Shurer réclama la parole, qui lui fut accordée.

– Notre désir, dit-il, est d'avoir le contrôle absolu de l'entreprise. Ce pourquoi nous aimerions que Mme Dussault nous cède des actions – au moins la moitié de sa part, plus une. Je m'empresse de dire que nous paierons ces actions un très bon prix.

Constance sourit et prit une aspiration avant de dire, prenant le notaire à témoin :

– On croit rêver, non?... Oh! excusez-moi, monsieur Shurer, dans ces sortes de rêves, on pense tout haut, ajouta-t-elle en se tournant vers l'Allemand, faussement confuse.

Il rétorqua en fronçant les sourcils :

– Peu importe que vous rêviez tout haut ou en silence, madame. Ce que je dis est sérieux, et j'insiste. Sans quoi mon groupe se verra forcé de retirer les garanties offertes à la maison Dussault. Vous devez être raisonnable, madame : vous n'avez pas le choix.

– Je suis très raisonnable, dit Constance. Et, par ailleurs, j'ai le choix. Votre garantie ne m'est d'aucune utilité : notre maison n'a plus de dettes. Je n'ai plus de découvert à la banque, monsieur Shurer.

– Que voulez-vous dire?

– Ça me paraît clair, non? Un enfant le comprendrait! Voulez-vous que mon banquier vous le répète?

Se levant de son siège, Constance Dussault alla ouvrir à Fussli, qui se tenait derrière la porte et qui, souriant, confirma ses dires.

Le reste de la séance entérina la défaite de Shurer, sous le regard fasciné du banquier, du notaire et de Pierre Savagnier, élevé par la patronne au poste d'administrateur délégué.

– Je n'en croyais pas mes oreilles, dit le nouveau promu quand l'assemblée fut terminée et qu'il fut seul avec Constance dans le bureau directorial. Comment avez-vous fait? Un moment, j'ai cru que vous bluffiez.

Elle lui passa la bouteille de champagne que venait d'apporter Martine.

– Soyez gentil, faites le service, dit-elle, je vais vous raconter. J'ai récupéré le métal des montres volées et l'argent que Sophie avait retiré de son vol. Ma fille m'a avancé ce qui manquait.

– Nicole?

– Ma troisième fille, Alessandra. Vous n'êtes pas au courant? Nicole ne vous a rien raconté?

– Il y a un moment que je ne l'ai plus vue, madame. Nous sommes un peu en froid.

– C'est une apparence, dit Constance en prenant la coupe

que lui tendait le jeune homme. Elle vous aime beaucoup, mais son cœur sensible a été bouleversé par le départ de son mari. Ne vous occupez donc pas de ce qu'elle a pu vous dire. Elle va très vite changer d'avis.

Elle vida son verre, le tendit à Pierre pour qu'il le remplisse. Pierre s'exécuta et ils trinquèrent.

– Je sais ce que nous allons faire, dit Constance. Je vais partir pour Lugano – toute ma famille s'y réunit cet après-midi pour fêter les dix-huit ans de ma petite-fille –, et vous allez m'accompagner. Nous partons dans une petite heure, ça vous va? Ma famille, c'est aussi Nicole, rappelez-vous!

Savagnier eut le sentiment qu'il ne servait à rien de discuter et que le caprice de la patronne était un ordre; d'ailleurs, il n'avait pas la moindre envie de discuter, puisqu'il était ravi. Il fila chez lui pour se préparer une valise.

Quand il revint, il vit Michel et la Jaguar qui attendaient devant la porte et il se hâta d'entrer. Dans le bureau, il trouva Guillaume, qui prenait congé de Constance. Il avait l'air ému et radieux. Pierre le salua cordialement, ayant beaucoup de sympathie, bien qu'il ne le fréquentât point, pour cet artisan de grand talent, sa conscience professionnelle et son dévouement comme on n'en fait plus.

– Mes bagages sont dans la voiture, dit la patronne au jeune homme. Avez-vous donné les vôtres à Michel? Ceci, nous le garderons avec nous, je vous le confie, poursuivit-elle, en lui tendant une mallette en cuir grenat qu'il prit sans y prêter autrement attention. Je suis très excitée par notre départ, je l'avoue. A Lugano, ils ne nous attendent pas. Hier, au téléphone, j'ai laissé entendre que je ne viendrais vraisemblablement pas. Pour leur faire la surprise, vous comprenez, et voir si c'est une bonne surprise. On a toujours intérêt à vérifier sa popularité, croyez-moi.

Elle prit le bras du nouvel administrateur d'un air faussement cérémonieux, les yeux tout plissés de rire. Jamais Pierre ne l'avait vue si enjouée. Elle avait rejeté sa raideur comme une vieille guenille. Et elle avait l'air d'avoir encore plein de tours dans son sac.

Marco et Véronique n'avaient pas quitté le loft du jeune homme depuis plusieurs jours; mais tout a une fin, et il fallait bien se rendre à la fête, puisque fête il y avait, et que Bruno avait voulu qu'elle fût grandiose.

La perspective de cette journée, aussi bien, était rien moins que déplaisante, et ils chantaient à tue-tête en s'y préparant. Ils s'aimaient un peu plus tous les jours, remerciant leur bonne étoile de l'heureuse rencontre, et ils faisaient des heures passées ensemble un festival de rires et de baisers.

Mais en sortant de la douche, tout à coup et sans que rien l'eût fait prévoir, Véronique se dégagea de l'étreinte de son ami et le regarda avec gravité.

— Nous deux, ça va durer toujours, tu crois? demanda-t-elle.

— Pourquoi non? On s'entend si bien!

— Oui, admit Véronique.

— Pourquoi tu demandes ça? fit l'autre, plus attentif.

— Pour rien. Comme ça.

Il fit un pas vers elle. Une larme descendait lentement le long de son nez.

— Tu pleures?

— Non, dit-elle en reniflant, je suis enrhumée... Et puis... et puis enceinte, aussi...

— Enceinte?

— Oui. J'ai fait le test. Il est positif.

— Oh! dit Marco, la forçant à s'asseoir sur le lit tout contre lui. Ton père est au courant?

— Il devrait, dit Véronique avec un regard en coin. J'ai demandé à ma tante Nicole de le lui dire...

— De toute façon, dit le jeune homme en la prenant par le cou, moi, je lui en parlerai!

— A qui?

— Mais à ton père! C'est normal, non? Je suis prêt à prendre mes responsabilités, tu sais.

— Oh! je connais les miennes, dit Véronique en se dégageant, et je n'ai pas peur de les assumer.

— Mais moi non plus, je n'ai pas peur, dit Marco en la reprenant dans ses bras.

Elle y demeura, de nouveau sérieuse et scrutant l'expression du garçon.

— Tu veux dire... tu veux dire que ça te plairait que je garde l'enfant?

– Mais bien sûr. J'aime les enfants. Je suis ravi, Véronique.

Elle le regarda, bouche bée et les yeux brillants. Jamais de sa vie, elle ne s'était sentie aussi émue.

Pour Bruno, Véronique était un mystère, un problème, un casse-tête. Il l'aimait, il la voulait heureuse, mais il ignorait comment faire pour assurer son vrai bonheur. Depuis la mort de Jacqueline, il avait incontestablement mûri, et le sens de ses responsabilités lui venait – mais que devait-il en faire, de ce sens, et comment l'exercer? Pour la première fois de sa vie, il lui arrivait de méditer longuement sur les problèmes qu'il rejetait naguère, mais il ne parvenait qu'à peine à leur trouver de l'importance et à y accrocher son intérêt. Ses gamberges ne le menaient pas loin et ne lui donnaient pas de réponses – et particulièrement pas à cette question : comment devait-il accepter Marco?

Ce jour-là, néanmoins, il avait résolu de ne pas se laisser entamer par le doute et les interrogations sans réponse : il assumait son rôle de père en donnant une fête d'anniversaire. Il avait voulu qu'elle fût belle, réussie, de manière que Véronique réunît à l'avenir dans un même souvenir la gaieté d'un jour unique et l'image de son père. Pour le reste, on verrait plus tard...

Il avait déjà le décor prestigieux de la villa, de ses terrasses, de ses jardins et du lac sublime. Ce décor, il le remplirait de musique, de plaisir et de jeunesse. Il avait engagé un orchestre, commandé un buffet délicieux et invité tous ceux qu'il estimait devoir plaire à sa fille.

Secondé par Nicole et Alessandra, il avait pris part aux préparatifs, s'investissant avec zèle dans cette tâche – ne fût-ce que pour en masquer d'autres, celles qu'il n'arrivait pas encore à remplir correctement.

C'est ce moment euphorique où il se sentait satisfait de lui que choisit Marco pour venir lui rendre visite. Du jardin, le maestro apportait un grand vase rempli de fleurs rouges destiné à orner le hall lorsqu'il vit le jeune professeur monter les marches de l'escalier fleuri, l'air sérieux en diable derrière les lunettes noires dont il s'était chaussé le nez. Pourquoi ces lunettes et pourquoi cette arrivée précoce? pensa le père avec contrariété. Une fois de plus, il se demanda où situer ce garçon, en dehors – ou à cause – du fait qu'il faisait assidûment l'amour à sa fille. Il posa son bouquet sur le premier guéridon venu et remit à plus tard la réponse.

Il ne tarda pas à comprendre que Marco, pour son compte, désirait une réponse tout de suite, et il en fut agacé.

– Enceinte? fit-il quand le professeur lui eut exposé le motif de sa visite.

– Vous ne le saviez pas? Je croyais que votre belle-sœur...

– Oh! Bien sûr, elle m'a touché un mot de cela. Mais est-ce une certitude?

– C'en est une pour votre fille.

– Allez savoir! S'il fallait croire tout ce qu'elle raconte! Avec elle, on n'est jamais sûr de rien. Peut-être, simplement, qu'elle se trompe!

Marco se rembrunit.

– Insinuez-vous qu'elle a tout inventé?

– Je n'en sais rien. C'est une personne capricieuse, vous comprenez? Nul ne sait ce qu'il y a dans sa tête. Alors, je vous en prie : à chaque jour suffit sa peine; aujourd'hui, c'est la fête.

Grommelant qu'il avait un coup de téléphone urgent à donner, Bruno s'éloigna, laissant Marco des plus perplexes.

Plus tard, quand la fête commença, il cessa de l'être. Véronique était superbe dans une robe-chemise qui ne cachait pas grand-chose de son corps juvénile, image même de sa spontanéité désinvolte. Elle avait l'air heureuse, plus épanouie, la joue plus ronde et veloutée comme un fruit. Elle se blottissait contre lui en dansant, mais refusait avec une douce fermeté le champagne que proposaient à l'envi les serveurs.

Elle était enceinte, il en était sûr, il le ressentait dans sa propre chair. Pourquoi aurait-elle menti? Un jour, elle lui avait laissé entendre qu'elle avait des préventions contre la pilule – était-ce cela « sa » responsabilité? – mais il n'avait écouté que d'une oreille. Et même si... Même si elle avait inventé cette fable, n'était-ce pas encore une preuve d'amour? De temps à autre en dansant, il plongeait son regard dans le sien et il y lisait qu'elle était heureuse. Fallait-il en demander davantage à ce jour magique de ses dix-huit ans?

La Jaguar de Mme Dussault arriva devant la villa en même temps qu'une Rolls superbe.

Constance envoya à Pierre Savagnier un regard chargé de signification, et il opina, bien qu'il ignorât les subtiles manœuvres engagées par sa patronne pendant le temps qu'il préparait son petit bagage.

Les deux chauffeurs arrêtèrent leurs véhicules côte à côte, comme dans un ballet bien réglé, et Galli jaillit de la Rolls avec une souplesse qu'on n'eût pas attendue de lui; toujours comme dans un ballet, Constance mit pied à terre en même temps que l'autre occupant de la Rolls, un jeune homme gras vêtu à l'orientale et onctueux comme un prélat à l'ancienne mode.

— Chère amie, je vous présente M. Ben Gelhad, dit Galli.

— Bonjour, monsieur, dit Constance, affable.

— M. Galli m'a dit, fit l'Oriental, que c'était aujourd'hui l'anniversaire de votre petite-fille.

— En effet.

— Je me suis permis de lui apporter un cadeau.

Mme Dussault prit le paquet enrubanné, remercia et dit que Véronique serait sûrement ravie. Avant de se diriger vers l'escalier, elle ajouta :

— Vous venez? Je vous montre le chemin.

Pierre Savagnier se tenait près de Galli, la mallette à la main. Sur un signe du joaillier, tous deux emboîtèrent le pas aux deux autres. Le temps était magnifique. La villa étalait sa blancheur au milieu d'un paysage fascinant. De la terrasse donnant sur le lac venait de la musique de danse; et les bruits de la fête avaient la résonance heureuse et unique que donne la proximité d'une vaste étendue d'eau encerclée de montagnes.

Avant que Mme Dussault eût atteint les marches, Véronique les avait dévalées avec exubérance.

— Grand-mère, tu as pu venir! Comme je suis contente!

Popularité au zénith, pensa Pierre Savagnier avec amusement. La splendeur de l'endroit ne laissait pas de l'impressionner. Il était plein d'admiration pour sa patronne, sa maison luxueuse, son allure de reine.

— Moi aussi, je suis contente, mon trésor. Voici M. Ben Gelhad, un très bon client.

— Mais c'est un prince des Mille et Une Nuits! s'exclama la jeune fille.

— Des Mille et Une Nuits peut-être. Pour l'instant, il t'a apporté un cadeau.

— Oh! merci...!

— C'était la moindre des choses, mademoiselle, dit l'Arabe en s'inclinant.

— Belle-maman! dit Bruno, s'avançant près du groupe.

Il venait de descendre à son tour, avec Alessandra. Il baisa la main de Constance, qui lui présenta Ben Gelhad et Pierre Savagnier. A l'intention de ce dernier, elle ajouta :

— Et voilà la fille dont je vous ai parlé, ma fille italienne, Alessandra.

La jeune femme resplendissait de beauté dans une robe soyeuse et très élégante. Une petite seconde, avant de s'incliner sur la main tendue, Pierre demeura immobile, comme sous le charme.

Sa patronne rompit le silence en s'exclamant à son tour :

— Et voici ma Nicole! Chérie, tu as une mine superbe! As-tu vu qui je t'ai amené?

Nicole rougit jusqu'aux yeux quand Pierre s'approcha d'elle.

— Voulez-vous boire quelque chose? demanda Bruno à la cantonade. Je vous conduis au buffet...

— Plus tard, dit Carlo Galli. Avec votre permission, maestro, nous avons tous les quatre à parler affaires dans un coin discret. Ça n'empêchera pas la fête de continuer, et nous nous y joindrons tout à l'heure.

Quelques minutes plus tard, dans la quiétude du salon de musique, la porte refermée sur le rock de la terrasse, Mme Dussault pria ses compagnons de s'asseoir.

C'est Galli qui prit la parole le premier. Il exposa que M. Ben Gelhad possédait le quasi-monopole de l'horlogerie de luxe au Moyen-Orient.

— Il paraît, madame, dit l'Arabe, que vous avez le projet d'une collection de montres...

— Un peu plus que le projet, dit Constance. Savagnier, ouvrez donc cette mallette!...

Pierre s'exécuta et demeura bouche bée.

– C'est incroyable! dit-il. Extraordinaire!

– Vous ne saviez donc pas ce qu'il y avait là-dedans?

– J'avoue que non, dit le nouvel administrateur, plutôt confus.

Il se mit à rire tout seul en la regardant. Quel diable de femme! Parlant peu, agissant. Fidèle à ses principes mais aventureuse et n'hésitant pas à courir des risques. Il lui avait fallu un cran peu banal pour faire exécuter ces fastueuses montres envers et contre tous, mais le résultat était splendide. Il n'avait pas fini de la découvrir, pensa-t-il, et ses nouvelles fonctions allaient lui réserver des moments excitants.

Pour l'heure, elle discutait ferme avec l'Arabe, sachant avec une précision infaillible ce qu'il fallait concéder et ce qu'elle pouvait exiger. L'accord intervint rapidement, assurant à Ben Gelhad l'exclusivité de la représentation de Dussault-Pontin haut de gamme au Moyen-Orient – pour le plus grand profit des deux partenaires.

– Maintenant, allons rejoindre les autres, dit Constance, quand le papier établissant les bases de leur accord fut signé.

Elle sortit la première et se heurta à Véronique. Un peu partout, des couples dansaient ou flirtaient dans le jardin. Le champagne coulait toujours à flots.

– Tu es contente? demanda la grand-mère.

– Ravie, dit la jeune fille. J'adore les fêtes, et celle-ci est tellement chouette!

– Oui. Ton père a bien fait les choses.

– Et puis, Marco est si gentil!...

– C'est ton amoureux? Vous vous aimez très fort?

– Oui, dit Véronique, mais je crains qu'il ne plaise pas vraiment à papa.

Constance rit.

– J'aurais cru que c'était le cadet de tes soucis, dit-elle.

– C'est que... si papa n'aime pas quelqu'un, il peut rendre l'atmosphère irrespirable...

– Pauvre chérie, va! dit Constance, riant toujours et ôtant une de ses bagues. Tiens! Prends ça pour te consoler!

– Mais, grand-mère, ce n'est pas nécessaire.

– C'est mon cadeau d'anniversaire. Moi-même, je l'ai reçue de ma grand-mère dans les mêmes circonstances.

– C'est trop beau! Oui, c'est trop beau!

– Rien n'est trop beau, ma chérie, quand on a dix-huit ans. C'est ce que m'a dit ma grand-mère à moi, et je le pense...

Constance sentit un vertige la prendre en disant ces mots. Il lui semblait que c'était hier, le bal de ses dix-huit ans, au château des Monts. Oui, c'était hier, mais c'était aussi perdu dans la nuit des temps, et son destin, alors, n'était qu'une page blanche sur laquelle elle inscrivait des mirages.

La vie s'était chargée de les effacer, de les remplacer par de vrais bonheurs et de vraies douleurs, par des combats inattendus, des tristesses sans fin et des étonnements en cascade. Elle dispensait durement ses leçons, la vie, et n'arrêtait jamais d'en donner.

Constance respira fort, caressa le visage de sa petite-fille et la poussa vers Marco, qui venait d'apparaître. A quelques mètres, Bruno et Ben Gelhad parlaient musique avec ardeur. Accoudés au parapet de la terrasse, Nicole, Pierre et Alessandra échangeaient des plaisanteries en contemplant le paysage.

De ceux-là et de l'adolescente en train de se muer en femme lui viendraient les leçons futures. De son usine aussi, des traditions qui faisaient sa spécificité et des inévitables mutations amenées par le temps qui passe.

Un bref instant – c'est ce qui avait causé son vertige –, elle avait cru qu'elle n'avait plus rien à apprendre et elle avait pensé avec tristesse que l'on ne connaît la vie que lorsqu'elle arrive à son terme.

Mais c'était faux, archifaux! Jusqu'à son dernier souffle, elle aurait à soutenir des luttes, à recevoir des coups et à obliger la victoire à se mettre dans son camp. C'était sa nature, son oxygène. Et c'était bien ainsi.

Elle sourit crânement à Carlo Galli, qui lui apportait un verre, et il lui sourit en retour.

Imprimé aux Etats-Unis, 1987